RÉGISSEUR
DU RHUM

DU MÊME AUTEUR
CHEZ POCKET

COMMANDEUR DU SUCRE

RAPHAËL CONFIANT

RÉGISEUR DU RHUM

ÉCRITURE

ISBN 2-266-09581-1

à mon grand-père
François Augustin (1892-1955),
distillateur à Macédoine (Le Lorrain)

TEMPS DE FEU ET DE FER

« Et les hautes
racines courbes célébraient
l'en allée des voies prodigieuses,
l'invention des voûtes et des nefs
et la lumière alors, en de plus purs exploits féconde, inaugurait le blanc royaume où j'ai mené peut-être un corps sans ombre...
(Je parle d'une haute condition, jadis, entre des hommes et leurs filles, et qui mâchaient de telle feuille.) »

Saint-John Perse, *Éloges*.

1

D'abord et pour toujours cette image obsédante, incoutumière : des boules de feu zigzaguant à travers les champs de canne (décembre descendait lentement dans son déclin), levant comme de soudaines huées de flammes bleu-orangé qui filaient vers les confins avant de s'épuiser, ô inexplicable, à mi-chemin de leur folie.

Le ciel, traversé d'aquarelles fugaces, semblait en exil. La nuit était pourtant proche, inquiète, tapie dans les recoins des mornes comme qui dirait un oiseau-mensfenil prêt à fondre sur nos têtes. D'instinct, nous nous étions collés les uns aux autres, hormis un négrillon m'en-fous-ben qui continuait à trépigner d'allégresse.

Nous avions frette. Nos cœurs chamadaient. Déjà la course-courir de l'incendie dans les plus belles pièces de l'habitation Val-d'Or avait provoqué de hauts cris, des héler-à-moué. Les coupeurs de canne qui se ponçaient les pieds au bord du Grand-Bassin, les amarreuses qui caquetaient, un panier vide juché sur la tête par pure coquetterie, les commandeurs à cheval qui jetaient leurs ordres pour le lendemain, le géreur hirsute qui avait ôté son casque colonial en kaki, tout ce monde-là s'agitait en tous sens, mais nul n'osait affronter le sinistre.

Les boules de feu continuaient avec un ballant accru leur équipée sauvage dans la plantation. Encore plus vite ! Encore plus vite ! Les flèches de canne se muaient en couronnes lumineuses, sublimes et dérisoires tout à la fois, avant de s'affaisser dans des craquements qui se propageaient de loin en loin. En un battement d'yeux, la moitié au moins de la plaine de Rivière-Salée s'était offerte au désir du feu.

Géraud, le négrillon, trépignait :

— Foutre que c'est beau ! C'est beau, oui !

Aussitôt, nous nous escampâmes qui dans le chemin récemment empierré conduisant à Petit-Bourg, qui dans les halliers les plus proches, tandis qu'une dizaine d'hommes, munis de battoirs, s'étaient mis à poursuivre l'incendie. Avec une énergie stupéfiante pour des gens qui avaient passé la journée entière à s'esquinter sous le soleil implacable du carême, ils frappaient les tiges en flammes. Ou bien ils étouffaient les gerbes d'étincelles que le petit vent du soir, vent de terre et donc tourbillonnant, faisait virevolter à plaisir.

Le commandeur Bélisaire, un mulâtre mastoc qui n'avait qu'un œil à cause, s'il fallait en croire la malignité publique, de la guerre de 14-18, hurlait :

— *Bat li isiya! Bat li pa la, tonnan di Dyé!* (Frappez par ici ! Par là, tonnerre de Dieu !)

Dans ma fuite éperdue, je faillis buter sur mon père. Il galopait à bride avalée en direction de Val-d'Or, sans doute prévenu par le bramement des conques de lambi. Partout, on s'était mis à sonner l'alerte. La nuit s'était drapée d'envolées musicales qui accompagnaient l'avancée des flammes, plus conquérantes que jamais. Le spectacle était, vrai de vrai, sacrément impressionnant. Je n'eus que le temps de me plaquer à même l'herbe-Guinée humide d'un fossé, mais, sur la figure de mon père, il me sembla lire, l'espace d'un cillement, une exaltation insolite.

Je me faufilai derrière notre maison, à l'endroit où la véranda s'arrêtait. Un fût jaune y recueillait l'eau de la gouttière. Je me serrai contre lui, en proie à une tremblade irréfrénable. Mon chien, Sloup, vint me lécher les mains sans japper. Dans la salle à manger, notre servante, Antoinise, avait allumé une lampe à pétrole et, bien que je n'aperçusse point ma mère, j'entendais ses pas nerveux racler le plancher de bois. Autour de la table, mes frères et sœurs, très sages, devaient s'efforcer d'avaler leur soupe, grimaçant comme à l'ordinaire. Distinctement, le bruit mat des cuillers en argent contre le rebord des assiettes me parvenait, bruit rassurant, trop rassurant. Je savais que ma mère s'inquiétait pour moi. Souvent, il lui arrivait, au mitan d'un causer avec des grandes personnes, ou pendant les très courtes siestes qu'elle s'octroyait, d'accourir dans notre cour de terre battue en demandant à la cantonade :

— Pierre-Marie ! Pierre-Marie ! Où est-ce qu'il drivaille encore, ce petit bougre-là ?

Les cuisinières lorgnaient, indifférentes, par-dessus leurs fourneaux. Le jardinier, Hector, souriait ou se mettait à siffloter, manière pour lui aussi d'indiquer qu'il n'était aucunement responsable de ma personne. Alors Da Fanotte, ma nounou, soulevait sa masse boudinée du petit banc, placé à l'ombre d'un tamarinier, où, à longueur de journée, elle papillotait ses cheveux gris et trottinait jusqu'à la volée de marches conduisant à notre perron. Elle devinait d'instinct où je me cachais et sans doute était-elle un peu quimboiseuse. Les poings sur les hanches, elle tressautait en s'écriant :

— Hé ! Bébé, descends de ce pied-bois tout de suite, tu veux bien ?

Si elle était réellement en colère, chose peu fréquente, elle grommelait :

— Cesse de bêtiser avec des petits nègres sans manman, Ti Pierre ! Allez, voltige-moi ces billes, ça empêche d'apprendre à l'école !

Je m'extirpais, tout penaud, de ma cachette et, devant ma mère, sans lui adresser une miette de parole ni même rechercher son approbation, Da Fanotte me pinçait les oreilles jusqu'au sang et me baillait deux-trois chiquenaudes sur le crâne avec son index recourbé. Parfois, lorsque ma faute le méritait, elle taillait une liane de tamarinier et me flanquait une raclée sur les fesses qu'elle n'hésitait pas à dénuder. Flap ! Ma mère regagnait le salon sans intervenir. De la fenêtre, elle observait, pensive, mon tête-à-tête avec la vieille femme. La marmaille se rassemblait autour d'elle et je ne distinguais plus que leurs têtes bien qu'ils se fussent dressés sur la pointe des orteils. A cet instant-là, ils me semblaient être presque des étrangers. Marie-Louise, mon aînée, dont la natte aux reflets roux descendait jusqu'à la raie des fesses, et que je n'avais jamais entendu ni rire ni élever la voix, me lançait un regard lourd de réprobation. Chaque beau matin, elle était la première à se rendre à l'économat, dans la pièce où un précepteur venu d'En-Ville — celle du Lamentin ou plus loin, de Fort-de-France, nous n'en savions rien — nous enseignait le français, la géographie et l'arithmétique. Renaud, le cadet, Moïse, le benjamin, Ismène, la quatrième, traînaient toujours les pieds et se faisaient houspiller par Da Fanotte. Étant le tout dernier, j'avais droit à un régime de faveur : elle me gratifiait d'un second bol de chocolat parfumé à la noix de muscade.

Ce soir-là, j'appréhendais de cogner à la porte, non pas tellement à cause du châtiment qui m'attendait, mais parce que le feu, là-bas, devenu une vraie charibaudée, n'avait point succombé aux coups de battoir des nègres et que je le voyais avancer dangereusement vers les maisonnettes de la Cour Cécile et donc de l'usine de Génipa. Da Fanotte et ma mère s'accoudèrent au balcon de la véranda, les mains en visière. J'entendais l'antique négresse marmonner un prier-Dieu frénétique tandis que ma mère répétait pour se rassurer :

— Ti Pierre, il n'a pas pu arriver jusque là-bas, non ! C'est pas possible !

Je décidai soudain d'apparaître, ce qui fit frissonner les deux femmes. Loin de m'accabler de reproches, Da Fanotte me prit dans ses bras et me serra longuement. Elle se mit à m'embrasser avec frénésie, sur le front, les tempes, les joues et même les bras, en répétant :

— Ah ! mon petit bougre, tu es sain et sauf. Dieu du ciel, merci, oui ! Merci !

Ma mère se tenait figée, légèrement appuyée sur le chambranle de la porte d'entrée. Sa chevelure, couleur de fil de mangue-zéphirine, flottait sur ses yeux hagards sans qu'elle cherchât à la retenir, de ce geste machinal et si plein de doucereuseté qui me restera comme le plus essentiel de sa personne.

— Ton fils est là, oui ! s'exclama, triomphale, ma nounou en me redéposant par terre.

Ma mère ne m'embrassa point. La retenue était l'une des principales vertus qu'elle nous enseignait. Pourtant, ce soir-là, elle passa de la terreur dissimulée à la froide enrageaison, me poussant d'un geste brusque jusqu'à ma place habituelle autour de la table. Ma soupe s'était figée. Mes frères et sœurs avaient baissé le nez dans leur assiette. Nous continuâmes le souper sans nous entrevisager. Dehors, le criaillement des cabris-des-bois et autres insectes nocturnes qui semblaient rivaliser d'ardeur, et, plus loin, le grondement de l'usine, avaient repris, ce qui signifiait que l'incendie, final de compte, avait dû être maîtrisé. Antoinise vint desservir la table plus tôt qu'à l'ordinaire. Elle semblait pressée de regagner sa case, à la lisière de l'habitation Petit-Morne. Une timbale lui glissa entre les mains et roula sur le plancher sous l'œil agacé de ma mère.

— Je... je peux partir, madame Edmée ? finit-elle par balbutier.

— Et la vaisselle ? Tu me la laisses, hein ?

— Ma petite fille est seule chez moi et...

— Parce que tu t'imagines que le feu a pu arriver jusque là ! rétorqua ma mère avec dureté. Idiote, va ! Le vent l'a conduit en direction du bourg.

Ma mère, femme de courte patience, avait cette nature. Sévère envers les gens de couleur. Catégorique, comme elle préférait qualifier son attitude, jugeant ce terme plus neutre. Elle n'avait, il est vrai, guère de considération pour sa valetaille et, si elle baillait honneur et respect à Da Fanotte, c'est parce que cette dernière avait élevé plusieurs générations de La Vigerie. Elle était en quelque sorte moins étrangère à notre maison que ma mère, qui venait du nord du pays — de Basse-Pointe, une commune si éloignée de la nôtre qu'on ne nous y avait emmenés qu'une seule et unique fois, à la mort de notre grand-père.

— Tu vois ce qui aurait pu t'arriver, sacripant ! me lança-t-elle.

Et comme je faisais mine de ne pas comprendre,

elle saisit un hanneton qui voletait autour de la colonne en verre de la lampe à pétrole et le jeta à l'intérieur de celle-ci. En quelques secondes, un grésillement. Un simple grésillement. Je fus de nouveau assailli par la peur. Avions-nous, la bande à Florius, été surpris ? Qui avait bien pu apercevoir notre manège ? Trente-douze mille questions se bousculaient dans ma tête de garnement de neuf ans.

— Si tu continues à fréquenter les petits nègres, fit ma sœur aînée, sentencieuse, tu finiras mal, oui !

Mon père rentra fort tard. Pour une fois, on ne nous força pas à gagner nos chambres lorsque la grosse pendule dorée sonna dix heures du soir. Il ne nous accorda pas l'ombre d'un regard. Ses vêtements étaient maculés de cendre et de boue. Ses yeux rougis étaient en proie à une agitation nerveuse qui les faisait cligner sans arrêt. Il s'assit lourdement dans son fauteuil à bascule et réclama du rhum sec. Da Fanotte lui en servit un sacré modèle de rasade qu'il avala d'un trait. Puis, il se rafraîchit le gosier avec un peu d'eau de carafe qu'il but au goulot.

— Léon... Léon est mort..., lâcha-t-il d'une voix qui se voulait équanime.

— Celui de Guinée-Fleury ? demanda ma mère.

— Lui-même... Bof ! C'est pas une grande perte pour l'humanité. Il ne travaillait qu'un jour sur trois, de toute façon. Le feu l'aura surpris dans son sommeil, je suppose. Hon ! Dormir à cinq heures de l'après-midi, y a que des fainéants de son acabit pour faire une telle chose.

Je dus me retenir pour ne pas hurler. Léon ! Le grand Léon dont on se moquait avec gentillesse parce qu'il était « aussi long que le Mississippi ». Lui qui aimait bien la compagnie de la marmaille et qui, plusieurs fois, nous avait aidé à poser des attrapes à écrevisses à l'embouchure de la rivière Salée. Il nous baillait aussi des contes de compère Lapin et de compère Éléphant en mimant la plus extrême frayeur :

— Hé, les amis ! Je risque d'être transformé en panier. Savez-vous qu'il est interdit de conter à la lumière du jour ?

Ou bien il nous offrait des tranches de fruit-à-pain qu'il cuisait dans un vieux chaudron placé sur trois roches, à la devanture de sa case. Le bougre avait dix fois, vingt fois reconstruit ce refuge après que mon père l'avait fait détruire sur ordre de l'administrateur de la plantation. Mississippi — tel était son surnom — était un rebelle, une manière de nègre-marron comme l'en accusaient les travailleurs de Val-d'Or avec lesquels il était souvent en bisbille. Jamais il n'avait voulu occuper l'emplacement de la rue Cases-Nègres où les coupeurs de canne occasionnels étaient autorisés, le temps de la récolte, à construire un logement de fortune. Ses compagnons avaient bien tenté de le ramener à la raison, de l'amadouer ; parfois, ils le suppliaient de se plier aux directives des commandeurs, mais c'était en pure perte. Le bougre clamait qu'il était né libre et qu'il mourrait libre. Or voilà que le feu, celui que nous avions allumé, venait de mettre un terme brutal à son éternelle funambulerie !

Mon père semblait plus inquiet pour les plantations. Val-d'Or avait perdu trois pièces de canne au moins. Trénelle, une et demie. Ça en faisait des boucauts de canne !

— Comment le feu a-t-il pris ? interrogea ma mère.

Il se contenta de hausser les épaules, l'air soucieux. Il avait été longtemps géreur de l'habitation

Val-d'Or, l'une des plantations de canne à sucre les plus florissantes de la région de Rivière-Salée, et en était très fier jusqu'à ce qu'il fût nommé au grade de maître distillateur à l'usine de Génipa. Au-dessus de lui, seul l'administrateur du groupe La Palun était plus important, mais il est vrai que l'ensemble regroupait une bonne dizaine de propriétés d'une cinquantaine d'hectares chacune. Simon le Terrible — tel était le qualificatif, chargé tout à la fois d'admiration et de rancune, dont, à l'époque, tout le monde, nègres comme Blancs, affublait l'administrateur — avait par conséquent une très haute idée de sa fonction. A ses yeux, mon père n'était qu'un Blanc-goyave, un impécunieux qui n'aurait jamais accès à la caste des grands békés. Monsieur Simon était un homme rouge de peau, rouge de cheveux, au verbe haut et tonitruant, qui passait à la galopée, lâchant des ordres définitifs ou posant des questions auxquelles on ne pouvait répondre que par oui ou par non. Même mon père le craignait, bien qu'il s'efforçât de n'en rien laisser paraître. J'avais surpris une fois Simon le Terrible en train de le gourmander parce que le tonnage de sucre prévu n'avait pas été atteint. Mon père n'avait pas bronché. Il s'était contenté de hocher la tête en guise d'acquiescement.

Le soir de l'incendie, ce dernier ne nous cajola pas comme il avait coutume de le faire avant que Da Fanotte ne nous conduise au lit. Il n'insista même pas pour que les garçons récitent le *Pater Noster*. Je ne parvenais pas à trouver le sommeil non plus. Mon oreiller posé sur la tête, je me protégeais d'un tourbillon de boules de feu qui hurlaient, prêtes à fondre sur moi, et qui arboraient toutes le visage, déformé par un étrange rictus, de Léon, le nègre rebelle. Cet homme-là s'était toujours montré de la plus extrême gentillesse à mon endroit, bien qu'on nous eût vivement conseillé de nous détourner de sa route et de ne pas répondre à ses interpellations. Il avait déformé mon nom en « Pilipip » et se débrouillait toujours pour me faire l'offrande d'une mangue-Julie ou d'une canne créole juteuse qu'il avait dérobées au gré de ses errances. Les autres, les petits nègres ou mulâtres, l'accusaient de faire de la préférence. Parfois, il me saisissait par le bras, me dévisageait longuement avant de passer une main râpeuse dans mes cheveux.

Larmes de douleur et de frayeur se mêlèrent pour tremper la taie de mon oreiller. Voilà que j'étais responsable de la mort de quelqu'un qui n'avait rien fait à personne sur la terre ! Un homme qui avait, en outre, presque le même âge que mon père. Car il ne faisait aucun doute dans mon esprit que seule ma proposition stupide de brûler les mangoustes était la cause de ce drame. Mes compagnons de jeu en avaient capturé quatre ce jour-là, bêtes magnifiques, au pelage fauve, qui gigotaient dans la nasse en bambou où elles avaient imprudemment pénétré à la recherche des œufs que nous y avions placés en guise d'appâts. Il faut dire, en effet, que les travailleurs casés, ceux qui résidaient à longueur d'année autour des plantations de Val-d'Or, Trénelle ou Petit-Morne, avaient libre disposition de quelques arpents en jachère ou de savanes trop exiguës pour qu'on les mît en culture. Mon père les autorisait à y faire paître leurs bœufs et leurs cabris et, derrière la bâtimentée de la rue Cases-Nègres, chaque famille possédait une case-à-poules. Bailler le boire et le manger à la volaille, leur grager la pulpe de coco sec et surtout les surveiller lorsqu'on les lâchait pour picorer, était du ressort de la marmaille. Or, les mangoustes n'avaient de cesse, dès que l'attention de celle-ci se relâchait, chose qui se produisait plus souvent que rarement, qu'elles ne fissent un carnage (un barouf préférions-nous dire) parmi les coqs d'Inde, les poules-ginga, les canards ou les oies. On entendait une sorte de faufilement souple à travers les cannes, qui se confondait souventes fois avec le vent qui montait des terres noirâtres de la mangrove, puis un éclair zébrait l'air à-quoi-dire la lame d'un coutelas haut levé pour trancher une canne et seules les criailleries de la victime nous indiquaient par quel chemin pourchasser l'agresseur. Comme nous étions le plus souvent occupés à une partie d'agates, personne ne voulait abandonner son butin sur le sol et prendre le risque de se faire débanquer, juste pour le plaisir de traquer une mangouste dont on n'était même pas sûr qu'elle s'était attaquée à la volaille dont on avait personnellement la garde. Le moment d'hébétude passé, les petits nègres sifflaient celle-ci qui s'était égaillée dans les halliers, et chacun se mettait à compter ses volatiles. J'étais, évidemment, le seul à ne pas être en proie à la crainte d'avoir perdu une poule ou une pintade. A ne pas craindre le retour des parents, à la brune du soir, lesquels ne manquaient jamais, bien que fourbus, de jeter un œil possessif à leurs caloges. Et, lorsqu'ils venaient à découvrir qu'une mangouste y avait fait des siennes, ils houspillaient l'enfant responsable avant de le mettre en charpie à coups de baguette en bambou.

Les négrillons déclarèrent alors une guerre sans merci à la race des mangoustes. Tous les pièges possibles et imaginables furent utilisés, mais la nasse à écrevisses se révéla vite le plus efficace d'entre eux. J'étais souvent de la partie lorsque la marmaille entreprenait de noyer les prisonniers dans la rivière Salée, cela avec une cruauté qui révulsait un seul d'entre nous, José Hassam. Ainsi nous trimballions deux ou trois mangoustes affolées qui tressautaient dans leur nasse en poussant des couinements de terreur, et nous chantions en créole :

Manglous O, sa ki té di'w bôdé
bô kay poul Man Amandin ?
Jôdijou, bonda'w miné, vyé frè !

(O Mangouste, qui t'a poussée à t'approcher
du poulailler de madame Amandine ?
Aujourd'hui, t'es fichu, vieux frère !)

A l'en-bas du pont où la pétrolette embarquait passagers et marchandises pour la grande ville de Fort-de-France, non loin de l'échelle qui mesurait les crues de la rivière, nous avions aménagé un emplacement à nous, à l'abri des regards indiscrets, où nous rangions le fruit de nos larcins : cannes chapardées, confiseries de la boutique de Tantine, cerclages de barriques pour fabriquer des cerceaux ou parfois outils de la plantation, afin de les partager ou simplement les admirer. Nombre de coutelas seize pouces qu'on avait crus égarés, de ceinturons en cuir, de sandalettes en plastique ou de journaux illustrés d'En-France, dont la disparition avait provoqué colère et désarroi chez leurs propriétaires, se trouvaient accumulés là, autour de l'emprise en ferraille rouillée du pont.

— Laquelle on noie d'abord ? demandait Florius, notre maître de camp. Celle-là a un gros boudin. Regardez-moi ça, elle a dû avaler au moins quatre poussins, oui !

Nous examinions, fascinés, ces animaux étranges à gueule de rat, au pelage de chien roux et à la dégaine de chat contre lesquels tout le monde pestait toute la sainte journée. Mon père affirmait qu'un gouverneur de la fin du siècle dernier avait commis la gravissime erreur d'en importer plusieurs dizaines de milliers de l'Inde afin de les disperser à travers la Martinique, persuadé qu'elles s'attaqueraient aux serpents-fer-de-lance qui hantaient les champs de canne et les halliers. Mais Ma Commère Mangouste et Mon Compère Serpent avaient dû trouver une accordaille car leur nombre respectif n'avait cessé de croître, au grand dam de ceux qui étaient les plus exposés à leurs attaques, à savoir les coupeurs de canne et ces femmes, harnachées de la tête aux pieds de hardes disparates, qui avaient la charge d'amarrer les tronçons par paquets de dix.

— Comme ça, tu ne nous voleras plus ! grommelait Ti Édouard, le joueur de billes le plus émérite de notre bande, en attachant le museau pointu de l'animal avec de la corde de bananier.

Et de voltiger, sous nos acclamations, la mangouste dans la rivière, colorée de marron par la vinasse que relâchait l'usine de Petit-Bourg. La petite bête bondissait une fois, deux fois, hors de l'eau, en un effort désespéré pour regagner la rive, avant de couler à pic. Nous trépignions de joie et gueulions :

— *Néyé néyé'w, isalôp !* (Noie-toi, saloperie !)

Or, je finis par me lasser de ce spectacle somme toute frustrant puisqu'on n'apercevait plus nos victimes dès l'instant où le courant les avait charroyées vers l'embouchure, à l'endroit où des mangles échassiers effrayants se dressaient telle une armée de spectres en attente de leur général. Je proposai donc à mes compagnons de varier le supplice : nous les enfermions dans un tonneau rempli au préalable de paille de canne qu'une simple allumette suffisait à embraser. D'ordinaire, les petites bêtes couraient en tous sens en poussant des couinements désespérés, tentaient en vain de grimper sur les bords du tonneau jusqu'à ce que, épuisées ou étouffées, elles se laissassent griller en dégageant une odeur étrange, ni agréable ni désagréable.

Le jour où l'incendie méchant couvrit la plaine de Rivière-Salée, profitant du fait que nous étions en train de jouer à « Ti Pilon-magoton », elles étaient parvenues, final de compte, à chavirer-mater le tonneau et à s'enfuir, le pelage en flammes, zigzaguant à travers les champs de canne...

2

Il n'avait pas cru que le malheur frapperait deux fois, quand bien même il savait que le jour où celui-ci s'annonce, prendre garde est chose parfaitement inutile. Dès la mise en marche des machines, il s'était mis à harceler les hommes qui contrôlaient les moulins-broyeurs ou surveillaient les cuiseurs. Il n'était pas question que, ce jour-là, une nouvelle panne se déclare. Il n'était pas question de faire appel à Sosthène, le mécanicien génial de la commune du Diamant, celui qui était capable de vous rafistoler en six-quatre-deux n'importe quel roulement, tout en racontant une légende qui faisait de lui un héros. Le bougre allait, vantardisant :

— Mécanique, c'est moi ! Ajustage, c'est moi ! Électricité, c'est moi ! Soudure, c'est moi ! Appelez-moi Monsieur La-Technique, tonnerre de Brest ! Je suis plus fort que Michel Morin.

Sosthène avait acquis sa science sur un bateau de cabotage qui, de la péninsule de Floride à Carthagène-des-Indes, au sud, transportait du bétail de Puerto-Rique, du café d'Haïti, du sucre de Saint-Domingue, de la muscade de Saint-Vincent et d'autres qualités de denrées tout aussi précieuses, s'arrêtant d'île en île au gré de ses avaries. Peu disert sur les conditions de son embauche et donc son départ de la Martinique (on murmurait que, capon dans l'âme, il avait fui la conscription en 1914 pour que ses « os ne pourrissent pas là-bas, en Europe »), le bougre était par contre intarissable sur ses exploits en matière de réparation de moteurs. Chaque fois que Pierre-Marie de La Vigerie faisait appel à ses services, il devait supporter, tel un rituel, le récit du sauvetage in extremis de la *Niña del Sur* en plein cyclone, quelque part au large de la Jamaïque.

— A cette époque, se rengorgeait Sosthène, le capitaine ne me faisait pas encore confiance. Il disait qu'un nègre qui maniait avec autant d'habileté pince et tournevis ne pouvait être que sorcier. Pff ! Moi, sorcier ? Quelqu'un comme moi qui a été baptisé quatre jours seulement après sa naissance, qui a fait ses deux communions, qui a fréquenté l'église chaque dimanche matin ! Le vieux Carlos-Andrès, un natal de Bénézuèle, était le mécanicien en chef de la *Niña del Sur* depuis le début du siècle, alors fallait comprendre que le capitaine se reposait sur lui ! Mais il buvait comme un trou : tequila du Mexique, whisky de contrebande, rhum vieux de Saint-Domingue, rhum blanc de la Martinique, gin de la Barbade, il engloutissait toutes qualités d'alcool qu'il pouvait dénicher aux escales. Et alors, hum... alors, ses doigts tremblaient, il voyait trouble et, surtout, il redoutait que je ne lui vole sa place. « *¡ Negro de mierda!* qu'il me lançait, ta race n'a appris à lire et à écrire qu'hier matin et tu crois que tu vas m'apprendre à dénicher une panne ? » En fait, c'était bien moi, Sosthène, qui, dans la noirceur de la salle des machines, faisait l'essentiel du travail. Il diagnostiquait au jugé, tombant tantôt juste tantôt à côté, et je lui prenais les outils des mains pour réparer. Quand les moteurs du bateau recommençaient à pétarader, il me saisissait au collet et me disait d'une voix rauque, collant son visage qui puait le rhum presque sur le mien : « *¡ Negro de mierda!* Tu vois comment on réanime une machine, hein? Tu vois? Va là-haut et dis-leur que le vieux Carlos-Andrès est toujours le meilleur. *El mejor,* tu m'entends? » Alors moi, j'avais pitié de lui — j'ai toujours éprouvé de bons sentiments à l'égard de mes semblables — et j'obtempérais, sauf qu'un jour, il a failli nous conduire droit à notre perte. C'était au large de cette foutue île de la Jamaïque que j'ai jamais pu supporter à cause de la rudesse de ses habitants. Nous nous étions arrêtés dans ce pays durant deux semaines sur ordre de notre armateur sans que nous ayons rien à charger à bord. Notre capitaine avait décidé de laisser reposer les machines, chose qui, à mon avis, était une couillonnade. Les machines, c'est fait pour marcher, pas pour rouiller sur place. Surtout les vieilles machines essoufflées comme celles de la *Niña del Sur* ! Alors, quand nous avons repris la mer, j'ai tout de suite pressenti que les choses allaient se gâter. Au seul bruit du moteur principal ! Il peinait à nous faire sortir de la rade de Kingston, mais ni le capitaine, ni le mécanicien en chef ni aucun de nos quatorze marins n'y prirent garde, tout heureux qu'ils étaient de retrouver l'air du large. Carlos-Andrès s'était saoulé dès qu'il avait appris que nous repartirions et chantonnait des airs de tango en me donnant des coups de poing amicaux dans les côtes : « *Negro de mierda*, y a qu'une chose de vraie dans la vie, c'est la mer ! La plupart des hommes croient que c'est la femme mais ils se trompent. La mer, elle, reste toujours pure ! »

Je me tenais coi, attentif au ronflement des

moteurs, inquiet, fébrile parfois, et m'étais calfeutré dans la salle des machines pendant que, sur le pont arrière, les marins fêtaient leur retour dans l'élément qui leur était le plus familier. Et ce qui devait arriver arriva ! A la nuit tombée, le moteur principal se mit à gémir comme une femme en gésine, puis doucement, tout doucement, s'endormit. Un silence terrifiant s'empara de la *Niña del Sur*. Pendant etcetera de temps, pas un marin n'osa ouvrir la bouche. Le capitaine se reposait dans sa cabine et le mécanicien en chef rigolait dans sa barbe, saoul comme vingt diables, agrippé au bastingage, fixant l'océan immobile. L'affolement ne gagna l'équipage qu'à l'instant où notre bateau se mit à dériver dangereusement. On se mit à cavalcader, à hurler des consignes contradictoires, à bousculer Carlos-Andrès, à l'insulter, à exiger qu'il fasse redémarrer les machines sur-le-champ. Réveillé en sursaut, notre capitaine sembla désemparé. Il avait perdu sa superbe habituelle et était hésitant à délivrer ces ordres brefs et précis qui, dans les pires circonstances, ramenaient le calme et remettaient le bateau sur sa quille. Alors, hon ! il fut bien obligé de faire appel à moi — moi qu'il appelait avec tendresse *mi Negrito* —, au grand dam de notre quartier-maître, un métis indien-blanc de Curaçao, qui ne m'adressait la parole que contraint et forcé. Je m'appliquais à garder un air modeste, n'étant point sûr du tout d'être capable de réparer cette avarie-là. En fait, Carlos-Andrès avait oublié de graisser une partie du moteur ou, plus probablement, la graisse en était venue à manquer et le bougre avait négligé d'en acheter à l'escale de la Jamaïque. Résultat : deux coussinets avaient quasiment brûlé et cela avait provoqué le blocage d'une dynamo. Jamais je n'avais eu à affronter semblable panne ! Eh ben, monsieur Pierre-Marie de La Vigerie, tu peux me croire, j'ai mis vingt-huit heures d'affilée à réparer et à bricoler des pièces. Vingt-huit heures ! Et final de compte, la *Niña del Sur* a pu repartir et atteindre l'île de Saint-Martin. Il était grand temps car un sacré tonnerre de cyclone dévastait la Jamaïque deux jours plus tard.

Pierre-Marie était bien obligé de supporter le récit de Sosthène, bien qu'il l'eût déjà entendu une bonne dizaine de fois. Il faisait preuve d'une patience quasi infinie depuis le jour où, ayant osé interrompre ces entrelassures de langage, Maître La Technique avait ramassé son sac à outils et avait tourné les talons en ricanant. Chaque nouvelle version de la « catastrophe de la Jamaïque », ainsi que la qualifiait Sosthène, s'enrichissait de détails nouveaux, d'événements qui venaient infirmer ceux que Pierre-Marie avait déjà gravés dans sa mémoire, allongeant d'autant l'attente, retardant le moment où Sosthène poserait ses mains magiques sur la machine en panne, délivrerait d'une voix doctissime son verdict et se mettrait à la tâche avec un sérieux que ne parvenaient à troubler ni les bavardages des ouvriers désœuvrés ni leurs coups de dominos sonores sur les fûts de pétrole qui trônaient dans la cour de l'usine.

C'est pourquoi Pierre-Marie vivait dans la hantise d'une panne quelconque. Il connaissait l'antienne de Simon Duplan de Montaubert :

— Quand l'usine démarre en février, elle ne doit s'arrêter que début juin, mon cher. La canne coupée n'attend pas, ça, tu le sais parfaitement ! Je ne veux pas d'emmerdations avec ces chiens-fer de négociants, non !

Ces derniers, dont les magasins occupaient tout le Bord-de-Mer, à Fort-de-France, achetaient le sucre brut produit à Rivière-Salée et le revendaient en France d'où il revenait parfois blanchi et raffiné. A la vérité, comme la plupart des gens, Pierre-Marie considérait que seul le sucre roux méritait le nom de sucre. Il ne comprenait pas pourquoi, dans certaines familles aisées d'En-Ville, on avait commencé à s'enticher de ces ridicules petits rectangles blancs, inodores et sans saveur, qui fondaient en un rien de temps dans votre bol de café et le laissaient presque aussi amer qu'auparavant. La première fois qu'il avait eu entre les mains une de ces boîtes bleues de la Compagnie sucrière de Marseille, il avait cru à une plaisanterie. Cette « chose » ressemblait aux confiseries dont raffolaient les enfants, à ceci près que son aspect n'avait rien de particulièrement attrayant. Était-ce bien là l'épais et granuleux sucre roux qui coulait dans les sacs de cent kilos sous la turbine ?

A seize ans, son père l'avait poussé à accepter ce qu'il appela d'un ton malicieux une « petite embauche ».

— Demain, tu seras chef, Pierre-Marie, lui déclara Aubin de La Vigerie, mais aujourd'hui, tu dois apprendre. Un vrai chef doit avoir fait toutes les tâches de l'usine, sinon tes ouvriers vont chercher à t'amblouser. Y a des nègres tellement malins qu'ils devinent en une seconde que tu ne connais rien de rien à ce qu'ils font !

Alors, Pierre-Marie avait été placé sous la turbine à ramasser le sucre tombé dans la gouttière. Cette tâche, peu difficile, n'était payée que trois francs et quelques la journée. Il est vrai qu'une journée équivalait à l'époque à douze heures de travail. Six heures du matin pour six heures du soir ! Le jeune bougre ramassait le sucre avec une pelle et, comme il y avait six turbines, le sucre débordait parfois, surtout quand le chargement de deux d'entre elles arrivait en même temps. Il s'étalait sur une partie du sol qu'on avait carrelée exprès pour le recueillir. Il fallait le ramasser et le remettre dans la turbine. Ensuite, le sucre tombait dans des levages à cuiller et montait dans les gouttières. Ah ! ça, c'était du sucre, un sucre lourd, parfumé, gonflé de son sirop, un sucre qui respirait encore la fraîcheur des cannes, là-bas, dans la plaine. Rien à voir avec ce médicament blanc auquel on avait prétendument ôté ses impuretés ! Après les gouttières, le sucre tombait dans un trembleur qui l'agitait en tous sens à l'aide de ses lattes avant de l'envoyer sur une balance. A l'en-haut de cette dernière, on avait placé des sacs suspendus à des crochets et le sucre s'y jetait directement. Quand le poids de cent kilos était atteint, le sac tombait par terre et des nègres-Congo, costauds, le buste nu ruisselant de sueur, s'en emparaient et le portaient à deux femmes qui avaient la charge de les coudre. Leur dextérité avait toujours stupéfié Pierre-Marie. Elles répétaient le même geste vingt fois, cinquante fois — enfiler le fil de chanvre dans le chas d'une aiguille grosse comme un petit doigt, attraper la gueule du sac et faire courir le fil sur tout son pourtour — cela sans jamais lever les yeux ni brocanter une seule parole, hiératiques, belles. La plus jeune était Laetitia, la sœur d'Antoinise, la fantasque servante des La Vigerie, et elle connaissait bien Pierre-Marie. Pourtant, au travail, elle ne lui lançait aucun regard de complicité. Elle était murée dans une espèce de maussaderie qui, paradoxalement, l'embellissait encore davantage. Laetitia fut le premier amour secret du jeune garçon. Aussi en voulut-il à son père de l'enlever de ce poste au bout de deux mois pour l'envoyer charroyer du sucre pour des jetons.

Là, il travaillait avec un ababa, un bougre qui ne savait pas parler et dont on disait qu'il était né avec le cerveau aussi vide qu'un coco sec. Il s'agissait de placer des sacs de sucre sur un chariot à deux roues que tout le monde affublait de la dénomination inquiétante de « diable » et de pousser celui-ci jusqu'à l'entrée de l'usine, près du quai. Là, des débardeurs chargeaient les sacs dans des wagons que le train conduirait jusqu'au port du Lamentin, où ils seraient embarqués à bord de chalands. Ceux-ci parcouraient toute la côte sud-caraïbe et atlantique de la Martinique avant de regagner la France.

— Le sucre est un grand voyageur, expliquait son père à Pierre-Marie. S'il s'arrête en route, il est foutu ! Il va des champs de canne aux dos des mulets, du dos des mulets aux wagons, des wagons à l'usine. Là, c'est encore tout un aller-venir depuis le pesage jusqu'au broyage des cannes en passant par le levage, etc., etc., et puis quand il sort de l'usine, le voilà qui reprend sa course ! A travers l'océan à présent...

Devenu régisseur du rhum et du sucre, Pierre-Marie n'avait de cesse de se remémorer chacune des tâches qu'il avait accomplies enfant, et il comprenait bien que ce qui faisait sa supériorité sur les ouvriers, ce n'était pas sa peau blanche, mais surtout le fait qu'il avait tâté à tout alors qu'eux étaient prisonniers d'un seul savoir. Aussi redoutait-il tout particulièrement les deux premiers moulins-broyeurs dont les rolls semblaient non pas tourner, mais tourbillonner. C'est pourquoi, lorsque Marceau-un-seul-bras était venu lui quémander un petit djob, il avait eu pitié de sa tête chenue et de sa maigreur. Son accident s'était produit à l'époque où Pierre-Marie avait été envoyé à l'usine de Petit-

Pérou, tout au nord du pays, pour y apprendre à conduire les locomotives. A son retour, les ouvriers de Génipa ne parlaient que de l'amputation sauvage du bras de Marceau, avec de la terreur dans la voix et surtout une immense tristesse. Seul l'ingénieur de l'usine ne s'apitoyait point :

— Je l'avais mis plusieurs fois en garde, cet idiot ! s'exclamait-il. Plusieurs fois ! Eh bien, non, monsieur s'entêtait à faire le malin. Il se vantait partout d'être le maître de son moulin, de le connaître par cœur, et il s'amusait à y pousser la canne en détournant la tête ou en fermant les yeux. Hon ! Y a qu'un nègre pour s'adonner à de telles bravacheries ! Nous, on n'est pas du tout responsables de son bras coupé. Anthénor, avec son syndicat de communistes athées, a beau prétendre le contraire, moi, je n'en démords pas : Marceau a été victime de son insouciance. Voilà tout !

L'accident avait été terrible. Marceau, depuis trois bonnes heures, poussait les tronçons récalcitrants entre les rolls tout en bavardant avec un décrocheur. Tout roulait à l'aise pour lui. Il était content d'une affaire de coq de combat espagnol qu'il avait récemment conclue à Calebassier, dans la commune du Lamentin, avec l'un des meilleurs éleveurs de l'endroit. Désormais, on entendrait des nouvelles de Marceau au gallodrome de Fonds-Coulisses car il était sûr et certain de plumer les plus vaillants amateurs de coqs de la région.

— J'ai pas encore trouvé un nom pour mon coq, plaisantait-il. J'hésite entre Clemenceau et...

Mais il n'eut pas le temps d'achever sa phrase : la tête tournée en direction de son interlocuteur, il n'avait pas remarqué qu'un lot de tronçons de canne humides venait d'arriver sur la chaîne roulante. Cela pouvait se produire lorsque l'on n'avait pas eu le temps d'évacuer toutes les piles vers l'usine par manque de muletiers pour les charroyer jusqu'aux wagons ou parce que, juchés sur ces derniers, les arrimeurs avaient traînassé. Alors, les piles de canne s'humectaient de rosée ou de ces brèves pluies-fifine si fréquentes au petit matin, vers la fin de la saison du carême. Les rolls avalèrent la main droite, puis l'avant-bras de Marceau qui poussa un hurlement à réveiller un mort. Le moulin disparut un bref instant sous une cascade de sang, de chair et d'os broyés.

— Stoppez le premier moulin ! aboya le décrocheur en direction de deux ouvriers qui contemplaient la scène comme hypnotisés.

Sans attendre, il s'empara d'un coutelas, fondit sur la machine qui continuait à happer Marceau et, d'un coup de maître, trancha le bras de ce dernier quasiment à hauteur de l'épaule. Le crissement de la lame sur l'os réveilla les deux ouvriers de leur stupeur, et ils se dépêchèrent d'arrêter le moulin. Marceau tomba dans une sorte de mal-caduc : il avait visiblement perdu connaissance, mais ses membres et ses lèvres étaient agités de tremblements désordonnés. Maître Aubin, qui surveillait à ce moment-là la colonne à distiller, se précipita pour faire un garrot au blessé avec un sac en jute. L'opération fut malaisée car il ne lui restait plus qu'un moignon, affreusement déchiqueté. Le maître distillateur gardait un calme olympien, contrairement à l'ingénieur qui voyait pour la première fois de sa vie semblable accident.

— Il... il va mourir, hein ? Il va mourir ? harcelait-il Maître Aubin.

— Mais non !... Enfin, je veux dire sauf si on ne le transporte pas très vite à l'hôpital du Lamentin.

— En tombereau, ça peut prendre deux heures, vous le savez bien. La route de...

— Écoutez, s'énerva Aubin de La Vigerie. Il n'y a qu'une seule solution, mais c'est à vous d'en prendre la décision, monsieur.

— Laquelle ?

— La loco !

L'ingénieur frémit. Certes, le maître distillateur serait tenu le premier pour responsable de l'accident, mais il n'ignorait pas qu'ayant la haute main sur l'ensemble des machines de l'usine, étant de surcroît métropolitain, les administrateurs du groupe et le syndicat, pour une fois d'accord, ne manqueraient pas de le pointer aussi du doigt. Il y aurait deux responsables, ça, il le savait, mais celui qui aurait le plus à perdre dans l'affaire, ce n'était pas de La Vigerie, mais lui, le Blanc-France, sans amis proches, sans famille, dans cette colonie où finalement il gagnait moins bien sa vie qu'il ne l'avait espéré.

— Bon... eh bien, va pour la loco ! lâcha-t-il, le visage empreint d'accablement.

C'était la plus mauvaise heure du jour. Les wagons venaient d'être déchargés à l'usine une demi-heure plus tôt et s'en étaient revenus sur les plantations où il était absolument impossible que les arrimeurs aient eu le temps de les remplir à nouveau. Il faudrait donc faire redescendre à vide la locomotive la plus proche, celle qui se trouvait à l'habitation Bel-Évent, distante de six kilomètres à peine, et donc affronter la colère du commandeur Firmin Léandor. Ce dernier, profitant de l'incurie et de la saoulardise du géreur de l'endroit, n'en faisait qu'à sa tête, menaçant même de démissionner chaque fois qu'un différend l'opposait à Simon le Terrible. L'administrateur hurlait au chantage, jurait, tempêtait, mais était bien obligé de se ranger à l'opinion du ténébreux mulâtre. L'ingénieur n'avait pas oublié que la Marche de la Faim de 1935, qui avait abouti à une véritable occupation des rues de Fort-de-France par la plèbe de presque toutes les campagnes de l'île, avait débuté par un mouvement d'humeur des commandeurs et des géreurs qui réclamaient une augmentation de leur salaire, mouvement auquel Firmin Léandor avait bien entendu activement participé. Bref, le Tourangeau avait toutes les raisons du monde d'en vouloir au contremaître de la plantation Bel-Évent et ne voulait pas s'abaisser à lui demander la moindre faveur. Aussi trembla-t-il lorsque revint à l'usine le cavalier qu'il avait envoyé là-bas pour réclamer la loco. Marceau perdait encore beaucoup de sang, malgré un nouveau bandage effectué cette fois-ci par le médecin du bourg, le docteur Molinard, un Pyrénéen installé depuis si longtemps dans le pays qu'on avait fini par le considérer comme un Créole. Cet original, qui passait le plus clair de son temps à collectionner les papillons, quand il ne corrigeait pas les entorses du français des îles aux bonnes règles grammaticales, ne se départait pas de sa jovialité naturelle. Il encourageait Marceau en le taquinant :

— Il te reste un bras, mon vieux, de quoi tu te plains, hein ? Ça te suffira pour mesurer la largeur du derrière de ta femme, eh ben Bondieu !

Les ouvriers avaient montré une vive répugnance à nettoyer le premier moulin-broyeur de la chair et des os de son bras amputé.

— La loco sera là dans dix minutes, annonça le messager d'une voix tranquille.

— Léandor... il n'a rien dit ? fit l'ingénieur.

— Non-non. Il sait que la vie d'un homme est en jeu.

Aubin de La Vigerie, qui s'était agenouillé au

côté du blessé et lui tamponnait le visage à l'aide d'un mouchoir trempé dans du rhum pour tenter de le réanimer, n'avait pas douté un seul instant de l'esprit de compréhension de Firmin Léandor. Il n'avait pas toujours été sur un pied de familiarité avec lui, mais il le respectait et surtout admirait la qualité du travail que l'on abattait, année après année, à Bel-Évent, seule plantation du groupe où il n'avait pas fallu changer régulièrement de commandeur. Ainsi donc, la loco emporta Marceau jusqu'à la commune du Lamentin où il demeura hospitalisé durant des mois, à tel point que son nom et sa figure finirent par s'effacer des mémoires, un peu comme s'il avait été mort et enterré, à l'instar de ces nègres fourbus d'une vie entière à couper la canne ou à travailler à l'usine, qui tombaient dans les bras de Basile sans avoir montré le moindre signe de faiblesse, sans avoir grimacé d'une quelconque douleur ou de la plus petite maladie, comme ce foutu paludisme qui prospérait à cause de la proximité de la mangrove. Ils mouraient en pleine santé, disait-on, et c'était là la meilleure des morts.

Quand Marceau — désormais surnommé Un-seul-bras — revint à Rivière-Salée, son premier souci fut de se rendre à l'usine de Génipa pour y retrouver un djob. Entre-temps, Pierre-Marie, lui aussi rentré de son séjour dans le Nord où il avait appris la science des trains, avait pris ses fonctions de maître distillateur. Son père Aubin ne s'était pas encore tout à fait retiré, mais il laissait au jeune homme de plus en plus de responsabilités et ce fut à lui qu'échut la pénible tâche d'éconduire le nègre manchot.

— *Man ni an sèl bra men man konnèt travay-la, misyé Pyè-Mari.* (Je n'ai plus qu'un bras, mais je connais le travail, monsieur Pierre-Marie.)

— Désolé ! Homère t'a remplacé... et puis, tu es invalide à présent.

Marceau se planta devant le jeune homme, le fusilla du regard, jeta un regard circulaire aux machines où s'affairaient les ouvriers et explosa d'une telle colère que même l'employé au pesage des cannes accourut :

— Qui es-tu pour me faire ça à moi ? s'indignait le manchot. Tu n'étais même pas né que je coupais déjà la canne à Val-d'Or ! J'ai tout fait, moi : muletier, ensuite arrimeur, décrocheur, responsable de moulin jusqu'à mon accident. Ti-Pierre, tu ne seras jamais que l'ombre de ton père ! Tu n'as aucune personnalité. Tu parles comme lui, tu ris comme lui, tu marches comme lui. Est-ce ainsi que tu deviendras un vrai homme bien debout dans son pantalon, hein ? Réponds-moi ?

Pierre-Marie devint rouge de honte. Pour la première fois, il prenait conscience de l'emprise qu'Aubin de La Vigerie avait exercée sur lui depuis sa plus tendre enfance. Il avait formé son dernier fils à son image, laissant les plus âgés, Renaud et Moïse, choisir leur voie comme bon leur semblait. Le premier était devenu économe à l'habitation Thoraille, au sud de Rivière-Salée, où il était la terreur des nègres. Quant à Moïse, celui dont les cheveux trop frisés indisposaient leur mère, il était clerc de notaire à Fort-de-France, chez leur beau-frère, Sylvère de Cassagnac, lequel n'eut pas l'indignité de le licencier après qu'il se fut démarié de Marie-Louise. Pierre-Marie comprenait, devant l'insulte que Marceau venait de lui jeter au visage, qu'il n'avait jamais eu le choix : son père avait « sauvé » sa fille aînée ainsi que son dernier fils selon une coutume bizarre en vigueur chez les Blancs créoles de petite conséquence.

Marceau l'observait d'un air goguenard, sûr de l'avoir atteint au bon endroit. Alors, pris d'une inspiration subite, plus par révolte contre son père que par compassion envers le manchot, il déclara, détachant ses mots :

— C'est bon ! Tu reprends ton poste demain matin. Homère, finalement, je vais le mettre aux turbines.

De ce jour, Pierre-Marie ne salua plus son père avec la déférence qu'il lui avait montrée jusque-là, déférence qui se marquait par deux baisers appuyés sur les joues fripées d'Aubin de La Vigerie. Il le consulta de moins en moins sur la bonne marche de la distillerie et lui répondit de manière évasive lorsque le vieil homme l'interrogea à ce sujet. Il ne serait plus l'image d'Aubin de La Vigerie ! Il serait lui-même, rien que lui-même et personne d'autre. Mais son premier acte d'indépendance se solda par une catastrophe : trois jours après que Marceau eut retrouvé le premier moulin-broyeur, son autre bras glissa de nouveau entre les rolls et fut broyé jusqu'aux os. On le surnomma aussitôt Marceau-zéro-bras.

Les nègres conclurent à une maudition, à un « mal envoyé » par quelque sorcier-quimboiseur sur requête d'une personne qui devait en vouloir à mort à Marceau. Pierre-Marie, pour sa part, en tira la première conclusion définitive de sa jeune existence. Il savait dorénavant qu'à l'usine, un même malheur peut fort bien se produire deux fois.

3

Tu es toujours le premier à pénétrer dans la salle de classe, bien avant même que Man Ernestine, la balayeuse, n'y mène son charivari quotidien. Car elle est passée maîtresse dans l'art de chanter, et son chant, puissant, implacable, fait vibrer les parois en bois, terrorisant les derniers insectes de la nuit. Elle chante *O doulce France, pays de nos aïeux!*, *Ave Maria gratia plena* et moult chansonnettes du temps où la ville de Saint-Pierre brillait de toute sa splendeur. Tu as très peur de la rencontrer et te dépêches de verser, dans les encriers des tables, le contenu d'une fiole qui doit être incassable car, par deux fois au moins, elle t'a échappé des mains, au seul bruit des pas de Man Ernestine, et est allée valdinguer entre les chaises, arrêtant net l'envolée d'une biguine ou le chaloupé d'une mazurka créole. Cette tâche t'a été confiée par la maîtresse d'école qui t'a pris en bonne passion, sans doute à cause des notes excellentes que tu obtiens en arithmétique et parfois en géométrie. A l'écart des autres, elle t'a un jour susurré :

— C'est le champ de canne qui attend ces petits nègres, mon garçon. La canne, rien que la canne ! Tu dois deviner à quel point c'est l'enfer sur terre.

Mais toi, si tu continues, tu pourras commander à l'usine.

De ce jour, tu te mets à rêver. La nuit, tes songes sont peuplés des beuglements de ce grand corps grisâtre qui semble tapi au fond de la plaine de Rivière-Salée, lâchant à intervalles réguliers une épaisse fumée qui se transforme en brouillard. Le jour, en pleine classe, tu la guettes par la fenêtre, chaque fois que la maîtresse a le dos tourné, avide de contempler sa cheminée et une partie de son toit qu'on a récemment recouvert de tôle ondulée neuve. A cette occasion, Simon le Terrible avait fait appel à une race curieuse, celle des Indiens-coulis, que l'on voyait pour la première fois dans la région. Leur réputation les avait précédés car, le soir de leur arrivée, toute une foison de gens s'était rassemblée près de l'économat pour tenter de distinguer leurs figures fiévreuses et leurs dos courbés. On les disait experts en magie car ils prêtaient allégeance à des divinités bizarres parmi lesquelles cette déesse Mariémen dont le nom était parvenu jusqu'à Rivière-Salée depuis qu'elle avait guéri un enfant sourd-muet. Ses parents l'avaient conduit tout au nord du pays, à Macouba, où un prêtre couli lui avait organisé une cérémonie grandiose et sanglante malgré la réticence appuyée de l'Église catholique.

Simon le Terrible les avait choisis pour grimper à l'en-haut de l'usine parce qu'ils étaient réputés agiles, mais aussi parce qu'ils pesaient fort peu. Au grand jour, leur maigreur était effrayante à voir. On les dérisionna aussitôt en les affublant du nom de « cheval-Bondieu », nom créole de ce qui, pour les Blancs-France, est la mante religieuse. Il faut dire que ceux-ci ne se satisfaisaient jamais des désignations locales et, qui le directeur de l'école du bourg, qui monsieur l'abbé, qui l'inspecteur des contributions, s'employaient toujours à les rectifier quand un nègre ou un Blanc-pays les utilisait devant eux. Le plus arrogant d'entre eux était l'ingénieur, bras droit de Simon le Terrible, qui avait la haute main sur la marche de l'usine et qui clamait sans arrêt :

— Chez moi, en Touraine, même les paysans connaissent les bonnes manières. Quant au beau langage, il nous est naturel !

Longtemps, tu n'as pu pénétrer dans l'usine. Celle-ci est interdite à la marmaille des gens de bien. Trop dangereuse, affirmait ton père. Pleine de machines effrayantes qui tournent sur elles-mêmes, écrasent, broient, dégurgitent leur content de bagasse, ajoutait ta mère, et parfois, hélas ! les membres d'un ouvrier trop m'en-fous-ben. A les entendre, l'usine était un monstre dévoreur d'énergie et de vie humaine, mais aussi une créature généreuse car sans elle, les nègres d'ici-là, c'est-à-dire de Petit-Bourg et de Rivière-Salée, et même ceux qui venaient de plus loin, des Trois-Ilets ou du Diamant, n'auraient même pas eu les deux francs quatre sous de la coupe de la canne pour tenir la brise. Grâce à elle, on devient conducteur de locomotive, mécanicien, responsable de distillation et toutes espèces de métiers prestigieux et surtout bien rémunérés qui font rêver les jeunes gens.

Il y a donc le monde de l'habitation où l'on esquinte sa vie sous le soleil au mitan d'une canne qui prend un malin plaisir à vous érafler et qui, à la fin de vos jours, vous laisse tout décaduit et surtout plus débanqué qu'au moment où vous aviez pris votre première embauche. Et puis, il y a le monde de l'usine qui n'est ouvert qu'aux plus méritants, ceux qui ont fait l'effort d'apprendre à lire et à faire des calculs compliqués dans leur tête.

Le vieux Léon, nègre d'habitation de toute éternité, qui se tient assis comme une statue en fougère, à la devanture de sa case, décharné, l'œil taciturne, un moignon de pipe éteinte à la bouche, s'écrie à chaque enfant qui passe :

— Hé là ! Petit nègre, écoute-moi ! Faut t'échapper vitement-pressé, oui ! La canne, c'est pas bon du tout-du tout pour notre race, non ! Va-t'en à Fort-de-France, mon vieux !

On le crie fou. Plus fou que défunt Fou, jurent certains, selon une formule énigmatique que tu comprends pourtant d'emblée. Or, le père de Florius prétend que le vieux Léon a été, dans son jeune temps, l'un des plus formidables coupeurs de canne de la région (tout en étant un rebelle-né). Alors que le béké n'exigeait que vingt-cinq piles par jour, il lui arrivait d'en abattre trente ou trente-deux sans sourciller, sans quémander de pauser-reins, ni ronchonner contre la chaleur ou le destin. Il était ce que tout un chacun appelait à l'époque un mâle-bougre. Quarante années plus tard, voilà qu'il était devenu une sorte de vieux débris, à l'égal de ces chaises ou de ces garde-manger qui ont longtemps servi, auxquels on finit par s'attacher et que l'on ne se résout pas à jeter. On les dépose dans un recoin, attendant qu'ils pourrissent ou se déglinguent. Et, pour de vrai, il y avait une réelle affection dans la voix de tous ceux qui évoquaient la geste du vieux Léon. N'avait-il pas été, un temps, la grande fierté de Rivière-Salée, un major redouté qui obligeait ses alter ego du Lamentin, toujours prompts à jouer les Artaban, à parler français comme des fillettes apeurées ?

Pierre-Marie était tout bonnement fasciné par le vieux-corps. Aussi traînait-il volontairement le pas à quatre heures de l'après-midi, quand la bande d'écoliers empruntait la trace rectiligne qui, à travers la plaine, conduisait de Rivière-Salée à Petit-Bourg. Profitant des courses-poursuites et des bousculades, il se cachait dans une touffe de canne jusqu'à ce qu'aucun gamin ne puisse plus le voir et se faufilait à travers champs, insouciant des feuilles velues qui lui zébraient la figure, des fossés dans lesquels il trébuchait, jusqu'à atteindre la case du vieil homme. Celle-ci, bien que reconstruite à chaque nouvelle saison, demeurait inconcevablement fichée au ras des plantations, entourée des pièces de canne et, en fait, noyée en leur sein, car la canne n'avait de cesse de gagner du terrain année après année. Elle escaladait même les flancs abrupts de certains mornes dans la direction de la commune du Saint-Esprit.

L'ancêtre semblait espérer Pierre-Marie. Il lui avait épluché une de ces cannes succulentes — malavoi, créole, pain-et-lait — qu'il s'entêtait à planter dans son minuscule jardin caraïbe, cannes auxquelles on avait préféré dans les plantations cette BH, certes fort résistante aux parasites et aux maladies, mais qu'il était presque impossible de mâcher. Ou bien Léon lui tendait une demi-calebasse dans laquelle il avait pilé morue, huile, farine-manioc, tranches d'avocat, morceau de piment-bonda-Man-Jacques. Les deux ne brocantaient guère de paroles. Ils se comprenaient par gestes ou par mimiques. Quand le vieux rebelle faisait « Hon ? », Pierre-Marie comprenait qu'il devait le féliciter pour le mets qu'il lui avait préparé et se mettait à sucer ses doigts en faisant mine de les sectionner tellement il avait grand appétit. Alors Léon souriait et recrachait une bouffée de fumée de sa pipe en terre.

— *Joy bèl ti milat!* (Quel beau petit mulâtre !),

s'exclamait-il parfois lorsque le silence se faisait trop pesant entre eux.

L'enfant s'étonnait que Léon le qualifiât de mulâtre, mais ne s'en offusquait point. Au contraire, il se prenait à admirer la peau parcheminée et noir bleuté de l'ancien champion de coupe de la canne. Il aimait l'entendre craquer des doigts, manie qui s'emparait du vieil homme dès qu'il ne tenait plus sa pipe. Un beau jour, Pierre-Marie se décida à l'interroger à propos de l'usine. Aussitôt, la figure de Léon se ferma, un pli amer se dessina au coin de ses lèvres tandis qu'une tremblade agita ses paupières. Une sorte de bave humectait ses lèvres qu'il essuya d'un geste rageur de la manche :

— *Lizin-la ? Hon !... Lizin tala, fout !* (L'usine ? Hon !... Cette usine, foutre !)

4

Je ne me lassais pas du spectacle des rouleaux de la mer et de l'infiniment bleu. Le bourg de Sainte-Marie bruissait de la rumeur des flots atlantiques, surtout aux approchants de septembre, quand furibondaient les vents ravageurs. J'étais plus habitué à la mer d'huile qu'était la Caraïbe, au lent cheminement de la pétrolette qui reliait, par le canal tracé dans la mangrove, notre hameau de Petit-Bourg à Fort-de-France.

Les deux premières semaines qui suivirent mon arrivée à l'habitation Petit-Pérou furent un ravissement. Mon père croyait m'avoir infligé cet exil au nord du pays parce qu'il prétendait ainsi continuer à me forger le caractère, mais moi, je n'y trouvai que motifs à me réjouir. Ici, la canne ne poussait pas en terrain plat, comme à Rivière-Salée, mais s'élançait avec hardiesse à l'assaut de mornes escarpés, et de l'usine partaient, en étoile, des lignes de chemin de fer qui striaient le vert ardent des cannaies. De partout, on distinguait la mer et, même si les gens du lieu prétendaient ne point la voir ni même l'entendre, pour moi elle était une découverte quasi journalière. Dans mon dos, j'entendais mes ouvriers se gausser de ma personne :

— Qu'est-ce que ce petit monsieur a à écarquiller les yeux devant cette chienne qui vole la vie de nos enfants ?

Les nègres de Sainte-Marie, hormis une grappe de pêcheurs téméraires qui revenaient d'ailleurs le plus souvent bredouilles, vouaient une haïssance sans nom à l'Atlantique. Leurs maisons lui tournaient le dos et les fenêtres qui lui faisaient face étaient définitivement clouées. Il n'y avait qu'une courte saison de répit dans la litanie de jurons et de mauditions que les habitants lui lançaient : celle d'août, au cours de laquelle l'Atlantique semblait se retirer dans sa tanière abyssale et où un mince ruban de sable jaune reliait le bourg à un îlot en forme de chenille qui lui faisait face. A ce moment-là, par familles entières, on enjambait les flots pour passer la journée sur l'autre bord, veillant bien à rentrer avant la brune du soir car tout soudain, on voyait la traîtresse resurgir et recouvrir le ruban de sable. Des insouciants, des âmes en peine ou en proie au désamour y avaient ainsi perdu la vie.

J'avais vingt-deux ans plus mon certificat d'études, comme le claironnait mon père à ses amis. Il était si fier de mes exploits scolaires qu'il avait accepté sans sourciller l'offre que lui avait faite le propriétaire de l'habitation Petit-Pérou de m'embaucher comme responsable des trains. Pourtant, j'étais parfaitement ignorant en la matière et trouvais cette occupation quelque peu dérisoire. A Rivière-Salée, la locomotive avançait d'un pas monotone dans la plaine, parfois dissimulée par les plus hautes cannes, avant de s'arrêter avec brusquerie à la devanture de l'usine. Une fois la canne déchargée, elle repartait avec son convoi de wagons vers une autre plantation et la face de son conducteur me semblait démangée par l'ennui. Ici, à Sainte-Marie, il en allait tout autrement, à cause de la topographie. D'abord, les trains étaient en plus grand nombre et plus puissants car il leur fallait escalader des mornes raides comme un verre de rhum pris à jeun. Outre le conducteur, il y avait un homme chargé d'alimenter la chaudière et un troisième, assis juste à l'avant de la locomotive, dont la fonction était des plus curieuses. Il disposait d'un énorme sac de sable noir dans lequel il puisait à l'aide d'une demi-calebasse et dont il projetait le contenu sur les rails pour ralentir la descente du convoi. Le plus brigand de ces freineurs — car c'était là une tâche réservée aux brigands, aux s'en-fout-la-mort et autres nègres-sans-maman — était un chabin d'une virulence inouïe que les gamins taquinaient sur tout le parcours en lui lançant de tonitruants :

— Hé Chabin rouillé ! Chabin rouillé, fais attention à ne pas rouiller plus vite que les rails, oui !

Ces attaques dignes de mouches-à-miel ne se produisaient qu'au moment de la montée vers les habitations, quand le bougre n'avait rien d'autre à faire qu'à s'agripper à la locomotive et à admirer le ciel. Je m'étonnais de la constance avec laquelle il ripostait à ses agresseurs, qu'il traitait de « nègres-Guinée », de « nègres noirs comme hier soir » et, lorsqu'il s'agissait de femmes, « de négresses à fesses matées ». Il devenait rouge, le grain bleu de ses yeux scintillait d'éclairs effrayants et, parfois, il lui arrivait de sauter du train et de courser un négrillon à travers champs. Aux hurlements qui nous parvenaient, nous savions, le conducteur de la locomotive et moi, qu'il avait réussi à flanquer une volée du tonnerre de Dieu à celui qui ne manquerait pourtant pas, dès le lendemain, au premier chanter de l'oiseau-pipiri, de recommencer le même manège. Sa rage assouvie, notre freineur rattrapait le train au pas de course, suant, soufflant, crachant jusqu'à la prochaine cour entourée de cases d'où partaient à nouveau des « Chabin Rouillé ! » à la venvole.

Dès qu'il sut que je serais son supérieur hiérarchique, il m'avait pris à partie dans le bureau même du géreur de l'habitation Petit-Pérou :

— *Ou chèf anlè papyé, konpè, men lè ou batjé abô komotif-la, sav ki sé mwen ki mètpyès !* (T'es chef sur le papier, mais sache, compère, qu'une fois dans le train, c'est moi le patron !)

« Ce n'est pas de sa faute, m'avait expliqué le conducteur de la locomotive, ce bougre-là est un chabin. Cette nation-là est naturellement méchante. » Mon père, Aubin de La Vigerie, qui se méfiait d'eux, m'avait, quant à lui, baillé une sorte d'explication :

— Un chabin, ce n'est ni un béké, ni un mulâtre ni un nègre, mais c'est tout ça en même temps. Hon ! Il a pris le mauvais côté de chaque race. C'est pour ça que tu peux en voir apparaître subitement un dans n'importe quelle race. Ce qui fait qu'un chabin, au fond, c'est toujours seul dans la vie.

Pour de vrai, la solitude de Chabin rouillé était terrible : son père et ses frères étaient du plus beau noir tandis que sa mère était une mulâtresse au teint cuivré qui était la douceur faite femme. Il marquait encore plus sa différence en allant se baigner à la mer à n'importe quel moment de l'année, sous le regard ahuri et vaguement admiratif de la bande de fainéantiseurs et de galope-chopine qui jouaient aux dominos ou au sèrbi à l'ombre des raisiniers-bord-de-mer. En outre, il concubinait avec une femme indienne dont le monde entier affirmait que sa cou-

coune la grattait, manière de dire que dans sa case, elle tenait boutique et marchandise de garces. Il toisait les békés, leur répondait du tac au tac quand il ne les injuriait pas :

— *Landjèt manman zôt, lapo zôt pa blan pasé ta mwen!* (Allez vous faire foutre, votre peau n'est pas plus blanche que la mienne !)

Je l'avais intrigué encore plus que tout un chacun. Soupçonnait-il que j'appartenais tout comme lui à quelque espèce inclassable ? Je l'avais surpris qui détaillait mes cheveux à la nuque, qui observait l'écartement de mes orteils lorsque je me déchaussais, mais jamais il ne me posait ces questions insidieuses dont la plus vicieuse, que dis-je, la plus vipérine, était :

— *Sa ki manman'w ?* (Qui est ta mère ?)

Car s'il ne faisait aucun doute pour personne que mon père devait être un Blanc créole, on restait perplexe quant à la complexion de ma mère. Je m'appliquais à répondre de la manière la plus évasive tout en me montrant très tatillon dans le travail. Chaque soir, j'exigeais que le conducteur de la locomotive graissât les parties principales du moteur et que celui qui remplissait la chaudière la lavât de propre. En période de récolte, une simple panne pouvait entraîner le pourrissement de centaines de piles de canne aux quatre coins de la commune ; tous les regards se seraient alors braqués sur moi. Moi l'étranger, le bougre venu du Sud, qu'on soupçonnait d'arrogance, voire de hautaineté.

Sans le train, la plantation de canne et l'usine ne sont rien. Elles ont toutes deux besoin de ce cordon ombilical qui ne doit, sous aucun prétexte, se distendre ou se rompre.

— La loco, c'est une chose, m'avait averti l'administrateur de l'usine, mais y a plus important encore, jeune homme, ce sont les rails !

On construisait les traverses en bois de courbaril qui ne pourrissait pas ou bien on les importait d'En-France. Le problème était que des nègres peu scrupuleux les dérobaient pour en faire du charbon ou pour consolider leurs cases. Ceux qui avaient reçu un billet-ce-n'est-plus-la-peine et qui erraient, bras ballants, à la recherche d'un djob les détérioraient en guise de représailles contre les békés. Trois après-midi par semaine, je faisais à cheval l'inspection des rails avec Chabin Rouillé. Celui-ci avait l'art de remplacer les traverses abîmées ou manquantes avec une dextérité qui m'aidait à supporter ses crises de mauvaise humeur. Il me suivait respectueusement, tançant sa monture lorsqu'elle s'arrêtait pour brouter dans les fossés — un vieux mulet qui, au dire de tous, avait près de quarante ans et avait développé une telle intimité avec son maître qu'il trépignait de joie quand nous approchions des écuries.

— *Dézyèm madanm mwen ki la, wi!* (C'est ma seconde épouse!), me lançait Chabin Rouillé, mi-rigolard mi-sérieux.

Mais sa véritable science consistait à freiner la descente vertigineuse de la loco depuis les hauteurs de Morne-des-Esses ou de Pérou, assis tout à l'avant de la machine, le corps penché presqu'à toucher les rails. Dès que nous avions rempli nos six wagons de canne et qu'il fallait repartir en direction de l'usine de Sainte-Marie, je devinais le même effroi mal dissimulé chez le conducteur et chez celui qui alimentait la chaudière. Après une bonne dizaine d'années passées à occuper leur poste, les deux bougres ne parvenaient toujours pas à ignorer l'espèce de tangage qui s'emparait du convoi une fois qu'il avait amorcé sa plongée, pas plus que les crissements des rails d'où s'échappaient des volées d'étincelles ou les soubresauts du moteur de la loco, lequel feignait de s'arrêter pour repartir d'un mouvement brusque, nous projetant tous contre la cabine. Seul Chabin Rouillé ne tremblait pas dans sa culotte. Il semblait accueillir l'appel du vide comme une sorte de bénédiction renouvelée et se dressait par moments sur ses jambes puissantes pour observer l'arrière du convoi. D'un geste saccadé, il balançait de la main gauche du sable noir sur les rails à l'aide d'une demi-calebasse, tenant de l'autre main un gros sac rempli du précieux auxiliaire de freinage. Et pour de vrai, la loco ralentissait juste au moment où l'on devinait qu'elle était prête à sortir de ses rails et à s'envoler, puis reprenait son ballant de plus belle, obligeant ainsi le freineur à parsemer de nouveau les rails jusqu'à l'arrivée à la gare de l'usine. La première fois que j'accomplis une descente avec lui, je crus ma dernière heure arrivée. La loco s'était emballée et devait avoir atteint près de soixante, voire soixante-dix kilomètres par heure. Jamais nous ne parviendrions à arrêter cette course folle, avais-je pensé, et le visage de ma mère s'imprima devant mes yeux, déformé par la tristesse. Je ne pus retenir un cri qui fit sursauter le conducteur de la loco et le responsable de la chaudière, mais qui eut le don de mettre Chabin Rouillé en joie.

— Ha-ha-ha ! On avale ses tripes, béké-goyave, hein ? ricana-t-il tout en augmentant la cadence de ses lancers de sable. On voit la mort de près ? Vrai de vrai que c'est une belle salope !

Comme par miracle, la folle équipée se métamorphosa en une glissade ponctuée de freinages en saccades et de redémarrages hésitants pour s'achever, à l'entrée de l'usine, en une sorte de mouvement de vague venant mourir sur la plage. Une fois à terre, et donc sain et sauf, je fus pris d'une colère sans nom et me ruai chez l'économe pour protester contre l'utilisation d'un tel engin de mort. J'exigeai qu'on me révélât combien de déraillements s'étaient produits avant mon arrivée et s'il y avait eu des blessés ou des morts. J'invoquai la personne de Sosthène, le mécanicien de génie, auquel on pourrait demander de réparer le système de freinage de la loco. Je véhémentai, tapai du pied, me mis dans tous mes états et me retrouvai en nage devant un économe parfaitement impassible. On aurait juré que le bougre ne comprenait rien à ce que je lui expliquais. Ou qu'il s'en foutait tout bonnement.

— *Lè ou fini, fè mwen sav!* (Quand vous en aurez terminé, faites-le-moi savoir!), me lança-t-il sèchement en se replongeant dans ses livres de comptes.

En fait, il n'y avait aucune solution au problème que j'exposais. M'imaginais-je qu'ils étaient, ici, dans le Nord, trop bêtes pour n'avoir pas déjà réfléchi à la question ? Ils avaient tout essayé : différents systèmes de freinages, des rails plus larges, des butoirs en caoutchouc placés tout au long du parcours et toutes qualités de procédés qui n'avaient baillé aucun résultat positif.

— Nos pentes sont beaucoup trop accentuées, fit l'économe. Quand la loco descend de Bezaudin ou de Pérou, savez-vous l'inclinaison de la pente qu'elle doit affronter, mon petit monsieur? Vingt pour cent par endroits, jamais moins de quinze le reste du trajet. Alors votre Sosthène, je veux bien croire qu'il est plus habile de ses dix doigts qu'un Michel Morin, mais même les ingénieurs métropolitains ont dû s'avouer vaincus. Même eux !

Il avait raison. Le relief de la région de Sainte-

Marie représentait un véritable défi que n'avaient pu prévoir les constructeurs de la locomotive, là-bas, en Europe.

— La Martinique a voulu imiter Cuba et le Brésil, ajouta l'économe, railleur, mais, dans ces pays-là, la canne pousse en terrain entièrement plat.

Il avait connu la belle époque, celle où la canne n'était transportée qu'à dos de mulet, et il avait vu dans l'introduction de cette machine moderne qu'était la loco un moyen pour les Blancs créoles de réduire les nègres au chômage.

— Je ne suis pas propriétaire de plantation, ni d'usine ni de rien du tout. Je suis un simple économe, alors vous pensez bien que ces messieurs les directeurs n'ont même pas pris la peine d'écouter les propos d'un mulâtre. Maintenant, impossible de revenir en arrière ! me dit-il, soudain plus amical.

La nouvelle de ma grosse frayeur fit le tour des quartiers de Petit-Pérou et du bourg de Sainte-Marie, propagée par un Chabin Rouillé tout heureux de damer le pion à ce jeunot qu'on avait eu l'audace de placer au-dessus de sa tête et qui, en plus, n'était même pas originaire de la région. Serrant les dents, je refis plusieurs descentes les jours suivants, toujours en proie à la même appréhension que je parvins toutefois à dissimuler. Heureusement pour moi, Chabin Rouillé était, au fond de lui-même, un pain-doux. Il vint me voir, un soir, dans la petite maison attenante à l'usine que l'on m'avait allouée pour la durée de mon séjour (quatre mois, pas plus, avait décidé mon père). Pour une fois, ni colère ni dérision ne se lisaient sur sa figure tiquetée de taches de rousseur. Il avait même l'air un peu humain dans ses vêtements de repos : short en kaki et tricot de peau.

— J'ai... j'ai peur comme tout le monde, murmura-t-il tandis que je le faisais asseoir sur ma véranda.

— Comment ça ?

— Eh ben, je ne suis pas fou, non ! J'ai deux yeux, figure-toi. Je vois bien qu'un jour, cette sacrée loco va finir par nous voltiger-aller dans la mort. On n'aura même pas le temps d'appeler le Bondieu à notre secours.

Il ne voulut rien boire. Cela lui brouillait ses rêves dont il avait grand besoin pour supporter cette chiennerie d'existence. Il se mit à ôter des chiques sous la plante de ses pieds à l'aide d'une épingle à nourrice dont la pointe était devenue rougeâtre à force d'avoir été chauffée. Chaque fois qu'il parvenait à ôter un de ces petits vers blancs qui lui rongeaient le derme, il poussait un « Aaaah ! » d'intense satisfaction, mais, vu l'état de ses pieds, il lui aurait fallu etcetera de jours pour en venir à bout.

— *Pyé mwen pa ka sipôté soulyé...* (Mes pieds ne supportent pas de chaussures...), commenta-t-il.

La nuit s'affraîchissait et des éclairs mauves qui annonçaient, au large, la présence de bancs de poissons, zébraient le ciel. Je ne savais quoi dire à Chabin Rouillé. Il avait l'air presque pitoyable avec la boule de cheveux crépus et roux, jamais peignés, qui lui couvraient la tête, et ses yeux bleus incongrus dans sa face de nègre-Guinée.

— Je n'ai pas le droit d'avoir peur... non, ce n'est pas ça, reprit-il. Je n'ai pas le droit de montrer que j'ai peur. Un chabin, ça n'a jamais la cacarelle !

— Et pourquoi ?

— Tout le monde sait ça ! Chez toi, dans le Sud, y a pas de chabins ou quoi ?

Je n'y avais pas spécialement prêté attention

jusque-là, mais je pris conscience du fait qu'à la vérité, tous les chabins qu'il m'avait été donné de rencontrer dans ma jeune existence étaient des bougres raides, des morceaux de fer comme on disait volontiers quand on avait échoué à les faire plier. Et le freineur pouvait peut-être rouiller à la longue, mais il ne plierait jamais ! Il ne baillerait pas aux nègres l'occasion de le transformer en cheval de manège.

— *Moun-lan ki envanté kann-lan sé an bèl isalôp ! Man pa sav si sé Bondyé mé sé an sakré modèl isalôp* (Celui qui a inventé la canne à sucre est un beau salaud ! Je ne sais pas si c'est le Bondieu, mais c'est de la pure race de salaud), soliloqua-t-il, le regard perdu dans les étoiles.

Elles brillaient presque aussi fort que la lune et une manière de douceur sirop-miel couvrait la terre. Alors, Chabin Rouillé m'intima l'ordre de le suivre, d'une voix qui ne souffrait aucune contestation, et emprunta le sentier qui se faufilait sur l'à-pic même des falaises qui encadraient la partie nord du bourg de Sainte-Marie. Il avançait d'un pas rapide, jetant un œil à ma personne quand il n'entendait plus mon souffle dans son dos. Nous marchâmes en silence sur plusieurs kilomètres, entre les raisiniers-bord-de-mer au tronc torturé et l'Atlantique qui fessait ses lames gigantesques contre les falaises. A un moment, il me désigna un promontoire pointu qui cachait une vaste plage de sable blanc, rarissime dans cette partie volcanique du pays :

— C'est le Pain-de-Sucre..., fit-il simplement.

Nous escaladâmes la petite éminence dont le faîte était raviné par l'érosion. Des roches glissèrent sous nos pieds pour aller s'écraser en contrebas ou directement dans la mer déchaînée. Je fus une fois de plus envahi par la peur : tomber du Pain-de-sucre signifierait s'écrabouiller sur les rochers et voir son cadavre charroyé au loin à cause des courants marins si traîtreux sur cette côte du pays.

— Maintenant, on va redescendre de ce côté-ci, monsieur Pierre-Marie, déclara-t-il. Baille-moi la main et ferme les yeux. Ou alors ne regarde que la pointe de tes pieds !

Il était trop tard pour rebrousser chemin. Ce fou furieux de Chabin Rouillé me mettait une fois de plus à l'épreuve ! Sa main, ferme quoique moite, me rassura quelque peu et nous réussîmes à atteindre un minuscule plateau, visible seulement de la mer. Là, il s'assit, me demandant de l'imiter, et n'ouvrit plus la bouche pendant une bonne heure. Dès que j'essayais de l'interroger, il posait son index contre ses lèvres d'un air mystérieux et fronçait les sourcils. Vers minuit, un vrombissement étrange s'éleva des flots, à quelques encablures de la falaise. Un bruit modulé qui tantôt rappelait celui d'une chaudière d'usine, tantôt la plainte étouffée d'une grappe d'enfants abandonnés. Puis, le chanter s'amplifia — car tout cela avait des allures de plain-chant — et je vis le dos gris argenté d'une baleine surgir de la surface des eaux. Aussitôt, une autre fit un bond magnifique de côté avant de replonger dans une gerbe d'écume qui ressemblait à des éclats de lune. J'étais stupéfait devant tant de belleté. Quatre, cinq baleines se mirent à parader à trente pieds en dessous de nous, multipliant bramements, barrissements, roucoulements et complaintes. Nous demeurâmes sous le charme de ce spectacle insolite jusqu'à ce que l'horizon se mette à pâlir à l'est, annonçant un jour neuf. Toujours sans me bailler d'explications, Chabin Rouillé reprit le chemin inverse, que nous parcourûmes rapidement cette fois car on y voyait beaucoup plus clair. Lorsque la cheminée de l'usine de Sainte-Marie fut enfin en vue, il s'arrêta et, me prenant fraternellement par les épaules, me dit :

— Ce que tu as vu ce soir, personne ne doit être au courant, monsieur Pierre-Marie. D'accord ?

— D'accord...

— Quand elles sentent approcher l'hivernage, les baleines viennent faire leurs coulées d'amour près du Pain-de-sucre. Leur chanter que tu as entendu est un chanter d'amour, oui.

Nous continuâmes notre route en bavardant gaiement des tâches à accomplir dans la journée. L'habitation Rivière-Romanette devait livrer sa canne la première ce jour-là, parce qu'une des locomotives était en panne depuis deux jours et que des tonnes de cannes coupées menaçaient de pourrir là-bas. Au moment de grimper à bord de la machine infernale dont il était le freineur, Chabin Rouillé me susurra à l'oreille :

— Encore quelque chose : c'est grâce au chanter d'amour des baleines que j'arrive à dominer ma peur. Quand je sens le vide me happer dans la descente, je me mets à l'écouter dans ma tête et je me sens fort, presque invincible. Tu comprends à présent, hein ?

Je fis un signe de tête affirmatif, quoiqu'interloqué. Dès lors, le conducteur de la loco et le remplisseur de la chaudière ne me reconnurent plus. Ils clamaient partout que ce monsieur Pierre-Marie de La Vigerie était, à bien regarder, un jeune homme plein de vaillantise. Il avait réussi en deux semaines à peine à vaincre cette appréhension qui les taraudait, eux, depuis des lustres et qui refusait de s'estomper malgré l'habitude. On se mit à me considérer d'un autre œil à l'usine où l'économe, incrédule, me jetait des regards soupçonneux sans oser cependant me demander comment je m'y étais pris. En moins de deux mois, le travail de la voie ferrée n'eut plus aucun secret pour moi et j'étais prêt à m'en retourner dans le Sud, chez mon père, auquel le directeur de l'usine avait annoncé mes progrès foudroyants.

— Je te félicite, mais quatre mois, c'est quatre mois, m'écrivit celui-ci.

Cette inflexibilité me valut d'assister à l'irréparable. Le vide, ce grand vide qui semblait nous happer lorsque la locomotive entamait la descente des mornes et qui lâchait prise au dernier moment, recommençant dix fois son manège tout au long du trajet, mettant nos cœurs à rude épreuve, finit par exiger son dû. Il avait beaucoup plu ce jour-là et normalement, nous n'étions pas obligés de sortir la loco. De toute façon, les piles de canne qui attendaient aux abords des plantations avaient reçu plus d'eau qu'elles n'en pouvaient supporter et il n'y avait plus tellement d'urgence à les ramener à l'usine. L'administrateur avait déjà commencé à les faire passer dans les pertes et profits. Du moins était-ce là le discours rassurant qu'il nous tint, mais le conducteur de la loco et Chabin Rouillé, qui connaissaient leur homme sur le bout des doigts, en déduisirent qu'il fallait, vaille que vaille, se mettre à l'ouvrage. Tant pis si la voie ferrée était plus glissante qu'à l'ordinaire ! Peu importe que les talus du pont de la rivière de Sainte-Marie donnassent des signes de faiblesse extrême ! Grenadiers, à l'assaut, et que ceux qui périssent ne s'en prennent qu'à eux-mêmes, foutre !

— On a deux tonnes et demi de canne à tirer sur l'habitation Moreau, à Bezaudin, me fit Chabin Rouillé, soudain taciturne.

— On ne fait pas d'abord l'habitation Belles-Feuilles ? demanda le conducteur de la loco.

— Non ! On fait Moreau, je te dis. A Belles-Feuilles, il y a sûrement moins de canne. N'oublie pas qu'il leur a manqué quatre coupeurs cette semaine ! Y avait une mauvaise diarrhée qui courait de ce côté-là.

La loco grimpa péniblement le morne jusqu'à Bezaudin, sous une averse effroyable, un grain-blanc qui empêchait de distinguer quoi que ce soit à plus de deux mètres de distance. Chabin Rouillé jurait ses grands dieux qu'on ne l'y reprendrait plus :

— Quand cette récolte sera finie, criait-il pour se faire entendre, vous n'entendrez plus parler de moi à Sainte-Marie ! Je descends vivre à Fort-de-France avec ma femme coulie. On m'a trouvé un djob de docker à la Transat. C'est mieux payé que ce foutu métier de freineur.

— Tu nous abandonnes, alors ? demanda le conducteur de la loco, sincèrement attristé.

— Ah ! Laisse-moi rire ! Qui va me regretter par ici, hein ? Toi seul peut-être. Les autres, ils seront bien contents de n'avoir plus à supporter le vieux Chabin Rouillé.

A mi-pente, la chaudière, mal alimentée par le bougre qui s'en occupait, faillit faire caler la loco. Il s'activa pour la remplir de charbon de terre sous le regard terrorisé du conducteur. Chabin Rouillé, furieux, l'injuria :

— *Sakré isalôp ki ou yé ! Ou ka chèché an djab-a-tjwé ba nou ? Ou lé lanmô baré nou jôdi-jou taa ?* » (Espèce de crétin ! Tu nous cherches des emmerdes ? Tu veux qu'on crève ou quoi ?)

Je n'avais pas bougé, n'ayant pas mesuré l'étendue du danger. Je ne pris conscience que bien plus tard combien près nous avions été de reculer dans la pente, sans la moindre possibilité de freiner car la loco se serait trouvée à l'arrière du convoi, poussant de tout son poids les cinq wagons vides que nous traînions. Un carnage ! Nous finîmes par atteindre la petite gare de l'habitation Moreau, désertée à cette heure-là, toujours sous une pluie battante. Le conducteur s'avança sur la voie de garage pour y placer nos wagons vides avant de manœuvrer pour que nous accrochions à la loco les wagons pleins à ras bord de canne coupée la veille. Chabin Rouillé avait raison : on avait travaillé dur à l'habitation Moreau, en dépit de la fureur du temps. La canne attendait là, dans les wagons, prête à être emportée à l'usine. La laisser subir une nuit supplémentaire sous un tel déluge eût été une véritable injure au dévouement des coupeurs qui avaient bravé les intempéries pour fournir leur contingent journalier de cannes.

— *Nèg isiya ni ras !* (Les nègres de par ici, ils ont de la race !), ne put s'empêcher de s'exclamer le conducteur de la loco.

— *Sa ou konpwann ? Nèg Môn-dé-Zès ki la, wi !* (Qu'est-ce que tu crois ? C'est des nègres de Mornes-des-Esses, oui !), fit Chabin Rouillé, lui aussi admiratif.

Au moment où nous entámions notre descente, une gerbe d'éclairs cerna notre convoi. La foudre s'abattit dans une coulée, à quelques centaines de mètres de là. Frémissante et sublime, la nuit sembla tomber tout d'un coup alors qu'il était à peine cinq heures de l'après-midi. Chabin Rouillé se plaça à son poste habituel, à l'avant de la loco, muni de son sac de sable et de sa demi-calebasse. Je regardai le conducteur, incrédule, mais le bougre détourna vivement les yeux. Le préposé à la chaudière fit un signe de croix à l'endroit où la pente commençait à se faire dangereusement abrupte. J'en voulus très fort à mon père, Aubin, de m'avoir placé dans une telle situation. M'aimait-il autant qu'il le prétendait ? Ou au contraire cherchait-il à se débarrasser de moi sous prétexte de me forger le caractère ? Ma mère clamait à tous les vents que monsieur de La Vigerie privilégiait les enfants qu'il avait eus avec sa câpresse de Grand-Bassin. Qu'il les chérissait davantage que ses rejetons légitimes et qu'il préparait leur avenir de longue date. Fallait-il croire à de semblables accusations ? Parfois, je l'avoue, tout cela me plongeait dans un abîme de perplexité.

Vertigineuse fut la descente. Chabin Rouillé avait beau disperser son sable sur les rails à une cadence plus frénétique que d'habitude, rien n'y faisait : la loco se mit à glisser, à glisser, à glisser. Vers le gouffre. Dans le vide. Au beau mitan de la mort. Les coups de fouet de la pluie nous cinglaient le visage sans pitié tout en réduisant à néant la visibilité. Nous apercevions des fantômes d'arbres gigantesques qui semblaient se dandiner le long de la voie ferrée comme pour nous faire une haie d'honneur funèbre. La loco arrachait aux rails des plaintes déchirantes et tanguait, bateau à la dérive, dans l'épicentre d'un cyclone où se conjuguaient tourbillons, trombes de pluie et folie. Le remplisseur de chaudière hurlait son désespoir :

— Manman ! Manman, viens à mon secours !

Il s'était agrippé à la rambarde du train, terrorisé, semblable à ces pitoyables pantins disloqués que l'on promenait le dernier jour du carnaval, le mercredi des Cendres, avant de les conduire au bûcher. Le conducteur de la loco n'essayait plus ni de freiner ni de contrôler sa machine. Résigné, il regardait droit devant lui, mesurant sans doute cet appel du vide qui engloutissait notre convoi. Tout à l'avant de celui-ci, Chabin Rouillé avait lui aussi cessé de gesticuler. Son sac de sable mouillé était devenu inutile à présent, mais il ne se résolvait pas à le lâcher. Il se mit la demi-calebasse sur la tête dans un geste de défi ou de dérision envers cette mort qui nous attendait avec tant d'impatience. Comme cela, il était tout le portrait d'un de ces soldats allemands égarés dans le dédale des tranchées, à la fin de la guerre de 14, que mon père m'avait maintes fois montrés dans le journal *L'Illustration.* C'est dire qu'il était sublime et dérisoire tout à la fois.

Un coup de vent venu de l'Atlantique souleva presque la loco, voltigeant le freineur à l'avant des rails. Le conducteur porta ses deux mains à son visage et s'écria :

— Vierge Marie !

Le corps du freineur s'encastra sous la machine qui se mit à le déchiqueter à la manière d'un boucher à son étal. D'abord une moitié de jambe, puis une épaule, de nouveau une jambe, ensuite la tête qui éclata comme une goyave trop mûre, libérant un liquide jaunâtre, striant le rouge sang qui coloriait les rails. Le convoi continuait à descendre, quoiqu'à une vitesse moins démentielle puisque le corps de Chabin Rouillé lui faisait désormais barrage. Comme la pluie s'était un peu calmée, nous entendions de manière distincte le broyage des os du chabin. Le remplisseur de chaudière s'était mis à chigner comme un bébé, l'air hagard. Un tic nerveux agitait l'une de ses joues. Le conducteur avait repris les commandes de la loco bien qu'il ne contrôlât aucune de ses manettes, comme s'il voulait démontrer aux nègres, qui avaient commencé à se rassembler sur le passage de notre train fou, qu'il était prêt à mourir à son poste. J'envisageais, pour ma part, de me projeter dans les champs de canne qui bordaient la voie dès que la pente s'adoucirait.

Je savais que l'arrivée au quai de l'usine risquait d'être dramatique. Le convoi s'y fracasserait avec une telle force que loco et wagons se transformeraient en harmonica, faisant de nous trois des feuilles de papier à musique. Cette image-là n'était point de moi, mais de Chabin Rouillé. Ainsi décrivait-il cet accident dont il avait toujours su qu'il se produirait un jour, et ce jour-là, ni son courage légendaire ni la plénitude que lui insufflait le chanter d'amour des baleines ne pourraient rien pour lui et les infortunés qui auraient le malheur de se trouver à bord de la loco.

— Ce jour-là ! marmonnait-il, songeur. Ce sera la fin du monde, oui !

Mais je n'eus pas le temps de mettre mon projet à exécution. La pluie se calma comme par enchantement et les derniers nuages, qui encombraient le ciel sur les hauteurs de Saint-Aroman, se dispersèrent en bon ordre. Notre convoi, ralenti par le cadavre de Chabin Rouillé, avait adopté une allure plus raisonnable et nous fixions, hébétés, les travailleurs des champs et les ouvriers qui s'étaient alignés de part et d'autre de la voix ferrée, silencieux, atterrés. Bientôt, nous atteignîmes le quai de l'usine. Sans le moindre bruit, puisque notre chaudière avait cessé de fonctionner depuis un bon bout de temps. Là, hiératique, drapée dans un tissu de popeline jaune, nous attendait la femme indienne de Chabin Rouillé. L'obsidienne de ses cheveux, la finesse de ses traits, que soulignaient des prunelles qui semblaient habitées par un feu perpétuel, me clouèrent sur place. Qu'une image aussi puissante de la belleté humaine se trouvât là, juste à l'instant où l'horreur la plus absolue donnait carrière à ses fantaisies, me parut un scandale tout à fait insupportable. Quelles mains secrètes, quels dieux jaloux dirigeaient nos différentes destinées ? Irvéna — tel était le nom de la coulie — était venue porter sa gamelle du midi à Chabin Rouillé. Ne l'ayant point trouvé à l'usine, elle l'avait attendu jusqu'en cette fin d'après-midi, debout, immobile, sur le quai de réception des cannes. Lorsque la loco s'arrêta définitivement, elle ne bougea toujours pas. Son visage, gravé d'impassibilité, me transperça le cœur car je devinais tout le poids de douleur qui s'y cachait. On s'affaira autour du corps chique-taillé du freineur. L'économe, prévenu à l'aide d'une conque de lambi, s'était agenouillé près des rails, désemparé. Deux femmes entreprirent de ramasser les restes du freineur qu'elles enfournèrent dans un sac de jute. Alors, sans mot dire, sans quémander compréhension et pitié de quiconque, l'Indienne commença à chanter une complainte dans cette langue aux sonorités graves, ce tamoul qu'il nous arrivait d'entendre au cours des cérémonies hindouistes du temple de Petit-Pérou. Le refrain me resta dans l'esprit pour le restant de mes jours. Sans que j'y comprenne un traître mot. Sans que j'aie eu le désir de me le faire traduire. Juste le refrain, et cela dans cette langue profonde, venue d'ailleurs, qui avait cédé la place au créole, mais qui l'habitait à son insu car comment expliquer que des années et des années plus tard, à Rivière-Salée, lorsque quelqu'un me hélait de trop loin, dans les champs ou à l'intérieur de l'usine, j'avais l'étrange sensation d'entendre du tamoul ? Parfois aussi, plus fréquemment à vrai dire, j'entendais comme l'écho de la langue des nègres-Congo dans les vives discussions qui éclataient le samedi après-midi autour des tables de sèrbi et de bonneteau.

Je n'assistai pas à l'enterrement de Chabin Rouillé, l'homme qui avait osé me placer sous sa haute protection lors de la grève meurtrière qui avait agité la région deux mois plus tôt. Le soir même, je pris congé de l'administrateur et rentrai à cheval, malgré ses mises en garde contre le mauvais temps qui, à tout instant, pouvait recommencer à faire des siennes. Galoper dans la nuit froidureuse me fit du bien, me fouetta le sang. Je dépassai le bourg de Trinité au petit jour. A midi, je me trouvai entre Gros-Morne et Saint-Joseph. Sur la route, des coupeurs de canne me lançaient d'un ton jovial :

— *Ou ovantatè jôdi-a, konpè !* (T'es au ventre-à-terre aujourd'hui, compère !)

Pour la première fois de ma vie, la plaine de Rivière-Salée me parut belle lorsque je l'embrassai du regard à l'en-haut du morne de Génipa. Une lueur mordorée recouvrait la fin de l'après-midi, drapant de voiles ténus la houle vert tendre des cannes. Curieusement, il me sembla que je venais de franchir la barrière qui séparait l'âge innocent de celui des adultes. N'étais-je pas, en effet, entré dans ce monde où le même mot servait à désigner souffrance et travail ? Un seul et même mot : la peine...

5

Tu savais qu'un jour ou l'autre tu t'affronterais à ce mulâtre arrogant de Firmin Léandor, encore que le terme d'« arrogant » qu'employait ton père ne lui convînt pas vraiment. Il eût mieux valu le désigner comme taciturne (ou « ténébreux », dans le langage précieux qu'affectionnait désormais ta sœur Marie-Louise une fois qu'elle eut épousé votre précepteur). Léandor était le commandeur de l'habitation Bel-Évent, plantation qui fournissait le plus gros des cannes broyées par l'usine de Génipa. De lui dépendait donc la réussite de chaque campagne sucrière et rhumière — de lui et, bien sûr, du temps car tout le monde, Blancs comme nègres, pestait contre les caprices du climat tropical et la propension qu'avait le carême, depuis l'année 1936, à se rétrécir sur les mois de janvier à fin mars. L'année 35, au cours de laquelle on avait fêté de manière grandiose le Tricentenaire du rattachement des Antilles à la France, avait été un pur miracle. Carême et hivernage s'étaient partagés équitablement chacun la moitié de l'année et l'on avait presque fini par oublier qu'au beau mitan de février — en pleine roulaison, au moment où les coupeurs de canne donnaient le meilleur d'eux-mêmes, où les muletiers et les arrimeurs, rodés durant le mois de janvier, ne rechignaient plus à la tâche —, de méchantes pluies pouvaient s'abattre, noyant la plaine de Rivière-Salée et interdisant la moindre activité.

Pourtant, tu te remémorais fort bien les violentes altercations qui éclataient ente ton père et Firmin Léandor dès que le premier notait le moindre ralentissement dans la livraison des cannes. Il se tenait à l'entrée de l'usine, un chapeau-bakoua à large bord sur la tête, ses bottes de cavalier émérite parfaitement lustrées, et faisait les cent pas, guettant l'arrivée des premiers wagons de la matinée. Dès qu'il entendait le chuintement de la locomotive dans le lointain, il se raidissait, frappant ses bottes à l'aide de sa badine avec une nervosité mal contenue. A l'arrêt du train, il se précipitait pour ôter une canne du chargement et l'examinait sous toutes les coutures pour détecter une éventuelle maladie. Puis, il l'épluchait avec ses dents et en goûtait le jus avant de lâcher à l'ouvrier responsable du pesage :

— *Nou pé pwan tala, i ka sanm sa ki obidjoul.* (On peut prendre ce chargement, il m'a l'air d'être correct.)

Lorsque vint ton tour de le remplacer, les méthodes de contrôle étaient devenues plus scientifiques. L'ingénieur tourangeau, dont le contrat avait été prolongé (au-delà du raisonnable, à ton humble avis) par les administrateurs du groupe La Palun, se mit à expérimenter celle du calcul de la richesse en saccharine de la canne. Il prélevait, au moment du pesage, un bout de canne qu'il s'en allait analyser dans le petit laboratoire qu'il avait aménagé entre l'économat et la tonnellerie. A l'intérieur, il avait disposé toutes espèces de solutions chimiques colorées, d'alambics et d'instruments de mesure qui relevaient d'une sorte de magie d'hommes blancs aux yeux des ouvriers et qui rehaussait son prestige à tes yeux. Tu partageas longtemps les préventions de ton père à l'égard de ces Métropolitains diplômés qui débarquaient en Martinique comme en pays conquis parce qu'avant leur départ, on avait omis de les informer que si ce pays portait bien le nom de « colonie », il n'avait rien à voir avec les autres contrées arriérées de l'Empire, tels l'Afrique centrale ou l'Annam. Un seul trouvait grâce aux yeux de ton père, un certain Émile Bougenot, qui avait révolutionné l'industrie cannière à la fin du siècle dernier. Ici, en effet, on fabriquait du sucre et du rhum depuis deux bons siècles et ce dont on avait besoin, ce n'était pas d'un apprentissage quelconque, mais de conseils afin d'améliorer des techniques déjà largement au point. L'ingénieur tourangeau avait mis du temps à comprendre, puis à admettre cette subtile distinction. Quand il s'enhardissait jusqu'à vouloir en remontrer à ton père, celui-ci le rembarrait et cessait de lui adresser la parole pendant des semaines entières. Il fallait que l'ingénieur fît les premiers pas pour qu'un semblant de réconciliation apparût entre eux.

Le calcul de la richesse en sucre de la canne représentait une réelle innovation et le bougre s'en montrait très fier. Il permettait de savoir à l'avance, cela avec une marge d'erreur infime, quelle quantité de sucre vous produiriez selon la plantation d'où provenaient les chargements de canne. Désormais, ce qui comptait, ce n'était plus le seul tonnage livré à l'usine, mais bien la qualité de la canne. Le commandeur Bélisaire, qui se rengorgeait devant son collègue Léandor parce que l'habitation Val-d'Or produisait au moins six boucauts de plus que Bel-Évent, en vint à perdre de sa superbe. Ses boutures étaient plantées avec moins de soin que celles de son collègue et surtout il négligeait d'employer, en novembre, des épailleuses pour sarcler les mauvaises herbes et ôter la paille qui encombrait les pièces de canne.

— *Travay initil ki la!* (C'est du travail inutile!), affirmait-il.

Sa hautaineté disparut complètement quand l'ingénieur décida d'examiner les qualités agronomiques des différentes plantations. On découvrit que les terres de Val-d'Or étaient simplement plus riches que celles de Bel-Évent, Féral ou La Jobadière, parce qu'elles se trouvaient à distance raisonnable de la mangrove et de ses étendues boueuses et salées. Parce qu'elles s'étendaient également en terrain quasi plat, au contraire des autres qui comportaient de larges parcelles escarpées et encombrées de roches.

— Au vu de l'extraordinaire fertilité de l'habitation Val-d'Or, assena l'ingénieur à Bélisaire, en présence de l'administrateur et de mon père, ce que vous produisez là-bas, c'est trois fois rien. Un pur gâchis!

Le commandeur avait atteint un âge trop respectable et ses états de service antérieurs étaient si impressionnants qu'il était impossible de le licencier, mais l'administrateur lui fit bien comprendre qu'il risquait gros si la qualité de ses cannes ne s'améliorait pas l'année suivante. Firmin Léandor, commandeur de Bel-Évent, tenait sa revanche : il avait toujours plaidé pour un soin minutieux lors de la plantée en septembre et pour un épaillage régulier jusqu'à la fin de l'année. « Si le vent ne siffle pas à travers vos plantations, déclarait-il, s'il n'arrive pas à se frayer un chemin, c'est que vos cannes forment une muraille qui sera un vrai supplice pour les coupeurs qui s'y attaqueront. Pas étonnant que chez mon compère Bélisaire, rares sont ceux qui arrivent à aligner leurs vingt-cinq piles quotidiennes ! » On ne se bousculait pas, en effet, en janvier, lorsque démarrait la récolte, pour trouver une embauche à Val-d'Or. Non seulement il fallait se battre avec les hautes herbes et la paille de canne, mais on risquait aussi sa vie dans ces nids de serpents qu'étaient ses plus vastes parcelles.

Les innovations apportées par l'ingénieur propulsèrent définitivement Firmin Léandor au firmament des contremaîtres de plantation du sud de la Martinique. Modeste, l'homme n'accabla pas son vieux rival et lui proposa même son aide que ce dernier refusa d'abord — « J'ai ma fierté, foutre ! », s'exclamait-il — pour finir par accepter quand il prit conscience que des années de négligence de sa part ne pourraient pas être gommées en un battement d'yeux.

J'étais donc à cent lieues d'imaginer qu'un beau jour, j'entrerais en conflit ouvert avec un homme aussi consciencieux que Firmin Léandor, un homme qui m'avait connu enfant, que j'avais admiré presque autant que mon père. Un mulâtre, certes ombrageux, mais qui assumait avec vaillantise la place difficile qu'il occupait entre les patrons blancs et les travailleurs nègres. Cependant les temps avaient bel et bien changé et Firmin Léandor continuait à vivre dans les jours immobiles et immuables de son jeune âge. Il ne s'était pas opposé à l'installation de la voie ferrée quoiqu'il ne la portât pas dans son cœur. Lorsque l'usine de Génipa finit par privilégier le rhum industriel au détriment du rhum agricole, il n'en conçut pas un chagrin mortel comme mon père, mais refusa de tremper ses lèvres dans le premier. Enfin, l'ingénieur tourangeau avait trouvé en lui un allié précieux lorsqu'il avait entrepris de moderniser l'usine. Il est vrai qu'on faisait grand bruit des machines modernes dont venaient de se doter celles du François et surtout du Lareinty — et de la faillite, aussi, de certaines petites unités du nord du pays, au matériel trop vieillot.

Le seul problème du commandeur émérite qu'était Firmin Léandor avait trait à son attachement immodéré à la canne créole. Cette dernière, la plus belle, celle dont l'écorce était si fine qu'on pouvait l'ôter avec les doigts, celle qui poussait à la vitesse d'une mèche et vous baillait une tige au poids plus que respectable, notre vieille canne ancestrale se vit condamner à mort par tous ceux qui n'avaient à la bouche que ces grands mots abstraits de « productivité », « rentabilité » et consorts. Longtemps, Léandor et mon père s'opposèrent à sa suppression à Rivière-Salée, arguant du fait qu'elle était, de toutes les variétés connues à ce jour, l'une des plus riches en sucre, sinon la plus riche.

— Belle, oui ! Tendre, oui ! Riche en saccharine, oui ! s'irritait l'ingénieur qui avait fini par convaincre Simon le Terrible. Mais fragile, messieurs, terriblement fragile !

Firmin Léandor fut, en effet, frappé droit au cœur lorsque cette plaie dévastatrice qu'était le *borer* s'attaqua aux plantations de Bel-Évent. Dans son esprit, « créole » était synonyme de « fort », de « résistant », d'« adapté au pays », voire d'« indéracinable », à l'instar du bœuf ou du cochon auxquels on attribuait ce qualificatif. Or, inexplicablement, la canne-pays se laissait dévorer par cette larve qui n'hésitait à s'attaquer ni aux jeunes plants ni aux tiges à maturité. Elle mangeait le cœur des premiers jusqu'à ce qu'ils se dessèchent et s'affaissent, blessés à mort, dans les sillons. S'infiltrant dans la pulpe des seconds, elle la coloriait d'un rouge lie-de-vin et en aspirait tout le sucre, ne vous laissant que des roseaux creux dont ne voulaient même plus les fourmis-tac-tac. Pourtant, le commandeur de Bel-Évent tenta de résister une fois de plus grâce à la lampe à *borers*. A la nuit tombée, il faisait allumer une batterie de lampes le long des pièces de canne. Attirés par l'éclat de la lumière, ces papillons hideux qu'étaient les *borers* se précipitaient, se brûlant aussitôt les ailes et chutant avec leurs œufs dans la mélasse qu'on avait pris soin de disposer sur le sol. Mais cette riposte demandait qu'on travaillât la nuit et qu'on payât des heures supplémentaires, et n'allait pas sans risque puisqu'un simple coup de vent, venu des profondeurs de la mangrove, pouvait embraser votre plantation, ruinant ainsi une demi-année de travail. Tel fut le destin de Pièce Romanette, l'un des fleurons de l'habitationt Bel-Évent. Dès lors, Simon le Terrible trancha :

— Plus de canne créole chez moi, vous m'entendez ! Plantez-la dans vos jardins si elle vous sert de friandise, mais moi, à partir de maintenant, place à la rubanée et à la cristalline !

On disait partout que Firmin Léandor n'était plus le même homme. Qu'il avait changé du tout au tout. Qu'il s'était enfoncé encore davantage dans sa taciturnité naturelle. Cela parce qu'il avait pris chagrin de la condamnation à mort de la canne créole. Mais jamais le mulâtre n'exprima ouvertement le tourment qui assombrissait sa figure et ralentissait ses gestes. Il traita même la canne rubanée, et la canne cristalline avec une attention presque égale à celle qu'il montrait pour la canne-pays. Celles-ci résistaient non seulement au *borer*, mais aussi au pou blanc, à la rouille et au charbon, autres maladies auxquelles la créole était très sensible.

Quand Aymard Lepelletier-Dumont prit le relais de Simon Duplan de Montaubert, et toi celui de ton père, le commandeur de Bel-Évent fit une nouvelle tentative pour réintroduire la canne créole et faillit vous ébranler. En effet, si la rubanée était dure et résistait mieux aux insectes, elle n'atteignait que rarement les trois mètres de hauteur de la canne créole, ce qui signifiait que les coupeurs devaient abattre davantage de travail pour obtenir le paquet réglementaire de dix tronçons et qu'ils regimbaient de plus en plus à la tâche. En outre, la rubanée était nettement moins riche en sucre que celle qu'elle avait évincée. Les résultats, à la sucrerie, ne laissaient aucun doute. Quant au rhum, il semblait avoir perdu de son âpreté et fondait sur votre langue sans y laisser cette douce et pénétrante chaleur qui exigeait qu'on l'« écrasât », dans l'instant qui suivait, à l'aide d'une gorgée d'eau fraîche. Mais la vindicte de Firmin Léandor s'appesantit tout particulièrement sur la canne cristalline. L'apparence vitrée de son écorce lui faisait horreur, écorce dont la dureté était telle qu'il fallait parfois s'y prendre à deux fois pour en sectionner la tige. Si par malheur une pluie-fifine avait arrosé la terre, la lame du coutelas pouvait glisser sur cette dernière et vous entailler la cuisse ou le cou du pied.

— *Sé pa kann ki la, sé wôch, fout!* (Ça, c'est pas de la canne, c'est de la roche, foutre !), protestait-il devant l'ingénieur chaque fois qu'on lui amenait un coupeur de canne blessé.

Pourtant, la canne cristalline avait fière allure. Elle était plus longue, plus grosse que toutes ses concurrentes et surtout elle s'élançait bien droit vers le ciel. Quant aux insectes et parasites, ils n'avaient plus qu'à passer leur chemin ! Bref, la cristalline alliait la superbe de la canne créole et la résistance de la canne rubanée. Une merveille, quoi ! Sauf qu'elle était très pauvre en saccharine, ce qui réjouissait fort le commandeur Firmin Léandor. Quand il lui arrivait d'accompagner les wagons de canne coupée à Bel-Évent jusqu'à l'usine, il se tenait aux abords du pesage et lançait à la volée, sans avoir l'air de s'adresser à quiconque en particulier, mais tout en sachant soit que l'ingénieur était dans les parages, soit qu'un nègre-maquereau lui rapporterait dans l'heure qui suivait les propos qu'il avait tenus :

— La canne, c'est comme la femme, messieurs-dames. C'est pas l'apparence qui compte ! Elle a beau être gammée, prestancieuse, fardée, pomponnée et tout, c'est quand on lui a enlevé sa robe qu'on voit quel trésor elle cache. La cristalline, elle a belle figure, rien de plus !

On fut à deux doigts de céder au harcèlement du commandeur de Bel-Évent. Lepelletier-Dumont et l'ingénieur s'inquiétaient de la baisse des rendements et de la qualité somme toute médiocre du sucre obtenu. S'agissant du rhum, les conséquences paraissaient, à première vue, moins graves, mais pour quelqu'un comme toi qui avait été initié dès la prime enfance à en reconnaître le parfum et le velouté, il n'y avait aucun doute possible : l'eau-de-vie obtenue à partir de la cristalline souffrait de la comparaison avec cet élixir que, depuis deux siècles et demi, on extrayait de la canne créole.

Il ne parut pas raisonnable de céder aux sollicitations de Firmin Léandor. Le souvenir de deux récoltes de canne créole à moitié ravagées par le *borer* et du déficit considérable qui s'en était suivi avaient échaudé Simon le Terrible. L'ingénieur tourangeau, qui avait été tenu pour partiellement responsable de cette catastrophe, ne voulait pas en entendre parler, quand bien même il reconnaissait que les rendements de la rubanée et de la cristalline laissaient à désirer. Dès lors, la canne créole se raréfia à Rivière-Salée et faillit même disparaître. Ceux qui en possédaient quelques pieds dans leur jardin les protégeaient jalousement et, si quelqu'un vous en offrait une, c'est qu'il vous tenait en très haute considération. Des femmes au cœur tendre, on disait, rêveur :

— Elle est douce comme une canne créole, oui !

Mais ce bougre de Firmin Léandor, grâce à la complicité d'une grappe de coupeurs qu'il plaçait chaque année sur la même pièce, contrairement à la tradition, continua en secret la culture de la canne ancestrale. En contrebas d'un petit morne, hors de portée d'éventuels curieux, poussèrent, des années durant, sur une dizaine de carreaux — trois fois rien donc — des pieds mystérieux auxquels le commandeur de Bel-Évent portait un soin quasi maternel. Perdus au sein des milliers de tonnes de rubanée, de cristalline, puis de nouvelles variétés telles que la Big Tana et la BH, ils n'attirèrent l'attention de personne. Jusqu'au jour où le *borer*, cette larve scélérate, impitoyable, se remit à frapper.

La maladie se propagea bien évidemment dans les seules parcelles où levait la canne prohibée, mais, par quelque phénomène de contamination, elle provoqua le réveil de parasites des végétaux auxquels étaient sensibles les autres variétés. On usa en abondance de produits chimiques qui, s'ils limitèrent les dégâts, affaiblirent les rendements des exploitations. Tu dus ouvrir une enquête qui, au début, ne donna aucun résultat. L'ingénieur s'arrachait les cheveux. Aymard Lepelletier-Dumont, qui avait hérité de l'irascibilité de son cousin Simon le Terrible, se mit à vous lancer des ultimatums.

En désespoir de cause, tu t'étais mis à surveiller, au pesage, les arrivées des wagons provenant de chacune des habitations. Tôt le matin, tu attendais, anxieux, sur le quai, te précipitant à chaque arrivée de la loco pour en retirer quelques tronçons, sans parvenir, après trois semaines d'inspection, à identifier l'origine du mal. Le temps pressait. La récolte avait entamé la seconde phase, la plus délicate, de son déroulé. On courait tout droit au désastre : prévisions de sucre réduites des deux tiers, de rhum d'un tiers. Mais, alors que tu étais sur le point de diriger ton enquête ailleurs, une après-midi resplendissante d'avril, un petit événement insolite te mit la puce à l'oreille. Tu aperçus, en effet, dans la dernière ligne droite de la voie ferrée qui conduisait à l'usine, une bande de gamins se précipiter sur le wagon. Ils en dérobèrent quelques cannes qu'ils se mirent à éplucher avec leurs dents. Une intense jubilation se lisait sur leurs traits. Tu venais enfin de comprendre ce qui se passait. Enfin !

Depuis que la tendre et juteuse canne créole avait disparu des champs, plus personne ne s'avisait de cueillir, encore moins de s'attaquer autrement qu'avec un coutelas aux tiges rugueuses de la rubanée ou de la cristalline. Et quand on le faisait, ce n'était pas pour se délecter du jus onctueux dont elles étaient dépourvues, mais pour nourrir son bétail. Ce chargement qui arrivait là, sur le quai, contenait de la canne créole ! Aucun doute n'était permis. Tu frémis à la seule idée qu'un commandeur négligent eût oublié de détruire les derniers plants que vous aviez conservés pour le cas où. Par superstition. On ne pouvait tout de même pas éradiquer une variété qui avait fait la richesse de ce pays pendant plus de deux siècles !

— *La kann-tala sôti?* (D'où provient cette canne?), demandas-tu, le cœur chamadant, au conducteur de la loco, sans doute complice de Firmin Léandor.

— *Poutiji, misyé Pyè-Mari? Nou pasé anlè plizyè bitasyon jôdi-a, wi...* (Pourquoi, monsieur Pierre-Marie? Nous sommes passés sur plusieurs plantations aujourd'hui, oui...)

— D'où elle vient? Tu m'entends?

— De... de Bel-Évent, patron...

Tu t'approchas du wagon et ressentis immédiatement un sentiment d'immense tendresse. Elle se trouvait de nouveau là, cette canne créole, altière et fine, avec ses teintes jaunes, orangées et vertes harmonieusement disposées sur la tige! Cette canne qui avait enchanté ton enfance! Cette canne dont on avait extrait le rhum grâce auquel la matrone de ton quartier t'avait réanimé, ressuscité même, à l'instant où tu étais venu au monde. Tu fis reculer le wagon sur une autre voie et demandas à un manœuvre de le recouvrir d'un prélart. Mais tu n'eus pas le temps de sauter à cheval pour te rendre à Bel-Évent: prévenu dix minutes plus tard par quelque complice, le commandeur Firmin Léandor s'était dépêché de venir à l'usine. Il ne te laissa pas le temps de lui faire la moindre remontrance:

— Je vous remets ma démission, monsieur Pierre-Marie... Je crois que je vais signer un bail à colonat. C'est peut-être mieux pour moi de travailler à mon propre compte...

En une fraction de seconde, tu revis celui qui, chaque samedi du temps de l'antan, célébrait avec ton père le culte du rhum. Décollage, mabiage, cocoyage, punch, pousse, labraguine, folibar et trafalgar, tous ces moments forts de la cérémonie du punch n'eurent très tôt aucun secret pour toi parce que les deux hommes étaient des pratiquants exemplaires, des zélateurs de cette foi qui, tout en emplissant votre âme d'aise, vous assurait le nourri-blanchi-logé. Comment aurais-tu pu sanctionner un homme dont l'unique raison de vivre, la seule passion était de faire perdurer à ses risques et périls, à n'importe quel prix, cette canne à sucre qui était la plus vôtre ? Cette canne créole dont chacun avait gardé au plus profond de soi la nostalgie et que certains, comme pour dissiper cette dernière, avaient commencé à appeler « canne Bourbon », à l'instar des services agronomiques d'En-Ville.

Dans le passé, à l'époque de Simon le Terrible, Firmin Léandor avait, en diverses occasions, menacé de rendre son tablier et avait toujours obtenu gain de cause parce qu'il était dans son bon droit. Aujourd'hui, le commandeur de Bel-Évent venait de commettre une faute. Une faute gravissime. Jamais l'ingénieur tourangeau ni l'administrateur ne lui pardonneraient d'avoir mis les récoltes en danger. Ils lui feraient porter, à n'en pas douter, l'entière responsabilité des pertes que vous aviez déjà subies. Même s'il démissionnait, c'en serait fini du brillant commandeur de Bel-Évent qui nulle part ne pourrait retrouver d'embauche. C'est à savoir même si quelqu'un prendrait le risque de lui signer un bail à colonat !

Plongé dans l'incertitude quant à la sanction à lui appliquer, pesant à tout ballant le pour et le contre, une lueur éclaira brusquement ton esprit. Te revint mot pour mot une citation latine que ton père avait calligraphiée sur une feuille de papier cartonné et qu'il avait épinglée dans son bureau, à l'économat. Citation qui avait le don d'énerver Simon le Terrible pour qui le penchant livresque d'Aubin de La Vigerie relevait de la pure et simple incongruité.

Elle disait : « HABITUE-TOI À TOUT CE QUI DÉCOURAGE. MARC AURÈLE. » Tu t'approchas de Firmin Léandor, lui pris les mains comme un fils reconnaissant l'aurait fait à son vieux père et lui déclaras d'un ton qui se voulait neutre :

— Il ne s'est rien passé. J'ai fait brûler ton wagon de cannes. Je t'en supplie, ne pars pas ! Bel-Évent a encore besoin de toi, nous avons grandement besoin de toi...

TEMPS DE DOUCINE ET D'ALLÉGRESSE

« Devine dans la parole en drive la secrète métamorphose des hommes en chiens, des femmes en soucougnans, parfois ils ne retrouvent point la peau du devant-jour, habillés qu'ils sont de croyances marrones et de mémoire d'herbe-guinée. »

Ernest Pépin, *Babil du songer.*

1

Je suis né avec l'odeur du rhum cœur-de-chauffe. Ce fut ma première expérience du monde. A ma naissance, la matrone, inquiète de la faiblesse de mes criaillements, m'avait baigné, puis longuement frotté chacun des membres avec une chopine entière d'alcool de canne. Elle ne manquait jamais de me le rappeler quand je la rencontrais au hasard de mes vagabondages :

— Petit bougre, foutre que tu es devenu costaud à présent, eh ben Bondieu ! Tu sais, on ne comptait pas du tout sur toi. Tu étais si maigre-zoquelette ! Laisse-moi te toucher un peu... Hé ! Ne t'enfuis pas, sache que sans la chaleur du rhum, tu aurais déjà enjambé la frontière de la mort.

Elle me parlait dans un créole rugueux, vieux-nègre, disait-on à l'époque, fort différent de celui, plein de chatoyance, qu'employaient entre elles ma mère et notre servante Antoinise. Un étranger aurait eu l'illusion de se trouver en présence de deux langues différentes. J'avais un peu peur de l'accoucheuse à cause de ses robes hideuses, de ses cheveux blancs hirsutes et aussi parce que tout le monde la tenait pour sorcière. En fait, elle était simplement une dormeuse, quelqu'un qui, pour deviner l'avenir d'autrui, s'enfonçait dans un sommeil profond, tout en tenant fermement la main de son client, et qui prononçait des sortes de grognements étranges que son mari traduisait au fur et à mesure. J'avais entendu Antoinise raconter une séance qu'elle avait eue avec la matrone à ce groupe de femmes entre deux âges qui, leur journée de travail achevée, ne conservant que leur soutien-gorge rose et leur jupon, s'asseyait en cercle autour du moulin à manioc de l'habitation pour commenter les mille et uns petits riens de leur existence. Souvent, il m'arrivait de feindre de jouer au cerceau dans les environs car j'étais secrètement tombé en amour avec une négresse splendide du nom de Laetitia qui officiait à la fois comme couseuse de sacs de sucre à l'usine et blanchisseuse à Château-l'Étang, la demeure seigneuriale de Simon le Terrible. Elle m'emprisonnait entre ses fortes cuisses tout en continuant à causer et me mignonnait les cheveux, me gratifiant de temps à autre de petits bos furtifs sur le front. Sa peau satinée frottait contre mes joues lorsqu'elle était en proie à quelque hilarité et je sentais monter de son giron des effluves tout bonnement enivrants, mélange de sueur fine, de musc et de parfum à deux francs-quatre sous acheté à la boutique de Tantine. Je fus, dès cet instant, partagé entre ce qui était, aux yeux de ma famille, l'évidente belleté des Blanches — ma mère critiquait vertement les cheveux crépus dépeignés de notre servante qu'elle comparait à la soie des nôtres — et l'ardente tendresse des femmes noires, leur débonnaireté singulière et la fermeté de leur chair. Mon père lui-même n'y était pas insensible car à maintes reprises, je l'avais entendu se disputer violemment avec ma mère au sujet d'une certaine câpresse de Grand-Bassin qu'elle le soupçonnait de fréquenter avec assiduité. Quand la colère lui faisait perdre sa légendaire équanimité, ma mère hurlait presque, nous croyant endormis depuis longtemps :

— *Ki sa ou ka touvé adan lapo nwè ? Man pa ka konpwann pyès toubannman! Sa lèd!* (Qu'est-ce que tu trouves à la peau noire? Je n'y comprends rien. C'est laid!)

Elle n'utilisait le créole qu'en ces occasions-là et nous interdisait formellement de l'employer. Une cravache en corde de mahault, suspendue derrière la porte de la cuisine, l'aidait à nous tenir la langue comme elle disait. Renaud, mon frère, expert en brigandagerie, en avait reçu vingt coups bien sonnés sur le dos pour avoir simplement prononcé le mot *« isalôp »* (salaud). Jamais une seule miette de créole ne jaillit de la bouche de mes sœurs, jusqu'au jour où Marie-Louise trouva un fiancé. Ma surprise fut totale car nos parents ne l'autorisaient jamais à sortir seule et, lors des rares fêtes auxquelles nous étions conviés, ma mère la couvait d'un œil si sévère qu'elle décourageait tout éventuel prétendant. Edmée de La Vigerie avait d'ailleurs élevé sa fille dans la défiance des élans du cœur. Ainsi avait-elle très vite retiré Marie-Louise de l'école communale de Rivière-Salée afin qu'elle continuât son éducation avec le précepteur qui nous avait appris à lire dans notre prime enfance. Il avait peut-être quinze ans de plus qu'elle, ce bachelier aux moustaches ridiculement recourbées qu'il fallait aller chercher en tilbury, tôt le matin, au bac de Petit-Bourg, et qui regardait le monde campagnard de très haut. Sylvère de Cassagnac était le fils d'un important négociant du Bord-de-Mer, à Fort-de-France, qui faisait des études de droit pour devenir notaire. Il craignait comme la peste la boue des chemins, détestait les moustiques qui arrivaient en escadrille de la mangrove, l'odeur de la vinasse que rejetait l'usine ainsi que tout ce qui avait trait au travail manuel. Le bellâtre se pinçait le nez avant de grimper à bord du tilbury, ne saluant même pas Hector, notre voiturier, veillant à ne point salir son beau costume d'alpaga à la blancheur aveuglante. Si ma mère n'était pas à la maison, Antoinise le recevait avec rudesse et s'amusait à lui servir du rhum quand il réclamait un verre d'eau. Il recrachait cette boisson avec dégoût par la fenêtre tandis que notre servante se confondait en feintes excuses. Nous, la marmaille, l'observions, cachés derrière le grand buffet en mahogany dont mon père était si fier parce qu'il avait, affirmait-il, traversé plusieurs générations de La Vigerie. Nous pouffions de rire, au grand désarroi de notre sœur aînée qui se tenait debout devant la table de la salle à manger, son cahier et son porte-plume pressés contre sa poitrine, prête à subir les foudres du précepteur. Mais celui-ci se radoucissait presque par enchantement quand elle lui faisait les salutations un peu obséquieuses que lui avait apprises notre mère. Il lui demandait de s'asseoir sur un ton empreint d'une extraordinaire minauderie et recommençait la leçon de la veille avec une patience dont il n'avait jamais fait montre à l'endroit de Renaud, Moïse et moi-même. Au fil du temps, sans que je m'en rendisse compte, il devint le fiancé officiel de Marie-Louise et ses visites se firent plus fréquentes.

La période de fiançailles dura le temps d'une récolte de canne, c'est-à-dire presque six mois. Curieusement, il ne devisait qu'avec mon père avec lequel il s'adonnait à d'interminables parties de rami. Ma mère allait et venait au salon, plus agitée qu'une girouette, s'inquiétant de ses moindres désirs, lui offrant du vermout, des friandises créoles, lui proposant un éventail lorsque la chaleur de la fin d'après-midi se faisait trop accablante. Pendant tout ce temps-là, Marie-Louise demeurait sagement assise au salon, dans un fauteuil trop large pour elle, à lire (ou à simuler la passion pour quelque livre) ou bien encore à coudre son trousseau. Personne ne parlait de mariage. La chose était entendue. L'opinion de mon aînée ne comptait pas. Mon père et ma mère lui avaient choisi le meilleur parti possible et elle avait l'air d'en être fort satisfaite. Certains soirs, Sylvère de Cassagnac restait dormir à la maison et Antoinise était priée de nous chasser de notre chambre, Moïse et moi, pour lui faire place. Elle drapait notre lit de frais, l'ornait d'une couverture piquée qu'une parente de ma mère lui avait ramenée de France et que l'on ne sortait qu'aux grandes occasions. On m'envoyait lui remplir une bassine d'eau à la source qui jaillissait d'une tige de bambou, non loin des écuries, ce qui m'emplissait d'une terreur sans nom : à cet endroit, Maman D'leau, créature diabolique qui avait le don de faire perdre la raison aux humains, venait faire ses ablutions dans ce moment dramatiquement bref qui séparait la claireté du jour de la noirceur de la nuit. Aussi étrange que cela puisse paraître, Antoinise retrouvait la bassine intouchée le lendemain matin et ne manquait jamais de s'écrier :

— Les Blancs d'En-Ville, hon ! c'est des sacrés malpropres, oui. Ils se parfument, se pomponnent, se coiffent à l'embusqué, mais ils oublient d'enlever la sueur qui colle à leurs aisselles.

Quelque temps avant les épousailles, Marie-Louise, à notre stupéfaction à tous, attendit que la famille soit réunie à table pour le souper et, entrevisageant mon père, le fixant dans le mitan des yeux, puis se tournant vers ma mère, déclara d'un ton détaché et cela en créole :

— *Man ké vini an fanm atjèman. Man pa lé pèsonn koumandé mwen ankô!* (Je serai désormais une femme. Je ne veux plus que qui que ce soit me commande!)

Je n'avais jamais entendu le jargon des nègres (ainsi que le qualifiait ma mère) sortir des lèvres éternellement pincées de ma sœur aînée. Je faillis renverser mon bol de soupe tandis que mes autres frères et sœurs étaient en proie à une crise de fou rire nerveux. Renaud était le plus excité. Il cabrait même sa chaise, attitude qui lui valait d'habitude une bonne calotte. Mon père, pour la première fois de sa vie, baissa les yeux dans son assiette. Il mangeait, avec un appétit redoutable, le même repas midi et soir : des tranches de chou caraïbe ou de fruit-à-pain, de la viande de cochon salée ou de la morue séchée et parfois du poisson fraîchement pêché que lui rapportait un nègre flagorneur de l'habitation Petit-Poterie. Ma mère aussi capitula. Sa bouche s'était arrondie pour élever la voix, des éclairs sombres ennuagèrent son beau regard gris clair, mais, inexplicablement, elle n'émit aucune objection. Une fois fiancée, ma sœur ne s'adressa plus qu'en créole à notre servante Antoinise, cela avec une telle jubilation qu'il arrivait à cette dernière de s'en offusquer :

— Tu parles créole tout le temps pour moi, tu crois que je sais pas parler français, hein?

Dans le même ballant, elle se mit à fabriquer son punch pour s'ouvrir l'appétit à midi, comme elle disait avec une sourde gaieté dans la voix, et se servait d'une rasade égale à celle de mon père. Pourtant, rien ne l'avait préparée non plus à éprouver un tel amour pour le rhum. Elle n'avait pas fait de syncope à la naissance et l'accoucheuse ne l'avait pas massée de la tête aux pieds avec une bouteille entière de 55 degrés, comme ce fut mon cas. Événement qui expliquait d'ailleurs que mon père allait partout répétant :

— J'aurai un successeur, ça j'en suis sûr et certain. C'est Pierre-Marie ! Monsieur a baigné dans le rhum avant même son premier vagissement. Ha ! Ha ! Ha !

Une nuit de pleine lune, qui resta gravée dans ma mémoire parce qu'en ces occasions-là, nègres créoles et Congo dansaient ensemble (une fois n'est pas coutume) des quadrilles et des haute-tailles endiablées, mon père me fit lever en secret et, me hissant sur son cheval, me conduisit à l'usine. Il ne m'avait baillé aucune explication et avait couvert mes épaules d'un paletot élimé, de crainte que je n'attrape un chaud-froid. La carcasse de l'usine m'était encore plus intimidante qu'en plein jour à cause des ombres gigantesques que projetaient ses membres. Elle ressemblait à s'y méprendre à ces cathédrales que notre précepteur nous apprenait à admirer dans notre grand livre d'histoire de France illustrée. Ma mère, en catimini, s'y plongeait quand nous, la marmaille, étions occupés à nos jeux de cache-cache, et soudain, sa figure s'illuminait. Une sorte de béatitude imprégnait ses traits que tout un chacun jugeait habituellement durs, quoique bien dessinés. Si l'un d'entre nous rentrait au salon à l'improviste, en quête d'une timbale de madou, boisson qu'elle préparait à la perfection, elle refermait précipitamment l'ouvrage, ses joues s'enflammaient et elle lui criait après :

— On n'entre pas sans frapper, sacré polisson ! Et puis, as-tu essuyé tes pieds ? Ici, ce n'est pas une maison de nègres, non !

L'usine était notre cathédrale, songeais-je. La cathédrale du sucre, notre Dieu. Celui qui nous faisait vivre tous, du plus riche Blanc-pays comme Simon le Terrible ou monsieur Salin du Bercy, le hobereau de la plaine du Lamentin, jusqu'au plus miséreux des coupeurs de canne nègre ou indien. Mais ce dieu possédait un rival aux yeux de mon père : le rhum. Et cette nuit-là, il entreprit de me convertir à son culte alors que, du haut de mes dix et quelques années, j'étais censé n'avoir pas encore eu le droit de l'approcher. « *Wonm sé bagay grannonm!* » (Le rhum est l'affaire des grandes personnes !), nous assenait-on lorsqu'un garnement trop curieux tentait de boire la crasse du verre d'un adulte.

A la vérité, mon père employait rarement le mot « rhum », mais bien des désignations spécifiques qui, jusqu'à cette nuit-là, étaient demeurées mystérieuses à mes yeux : grappe blanche, grand arôme, tafia, coco-merlo, cœur-de-chauffe et, quand il se voulait précieux, devant des étrangers venus de l'En-Ville par exemple, eau-de-vie de canne à sucre. Il possédait une bibliothèque entière sur le sujet, parmi les ouvrages des chroniqueurs du temps-longtemps, dont il se délectait quand la fureur de l'hivernage empêchait les humains de pointer le nez dehors. Le plus curieux, c'est qu'il était incapable de lire silencieusement, de la façon que nous avait enseignée notre précepteur. Nous le dérisionnions en cachette dès que nous entendions le ronronnement caractéristique de sa voix s'élever d'entre les pages du *Nouveau Voyage aux Isles de l'Amérique* du père Labat, ouvrage qu'il tenait en très haute estime. Dès que je sus lire à mon tour, je n'eus qu'une hâte, celle de fouiner dans l'armoire remplie de livres qui trônait au salon, entre une méridienne et une console joliment sculptée. Malheureusement, il l'avait fermée à clef et je ne pus que déchiffrer les noms des auteurs et les titres des ouvrages qui se détachaient en fines lettres dorées sur leurs couvertures reliées : Acosta Joseph, *Histoire naturelle et morale des Indes, tant orientales qu'occidentales : où il est traicté des choses remarquables du ciel, des élémens, métaux, plantes et animaux qui sont propres de ce païs* (1598) ; Descourtilz Michel Étienne, *Histoire des désastres de Saint-Domingue, précédée d'un Tableau du régime et des progrès de cette colonie depuis sa fondation, jusqu'à l'époque de la Révolution* (1795) ; Duhamel du Monceau, *L'Art de rafiner le sucre* (1761).

Autre motif de ricanement de notre part : pour lui, Aubin de La Vigerie, un ouvrage qui n'était pas relié n'appartenait pas vraiment à l'univers des livres, sacré dans son esprit. Ainsi n'avait-il jamais jeté le moindre regard à nos ouvrages scolaires, qu'il devait considérer de haut, à l'instar de ces journaux illustrés d'En-France qu'Antoinise rapportait une fois par mois de la boutique de Tantine.

Je m'étonnai que l'usine fût si facile à ouvrir : mon père souleva simplement une barre transversale qui retenait une large porte en tôle ondulée à un seul battant. A l'intérieur, les machines endormies étaient tout le portrait d'une confrérie de monstres. Les roues dentelées, les bielles, les leviers, les roulements à billes, tout cela contribuait à créer une atmosphère qu'aujourd'hui je qualifierais de dantesque, mais qui, sur le moment, me parut être l'image parfaite de la fin du monde. Délaissant la partie de l'usine où l'on fabriquait le sucre, il se dirigea tout droit vers la distillerie. Je sursautai quand apparurent face à nous les ventres bombés des cuves à fermentation et des fûts dont certains atteignaient le triple de la taille de mon père.

— Ça, c'est du bon bois de chêne du Limousin... Les plus gros peuvent contenir jusqu'à six cents litres de rhum vieux, m'indiqua ce dernier sans s'arrêter.

Se dressa enfin, tel l'obélisque de mes livres d'histoire, la colonne à distillation en cuivre qui montait presque au ras de la toiture. Mon père s'arrêta respectueusement à ses pieds et ne dit mot pendant un long moment. Seuls les cadrans des appareils de mesure, où étaient indiqués des chiffres sibyllins pour moi, diffusaient une faible lueur qui tressait des sortes de colliers à la colonne. Aubin de La Vigerie me prit la main qu'il pressa, me communiquant l'émotion qui l'étreignait. Il s'approcha d'un petit robinet qui se trouvait au bas de l'appareil et, avant de l'ouvrir, me déclara d'un ton solennel :

— Tu vas goûter au vrai rhum, mon garçon. Le vrai ! Celui que l'on ne tire pas de la mélasse, mais directement du vesou. Tu sais ce que signifie ce mot ?... C'est le jus de canne frais qui contient encore tout le fruité de la canne sur pied, toutes les saveurs des terres où elle pousse. Car, je te le répète, il y a rhum et rhum ! Les négociants du Bord-de-Mer n'y connaissent fichtre rien, pas plus que les Blancs-France, d'ailleurs. Je n'aime pas trop le nom de « rhum agricole » qu'ils lui baillent. Moi, je préfère dire « grappe blanche ». Tiens, avance-toi et goûte !

Il fit tourner légèrement la tête du robinet et, dans un susurrement qui semblait provenir des entrailles mêmes de la colonne à distillation, coula un liquide qui me saisit le plat de la main. Une odeur violente imprégna aussitôt l'atmosphère. Je léchai mes doigts avec précaution, déjà subjugué par le picotement agréable qui me fit rétracter la langue, flap ! pour aller tapisser le fond de ma gorge d'une douce brûlure. C'était donc ce liquide-là qui m'avait ramené à la vie ! C'était à lui et au savoir-faire de l'accoucheuse que je devais de me trouver ici, ce soir-là, bien vivant, avide de mieux le connaître et de m'imprégner de ses mille et un sortilèges.

— Nous n'expédions pas la grappe blanche en Europe parce que, là-bas, ce sont ces imbéciles d'Anglais qui ont apporté le rhum les premiers. Ils ne le fabriquent pas, dans leurs îles. Pas plus que les Espagnols ou les Hollandais, d'ailleurs. Ces gens-là ne connaissent que le rhum de couleur marron, le rhum vieux... Pourtant, la grappe blanche est l'eau-de-vie que nos ancêtres ont commencé à fabriquer au XVIIe siècle. A l'époque, on l'appelait guildive. Un joli mot, non ? Dommage qu'il ait disparu. Vraiment dommage... Tiens, tu sais ce qu'en disait à l'époque le père Labat ? Je l'ai retenu par cœur. Écoute : « *L'eau-de-vie qu'on fait aux isles avec les écumes et les sirops de sucre n'est pas une des boissons la moins en usage. Les sauvages, les nègres, les petits habitants et les gens de métier n'en cherchent point d'autres. Il leur importe peu qu'elle soit rude et désagréable.* »

Adoptant soudain un ton moins badin, mon père se pencha sur moi et, me prenant par les épaules, me dit à voix basse :

— Mais laisse-moi te confier un secret, mon bonhomme... La grappe blanche qui sort de notre distillerie de Génipa est excellente. Elle est légère et possède un arôme incomparable. Aucun doute là-dessus ! Le rhum de Rivière-Salée est réputé partout, mais sache que le meilleur de tous est celui que fabriquent les Neisson, dans la commune du Carbet. Hon !... Pourtant, ils ont commencé à en fabriquer il n'y a pas très longtemps, en 1931 ou 32 seulement, si ma mémoire ne me trahit pas. Ces gens-là sont des mulâtres, pas des békés comme nous, alors il ne faut pas crier sur les toits qu'ils sont plus habiles que nous. Je suppose qu'ils détiennent quelque secret de fabrication.

2

Au tournant des années 20, la plupart des usines du pays se détournèrent de la fabrication du rhum pour celle du sucre, jugé plus noble et surtout plus profitable. Les années fastes de la guerre étaient terminées. Combien de millions d'hectolitres étaient partis là-bas afin de réchauffer le courage des soldats dans les tranchées ! Et, pour de vrai, le rhum avait fait miracle, attestaient les poilus créoles revenus avec un bras ou une jambe en moins : il avait étanché la soif, servi de médicament ou d'anesthésiant et, au moment des victoires, enthousiasmé les gosiers. La France ne jurait que par le rhum, répétaient-ils.

Pierre-Marie avait vu les narines de son père se gonfler de fierté lorsque le gouverneur était venu en personne à Rivière-Salée pour décorer les vaillants distillateurs qui avaient soutenu avec tant de constance l'effort de guerre de la mère patrie contre l'ennemi teuton. Il allait sur son grand âge et avait pris sa retraite juste au moment où le sucre se mit à damer le pion au rhum.

— La vie est un perpétuel aller-venir, disait-il à son fils. Au finissement du siècle dernier, je veux dire dans ma jeunesse, c'est le sucre qui était roi, et puis, petit à petit, les choses ont commencé à changer. En 1884, c'était la crise. Notre sucre ne se vendait plus là-bas. Quand la guerre de 14 est arrivée, le rhum avait pris presque toute la place, et voici qu'aujourd'hui, le sucre le dépasse de nouveau.

La deuxième fois qu'il emmena Pierre-Marie à l'usine, ce fut au grand jour — des années après qu'il eut fait découvrir au bambin apeuré que celui-ci était à l'époque les machines et les fûts où vieillissait le rhum. Dans l'intervalle, Aubin de La Vigerie l'avait poussé à se concentrer sur ses études et à passer le certificat d'études primaires, bien qu'Edmée n'acceptât qu'à contrecœur que son fils allât s'asseoir sur les mêmes bancs que les petits nègres et les mulâtres de Rivière-Salée. Elle redoutait tout particulièrement l'amicalité qui s'était développée entre Pierre-Marie et ce José Hassam, petit-fils d'une amarreuse de canne de l'habitation Petit-Morne, qui ne semblait pas avoir peur de regarder les Blancs dans les yeux. Le matin, il osait s'approcher du perron de la maison des La Vigerie, saluant fort poliment Da Fanotte et Antoinise, pour attendre Pierre-Marie. Si d'aventure Edmée de La Vigerie se trouvait à son balcon, il ôtait bien bas son chapeau trop grand pour lui et lui lançait un sonore « Bien bonjour, madame Aubin ! », auquel elle ne répondait pas. On disait ce petit négrillon très brillant à l'école et cela agaçait Edmée pour qui la seule et unique place des gens de couleur se trouvait soit dans les champs de canne, soit à l'usine.

Aubin de La Vigerie tint bon, malgré les sempiternelles querelles que lui cherchait son épouse, aussitôt qu'à la nuit close ils se retiraient dans leur chambre.

— On est des békés, s'écriait-il, mais on ne possède rien du tout, et toi, Edmée, tu sais très bien pourquoi, alors baille-moi ma paix, s'il te plaît !

Marie-Louise avait un jour déclaré à ses frères et sœurs sous le sceau du secret :

— Papa a été déshérité par sa famille, oui... C'est Antoinise qui me l'a dit.

Mais ce mot-là, « déshérité », ne signifiait rien pour eux et ils ne s'en préoccupèrent pas puisqu'ils ne manquaient de rien, ni de nourriture ni de vêtements, ni même de jouets à la Noël, contrairement à leurs camarades à la peau d'ébène qui étaient souvent faméliques et déguenillés. Leur maison, entourée d'une véranda et bordée de bougainvillées rouges et mauves, si elle n'avait pas la grandiosité habituelle des demeures de békés, n'en faisait pas moins l'admiration du voisinage. Maître Aubin avait refusé plusieurs offres d'achat, certaines mirobolantes, telle celle que lui avait faite, en 1935, l'administration, désireuse d'acquérir une résidence secondaire pour le gouverneur Alfassa, fraîchement nommé.

La deuxième fois où Aubin de La Vigerie conduisit Pierre-Marie à l'usine de Génipa, tout un chacun comprit qu'il était en train de présenter au monde son successeur, le futur grand maître ès distillations de la région. Prenant un ton presque professoral, il lui dit à voix haute dès l'entrée de l'usine :

— Les wagons de canne arrivent ici. Regarde bien ! C'est la porte d'entrée de la canne. D'abord, il te faut contrôler le pesage. Ça, c'est très important ! Pour trouver le poids exact de canne brute qui va être broyée, il te faut simplement soustraire le poids du wagon de celui indiqué par la balance. Attention, Pierre-Marie ! Il arrive que le contrôleur de la balance soit complice du géreur de la plantation d'où provient le chargement de canne. Ça arrive ! Si le géreur n'a pas réussi à fournir le nombre de boucauts promis, il risque des sanctions, alors il soudoie le peseur pour que ce bougre-là inscrive un poids plus élevé sur son cahier. Et hop, le tour est joué ! Qui va vérifier ses écritures quand plusieurs wagons sont en attente de décharger et qu'il faut s'y mettre au plus vite puisque la canne n'attend pas ? C'est son seul défaut, d'ailleurs. Tu récoltes des ignames, elles peuvent te durer des mois et des mois, tu cueilles des mangues ou des oranges pas trop mûres, elles résistent une semaine et plus, mais la canne, mon cher Pierre-Marie, la canne, elle n'attend pas. Au bout de deux jours, elle commence à se dessécher et perd son sucre. Retiens cela, dès que la canne arrive à l'usine, il n'y a pas une minute à perdre : il faut la broyer dans l'heure qui suit. Tu comprends ?

Intimidé, Pierre-Marie écoutait les explications de son père, tandis que les wagons défilaient sur la balance et que les ouvriers prenaient un air très affairé, s'appliquant à feindre de n'avoir point remarqué leur présence à tous les deux. Maître Aubin retira au hasard un tronçon de canne d'un wagon et observa attentivement son écorce verte striée de jaune, tâtant les nœuds, endroits où la teinte devenait marron :

— Le charbon est la maladie la plus vicieuse qui puisse s'attaquer à la canne, continua-t-il. Elle la ronge de l'intérieur et alors la pulpe se colorie en rouge. Cette canne-là n'a plus rien à l'intérieur, elle est déjà desséchée avant même qu'on la coupe. Avançons, tu veux...

Une fois la canne pesée, le wagon pénétrait à l'intérieur même de l'usine, arrivait sur une bascule qui en projetait le contenu dans un appareil appelé « monte-cannes », une espèce de chaîne roulante qui conduisait les tronçons très haut, jusqu'à un moulin, qui, lui, portait le nom de « défibreur ».

— Tu vois ces gens, là-bas ? indiqua du menton maître Aubin à son fils. Regarde bien ce qu'ils sont en train de faire. Ça a l'air d'être un djob de rien du tout, mais ce n'est pas vrai. Tous les postes sont importants, à l'usine. Tous !

Quatre hommes musclés, armés de longs bâtons terminés par des crochets en fer, fourrageaient dans la canne tombée dans la bascule et la démêlaient avec une rapidité extraordinaire. C'est que, sur les plantations, au moment où la canne était transbordée dans les wagons, certains arrimeurs trop pressés omettaient d'enlever l'amarre qui attachait les paquets. D'autres fois, la canne avait fabriqué tellement de paille que celle-ci s'enroulait autour des tronçons, gênant ou ralentissant le bon fonctionnement du défibreur.

— Ces bougres-là, ce sont les décrocheurs. Hon ! L'ingénieur prétend qu'on devrait dire « décrocheteurs ». Il oublie, cet imbécile, qu'on n'est pas en Touraine, ici... Faut surveiller leur travail de temps à autre, sinon ils se mettent à faire semblant. De loin, tu vois leurs bâtons s'agiter, mais en réalité, ils ne démêlent rien du tout.

Joignant le geste à la parole, Aubin de La Vigerie attrapa un bâton des mains d'un décrocheur qui n'allait pas assez vite à son goût et se mit à tasser les bouts de canne dans la bascule, à remettre à plat ceux qui s'étaient dressés ou qui étaient retenus par des amarres.

— *Siméon, vré non'w sé fenyen toujou dapré sa man ka wè !* (Siméon, ton vrai nom est toujours Fainéant, à ce que je vois !), lança-t-il au décrocheur, un peu ahuri.

Un bruit d'enfer s'élevait à intervalles réguliers du fond de l'usine. Pierre-Marie sursauta et s'accrocha au paletot de son père.

— C'est rien ! fit ce dernier en riant. Les chaudières roulent bien, ce matin. Les turbines aussi, d'après ce que mes oreilles perçoivent. Y a pas que les yeux qu'il te faudra garder largement ouverts, mon garçon, les oreilles, c'est important ! En fait, tes cinq sens devront être en éveil. Les ouvriers s'en foutent ! Chacun s'occupe de sa tâche personnelle et ne connaît pas celle des autres. Toi, t'es obligé de tout contrôler. Un bruit anormal et c'est une panne qui est en train de se produire quelque part.

Une fois la canne basculée du monte-cannes au défibreur, ce dernier se met à la broyer. Muni de pales qui tournent à une vitesse diabolique, il fait passer la canne entre deux rolls. Dans ce premier moulin, la canne est concassée, aucun jus n'en est extrait.

— Ce moulin-là sert à broyer grossièrement la canne, continua maître Aubin, mais c'est l'une des machines les plus dangereuses de l'usine. Tous les manchots et les éclopés que tu vois à la rue Cases-Nègres, eh ben il les a happés un jour où ils ne faisaient pas assez attention ! Tu dois toujours placer un jeune nègre sérieux devant le défibreur, un bougre qui ne se saoule pas trop et qui ne passe pas ses nuits à courir la prétentaine. Toutes les deux heures, il faut le changer car la routine peut lui faire perdre sa vigilance. Deux doigts, voire une main sont si vite sectionnés !

Ce jour-là, Pierre-Marie reconnut à ce poste l'un des grands frères de Florius, le galopin qui dirigeait leur bande de marmaille turbulente. Il fit un clin d'œil au fils de maître Aubin tout en poussant entre les pales du défibreur, d'un geste sec, les tronçons récalcitrants. Ce métier-là devait être bien payé car, chaque fois que la bande le rencontrait en chemin, il distribuait au pillage des sous jaunes et plus rarement un sou blanc avec lequel on pouvait acheter une bouteille de limonade de deux litres à la boutique de Tantine.

— Ça, c'est le second moulin, fit maître Aubin en entraînant son fils plus avant dans l'usine. Le moulin-broyeur ! A partir de là, tu vois, le jus commence à tomber dans une gouttière. Le premier moulin ne pouvant pas concasser toute la canne qu'elle reçoit, celui-ci parachève le travail... Tiens ! Là, c'est le troisième moulin. Ici, on arrose la bagasse avec de l'eau chaude pour lui enlever tout le restant de jus qu'elle contient encore.

Rien, pas une goutte ne devait demeurer dans la canne broyée qui, dès cet instant, prenait le nom de « bagasse ». Maître Aubin s'arrêta longuement devant le dernier moulin. Il mit en garde son fils contre certains contremaîtres peu scrupuleux qui jugeaient ce troisième broyage superflu et qui, lorsque la machine était en panne, ne jugeaient pas toujours indispensable d'en avertir le distillateur.

— Quand une telle chiennerie se produit, expliqua-t-il, on peut perdre jusqu'à 20 % de jus. Mais il y a un bon moyen de prendre en défaut les tricheurs : au pesage, on évalue la richesse de chaque chargement et on sait combien de rhum et de sucre on peut en tirer. Bien sûr, c'est une approximation, mais elle permet quand même, par déduction, de savoir si l'un des moulins n'a pas fonctionné comme il aurait dû. En général, il n'y a pas de problèmes pour les deux premiers moulins, puisqu'il y a des ouvriers pour les surveiller. C'est au troisième que ça peut se gâter. La bagasse devient tellement fine à ce stade-là qu'il n'y a besoin de personne pour la faire passer entre les rolls. Mais tu ne dis rien, Pierre-Marie ? Tu t'ennuies ou quoi ?

— Non... non, papa.

— Eh ben, ouvre un peu la bouche, mon garçon ! Pose-moi une question, sacré tonnerre !

Pierre-Marie, toujours intimidé et surtout fasciné par la savantise de son père, ne trouvait pas ses mots, bien que mille questions se fussent bousculées dans sa tête dès leur entrée dans l'usine. La vitesse de rotation des rolls l'avait fait frissonner et il avait imaginé, l'espace d'une seconde, que la main, puis le bras de l'ouvrier qui travaillait sur la machine, avaient été happés. Il avait vu des flaques de sang sur le sol, entendu des cris d'horreur. Maintenant, et seulement maintenant, il comprenait ce qui était arrivé à Ovide-trois-doigts et à Jérôme-un-seul-bras et en voulait, à lui et sa bande, de s'être moqués d'eux quand ils les rencontraient à la buvette de l'habitation, à moitié ivres, délaissés par les femmes, tenus à l'écart par les hommes valides.

— La ba... la bagasse, elle va où, après ? réussit-il péniblement à articuler.

— *I ka monté anlè Môn Bagas, yich mwen!* (Elle grimpe sur la Colline Bagasse, mon enfant !), s'écria un ouvrier avec un empressement teinté de servilité.

Pour de bon, la chaîne roulante conduisait la canne écrasée jusqu'à une sorte de plancher et finissait par former un tas si élevé qu'il paraissait un morne. Une dizaine de manœuvres s'employaient à l'étaler avant qu'elle ne retombe dans les générateurs. L'usine fonctionnait grâce au résidu de la canne ! C'était là son seul et unique combustible, hormis le fait que, le premier jour de la récolte, on était bien obligé de la remettre en marche, après six bons mois d'inactivité, à l'aide de charbon de terre importé d'Europe.

— Ça, c'est unique ! U-NI-QUE ! s'enthousiasmait

Aubin de La Vigerie. Nulle part au monde une plante que l'on transforme ne sert en même temps de combustible. D'ailleurs, mon petit Pierre-Marie, n'écoute pas ces imbéciles d'ingénieurs qui nous arrivent de la métropole ! Ils nous traitent comme des paysans, mais c'est chez eux, là-bas, qu'il y a des paysans. Quand tu plantes du blé, de l'orge ou des pommes de terre, tu livres ton produit au silo à grains ou au marché, point à la ligne ! Nous, dès le départ, on a été à la fois planteurs et industriels. Au siècle dernier, il y avait plus de trois cents distilleries à travers la Martinique et une bonne quinzaine de sucreries. Le moindre petit planteur possédait sa distillerie, y compris les mulâtres et certains nègres. Ça signifie qu'on était obligé d'être agriculteur, connaisseur de la terre, des saisons et, en même temps, mécanicien, chaudronnier, distillateur et tout ça ! Les planteurs de blé, c'est eux les bouseux !

Aubin de La Vigerie ne perdait aucune occasion de pester contre le Tourangeau, fraîchement émoulu de l'École des Arts et Métiers de Paris, et que les administrateurs du groupe venaient de nommer au-dessus de lui l'année précédente. Lassés des pannes successives qui avaient arrêté l'usine de Génipa en 1927 et 28, ils avaient fini par douter de son savoir-faire alors qu'elles n'étaient dues, selon le maître distillateur, qu'à l'état de vétusté de certaines machines et au fait qu'il était devenu difficile de se procurer des pièces de rechange pour celles que l'on avait achetées aux États-Unis. Sosthène était certes un mécanicien génial, mais il ne pouvait pas faire des miracles tout le temps. Parfois, il lui arrivait de baisser les bras et de se fâcher :

— J'ai déjà réparé cette machine huit fois, maître Aubin, dis à tes chefs d'en faire venir une neuve, Bondieu-Seigneur !

Les administrateurs ne voulaient pas entendre raison. Tout leur était bon pour faire des économies et ils opposaient toujours au maître distillateur l'argument massue selon lequel le sucre et le rhum antillais trouvaient de plus en plus difficilement preneurs en France. Cela ne les empêchait toutefois pas de baigner dans l'opulence comme ce monsieur Henri Salin du Bercy, le seigneur de la plaine du Lamentin, auquel on prêtait le projet de construire un véritable château à Croix-Rivail.

— Comme tu le vois, toute la bagasse ne va pas dans les générateurs, continua maître Aubin. Quand il y a suffisamment de vapeur dans les générateurs, on ferme les petites trappes qui sont là-bas et la chaîne emporte le trop-plein de canne broyée plus loin. Elle glisse sur ce tuyau pentu et après, on la ramasse et on en fait du fumier. Rien ne se perd, dans nos usines ! Pendant ce temps-là, le jus de canne arrive dans ces gouttières. Tiens ! Goûte-le !... c'est drôlement sucré, hein ? Eh ben, y a une pompe qui l'aspire et qui le conduit jusqu'au triple-effet...

— Le tri-quoi ? l'interrompit Pierre-Marie qui avait repris un peu d'assurance.

— C'est tous ces bacs qui sont là. Quand ils sont remplis de jus, faut arrêter tout de suite les trois moulins. Un gars est spécialement chargé de surveiller le triple-effet, mais il ne se tient pas près des bacs, il vient les regarder de temps à autre. Alors, tu l'entends héler-à-moué : « *Arété moulen, trip-éfé-a plen !* » (Stoppez les machines, le triple-effet est plein !), et c'est un branle-bas de combat pour éteindre d'abord le troisième moulin, puis le deuxième et enfin le tout premier. Dans le triple-effet, le jus est tourné et retourné pour lui enlever la crasse, les poussières, bref, ses impuretés, et il se transforme en sirop. Avance encore un peu, s'il te plaît ! Ce sirop-là, on l'appelle le vesou. Il a une vilaine couleur noirâtre, mais il a tellement bon goût ! Un pur délice ! Bon... après, le vesou va dans un premier cuiseur qui le fait bouillir, puis dans un deuxième qui le transforme en grains. Il se cristallise, quoi ! C'est cette espèce de masse grise qui coule en pâte. Enfin, elle passe dans une turbine qui lui enlève ses dernières impuretés, remonte à la cuisson et, à ce moment-là, elle est envoyée à la distillerie pour fabriquer du rhum à 90 degrés. C'est donc le sirop usé, celui qui sort des cristaux de la masse grise, qu'on utilise pour ça. Tout ce trajet-là dure environ vingt-quatre heures et ne doit pas s'interrompre. C'est pourquoi on forme des équipes d'ouvriers de trois-huit. Trois fois huit heures, je veux dire.

Pierre-Marie fut surpris de l'intérêt qu'il trouvait à toutes ces explications, bien que le fonctionnement complet de l'usine lui demeurât quelque peu obscur. Son père le conduisit d'abord à la sucrerie, puis à la rhumerie industrielle, qui commençait à cette époque à prendre une importance grandissante, et enfin à la rhumerie agricole dont, au contraire, on annonçait le déclin. Aubin ne douta pas un seul instant que son dernier fils serait prêt, dans quelques années, à prendre sa relève et, franche vérité, le maître distillateur de l'usine de Génipa était dans le vrai.

3

Dans la Cohé du Lamentin, long chenal sinueux qui s'infiltre entre les bras de la mangrove, des chalands silencieux transportaient les sacs de sucre et les barriques de rhum des usines du centre du pays, ce qui veut dire celles du Lareinty, de Soudon, de Génipa et quelques autres de moindre importance. Puis, ils repartaient en haute mer pour longer la côte sud-atlantique, récoltant au passage la production des usines du Marin, du Vauclin, du François, du Robert et, une fois arrivés à Trinité, celle de toutes les sucreries et distilleries de l'extrême nord. Ton père, toujours soucieux du moindre détail, accompagnait souvent le train qui, à cinq heures du matin, tirait depuis Rivière-Salée sept ou huit wagons remplis à ras bord au sommet desquels étaient juchés des nègres surveilleurs. « Pour le cas où », assurait ton père. Il voulait parler de ces bandits de grand chemin qui profitaient d'un arrêt inopiné de la locomotive, à cause d'un ennui mécanique ou d'une soudaine fatigue du conducteur, pour sauter à l'abordage du train et dérober deux-trois sacs de sucre. Ou bien ils enlevaient quelques traverses, obligeant la machine à un arrêt brutal accompagné des injures sonores des surveilleurs qui allaient valdinguer dans les bas-côtés. En fait, de telles attaques étaient rarissimes car jamais, au cours des nombreuses fois où ton frère Renaud et toi aviez accompagné votre père, vous n'aviez vu l'ombre de ceux que votre servante Antoinise appelait comiquement les « la-bourse-ou-la-vie ».

Le train traversait la plaine, contournait le petit contrefort de Génipa pour s'enfoncer à travers champs, à quelques encablures de la mangrove, et fonçait tout droit vers Le Lamentin. Au loin, ton père vous désignait du doigt le clocher de l'église de la commune de Trou-au-Chat où il s'était marié pour fuir les maquerellages et autres commérages des habitants de Rivière-Salée. Quel mystère y avait-il dans son union avec ta mère pour qu'ils aient été contraints d'aller la sceller à l'écart de leurs proches ? Ta sœur aînée Marie-Louise semblait en connaître quelques bribes car une soudaine tristesse lui voilait les yeux chaque fois qu'un combat-de-gueule inutile pétait entre vos parents. Tout, il est vrai, leur était matière à chicane : le col de la chemise d'enterrement de ton père, mal empesé à son goût, qu'il obligeait ta mère à le repasser de nouveau parce que, « lorsqu'on conduit un vieux compagnon de misère à sa dernière demeure, on doit être digne, foutre ! » ; le fruit-à-pain qu'il jugeait avoir été cueilli trop tard et dont les morceaux prenaient une vilaine teinte bleuâtre à la cuisson (pourtant, le gaulage de ces fruits était du seul ressort de ton frère Renaud et toi) ; et au mitan de la nuit, des litanies de reproches qui provenaient de leur chambre et qu'aucun d'entre vous, les enfants, ne parvenait à déchiffrer, hormis ce mot créole étrange, baroque, « *kalazaza* », qui revenait comme un leitmotiv et qui, dans la bouche de ton père, semblait être l'injure suprême. Tu avais interrogé le vieux Léon, le nègre-marron, et il avait haussé les épaules en riant :

— *« Kalazaza » ?* Ha ! ha ! ha !... Ton père est un grand-grec, mon petit, tu n'as qu'à chercher dans un dictionnaire, moi, je sais pas lire !

Mais tu savais qu'il te baillait force menteries afin de dissimuler son trouble, de même qu'Antoinise qui t'attrapa par le col un jour et éructa, son visage presque collé au tien :

— Répète jamais ce mot-là, tu entends ! Jamais-jamais-jamais ! Compris ?

Le chef de ta bande de garnements, Florius, prétendait pour sa part qu'il s'agissait d'une « parole de Congo » et t'avait promis d'interroger l'un de ces nègres tellement noirs que même un péché mortel semblait clair par comparaison (c'était l'image favorite de Da Fanotte, ta nounou), lorsque, à la saison de la coupe de la canne, ils viendraient chercher une embauche à Rivière-Salée. Ces nègres-Congo étaient des travailleurs saisonniers qui, contrairement aux nègres créoles, n'aimaient pas être casés sur les plantations. Ils allaient, nomades taciturnes, d'habitation en habitation, ne rechignant point à la tâche, vivant à la dure, ne se mêlant que rarement aux bamboches des autres coupeurs de canne. On disait que certains avaient fait souche sur les hauteurs de la commune du Diamant, au lieu-dit Morne-L'Afrique, ou plus au sud, dans les savanes sèches de Sainte-Anne. Mais le sieur Florius ne leur posa sans doute pas la question car il les craignait, comme toute la marmaille d'ici-là. On vous avait mis en garde :

— Les nègres-Congo, faut pas les approcher, non ! Ils sont comme les coulis, ils mangent les enfants, oui !

Désireux d'en avoir le cœur net, tu te mis à les

épier, dans les deux huttes en gaulettes qu'ils construisaient à la hâte, un peu à l'écart de la rue Cases-Nègres, et qu'ils démontaient à la fin de la récolte, quand les derniers feux de juin s'éteignaient sous les trombes d'avalasses qui annonçaient le début de l'hivernage. Caché dans les halliers, tu les voyais, le dimanche après-midi, seul moment de pauser-reins, assis en cercle près de leurs cases, qui battaient un tambour mélancolique ou qui chantonnaient dans une langue inconnue. Le refrain t'en était resté :

O lonbwéko !
Maria yombo bwenda
Mani-a kéma
Yombo bwenda rio-o !

Tu étais stupéfait de constater qu'ils pouvaient demeurer des heures dans cette posture, sans brocanter un seul causer, et qu'à la nuit commençante, ils se redressaient soudain, allumaient des flambeaux en bambou et se mettaient à danser jusqu'à très tard. Rassemblant tout ton courage, tu t'approchas une fois d'eux et lanças en français un « bonjour ! » qui se voulait ferme, mais, au tremblé de ta voix, ils avaient dû deviner que tu étais mort de peur-cacarelle car ils éclatèrent de rire. La blancheur nacrée de leur dentition te cloua sur place. Ils continuèrent à s'esclaffer, interminablement, sans te faire signe de les rejoindre ni de t'en retourner d'où tu venais. Puis, une femme qui leur faisait la cuisine et qui était de leur race surgit de derrière les cases et te demanda dans un créole rauque :

— *Sa ou vini chaché isiya, ti sakabôy ?* (Qu'es-tu venu chercher par ici, petit garnement ?)

Tu demeuras le bec cloué. Conscient du ridicule

de ta situation, tu voulus t'escamper au plus vite, mais une force contre laquelle il était vain de résister te planta là net-et-propre.

— Je... je cherche mon chien..., finis-tu par balbutier.

— Ton chien ? rétorqua l'un des Congo, goguenard. Ton chien, tu dis ? Mais on l'a mangé ce midi, mon petit bonhomme ! Ha-ha-ha !

Tous les autres recommencèrent à rire de plus belle, sauf la cuisinière qui fit quelques pas en ta direction, te regarda dans le mitan des cocos-yeux et te demanda :

— *Ou sé yich mèt Oben, hen ?* (Tu es le fils de maître Aubin, hein ?)

Tu fis oui de la tête, sans soutenir l'implacable de son regard. Elle était énorme et sa robe de mauvaise cotonnade lui craquait aux hanches. Pourtant, elle avait un visage poupin assez beau et ne devait guère avoir plus d'une trentaine d'années.

— Hé ! ne fais pas la cour ma femme, monsieur ! feignit de s'indigner l'un des nègres-Congo.

— C'est ma femme aussi ! ajouta celui qui était juché à califourchon sur le tambour. Si tu la touches, je te tranche la gorge là-même !

La cuisinière les fit taire d'un geste impérieux et te prit par la main. Elle te conduisit parmi eux et, à ta grande stupéfaction, ils te firent fête. D'autres Congo, dont tu n'avais pas remarqué la présence parce qu'ils se reposaient à même le sol, sur des sortes de paillasses en feuilles de cocotier sèches, s'approchèrent avec curiosité de toi. L'un d'eux t'éplucha une longue canne charnue à l'aide de ses dents et te la tendit. Ils te regardèrent la mâcher avec bienveillance, mais tu remarquas qu'une profonde tristesse leur voilait les yeux.

— Viens avec moi, petit, t'ordonna la cuisinière.

Tu te laissas entraîner dans un petit bois de campêchiers et de goyaviers sauvages, juste derrière les cases. Là, un cercle parfait avait été dessiné sur un sol débarrassé de toute végétation, délimitant une tache jaune insolite au mitan de cet amas de vert. La femme s'accroupit au bord du cercle, te faisant signe de l'imiter, et sortit des coquillages du bandeau en toile forte qui lui retenait les seins. Tu crus d'abord à un jeu et t'apprêtais déjà à en apprendre les règles lorsque ses traits se figèrent. Alors, posant une main sur ta tête, elle te demanda :

— Sais-tu qui a allumé le soleil ?

Emberluqué par l'étrangeté de la question, tu ne répondis pas. Elle fixa le cercle de terre battue un long moment et finit par y lancer les coquillages. Ces derniers dessinèrent des formes qu'elle se mit à interpréter en langage-Congo, te baillant l'impression que sa langue tournait-virait dans sa bouche.

— Que vois-tu là ? finit-elle par te demander en te désignant un assemblage de cinq ou six coquillages.

— Je... je ne sais pas...

— Regarde bien ! Tu peux savoir, petit garçon.

— Une personne couchée, peut-être...

La négresse-Congo se redressa vivement. Elle semblait en proie à une vive agitation intérieure. Elle s'empara des coquillages qu'elle venait de te désigner et te les mit dans le plat de ta main qu'elle t'obligea à refermer, faisant ainsi craquer tes phalanges.

— Lance-les, toi ! fit-elle d'une voix sourde.

Tu étais habitué à jouer aux noix. Vous, la marmaille, vous creusiez un petit trou au pied d'un arbre ; l'enjeu consistait, à trois mètres de distance, à en placer un maximum à l'intérieur du trou. Or, présentement, il n'y avait qu'un cercle vide, certes beau, sûrement parfait, mais dont la signification t'échappait.

— C'est à toi ! reprit la femme. N'aie pas peur, petit bonhomme !

Tu lanças les coquillages, t'avisant juste à cet instant-là qu'ils ne ressemblaient en rien à ceux que ta bande de garnements avait coutume de ramasser aux abords de la mangrove. Ni à ceux — rose, bleu pâle, beige — qui décoraient les coffrets sculptés dans lesquels ta mère cachait ses bijoux. Les coquillages de la négresse-Congo avaient la couleur du collier d'ambre qu'Antoinise passait au cou de ton grand frère Renaud chaque fois qu'il avait une crise d'énervement. Longtemps, il eut de ces débordements subits qui le faisaient casser-briser tout ce qui se trouvait à portée de sa main, et puis, l'âge aidant sans doute, il redevint normal. On avait cependant accroché le collier à l'en-haut de son lit pour le cas où le mal referait son apparition car, à entendre ta mère, il ne pouvait s'agir que d'un sort jeté par quelque voisin jaloux.

Ton lancer souleva une fine poussière dorée dans le cercle. Quand les coquillages s'immobilisèrent, la négresse s'approcha d'eux, les yeux rivés sur la forme qu'ils avaient dessinée. Elle en eut la chair de poule. S'accroupissant, elle tapa plusieurs fois ses genoux comme pour se convaincre qu'elle ne rêvait pas. Des bribes de langage-Congo s'échappèrent de ses lèvres.

— Maintenant ! s'écria-t-elle. Qu'est-ce que tu vois, hein ?

Tu faillis tomber du haut-mal quand, examinant le résultat de ton lancer, tu découvris que les coquillages s'étaient disposés de la même façon qu'auparavant. Exactement de la même façon que lorsque la femme les avait elle-même voltigés dans le cercle ! Et cette forme n'était autre que celle d'une femme allongée sur le dos, une jambe légèrement repliée.

— Tes mains... tes mains ont créé une femme noire, oui... une femme noire..., fit la Congo, toujours abasourdie.

Caressant de ses doigts boudinés la chute de reins de la créature, elle déclara à nouveau :

— Ces hanches-là, pas de doute, c'est des hanches de femme noire...

Puis, se désintéressant brusquement de ton dessin, elle observa les quelques autres, constitués de coquillages moins nombreux, qui s'étaient formés lors de son tout premier lancer. Ses traits se déridèrent quelque peu et, te les désignant un à un, elle dit :

— Ici, c'est un cheval avec des ailes, tu iras loin dans la vie, mon petit bonhomme. Très loin !... Là, coquille bien le grain de tes yeux, on voit une flèche ou bien une pique, ça veut dire que la guerre t'attend. Tiens ! Regarde celui-ci, on dirait un arc-en-ciel... oui, un arc-en-ciel, eh ben ! c'est ça ta vie, le sens de ta vie...

Bien entendu, tu ne vis ni cheval ailé ni flèche ni arc-en-ciel, seulement des coquillages jaune sombre dispersés à l'intérieur d'un cercle de terre battue. Rien de plus. La lumière du jour baissait d'un cran quasiment à chaque minute. Tu ne t'étais pas rendu compte que vous aviez passé presque un après-midi entier dans le petit bois. Maintenant, la nuit allait envelopper le monde et tu devais te dépêcher de rentrer pour ne pas faire de mauvaise rencontre. La négresse-Congo ramassa ses coquillages, soufflant sur chacun d'eux pour les nettoyer, et les replaça entre ses seins, dans le bandeau de toile qui les retenait.

— *Pa di pèsonn ou vini isiya!* (Ne dis à personne que tu es venu par ici !), fit-elle en te prenant par la main.

Autour de leurs cases, les Congo, allongés à même le sol, semblaient écouter quelque chose qui provenait des profondeurs de la terre. Ils te firent l'effet de personnes mortes. Cette seule perspective te glaça d'effroi.

— Ils retournent dans notre pays..., lâcha la femme en pressant le pas. Chaque soir, nous repartons là-bas, notre esprit s'envole loin-loin-loin. Jusqu'au Congo, oui...

Lorsque la trace conduisant à ta maison fut en vue, la femme prit ton visage entre ses mains et te martela :

— N'oublie jamais : une femme noire, un cheval ailé, une flèche, un arc-en-ciel. C'est comme ça que les cauris ont vu ta destinée. Allez, va-t'en !

Ta mère t'attendait, sa cravache en corde-mahault à la main, prête à te corriger le derrière comme elle le faisait chaque fois que tu rentrais trop tard. Elle désespérait de ne pouvoir t'enlever ton goût immodéré pour ce qu'elle appelait la « drivaille », mot que le docteur Molinard ou l'ingénieur tourangeau corrigeaient en « flânerie » quand elle se plaignait de toi devant eux. Mais ce soir-là, sa main, déjà levée, se figea. Elle t'examina de la tête aux pieds comme si elle te voyait pour la première fois.

— Tu sors d'où ? te demanda-t-elle d'une voix un peu barrée.

— J'étais avec Florius...

— A faire quoi ?

— On... on posait des ratières. C'est la saison des crabes...

Ta mère n'ajouta plus rien. Elle n'était pas

convaincue par ton explication, mais une sorte de fluide étrange entourait ta personne, qui la paralysa. Elle s'en ouvrit à ta servante Antoinise qui, dès le lendemain, jugea bon de te mettre en garde :

— Pierre-Marie, ne t'approche pas de trop près de la case de Léon, s'il te plaît ! Ce vieux-corps est un quimboiseur, un bras-droit de monsieur Satan. Il peut te voler ton esprit sans même que tu t'en aperçoives, oui...

Tu ne réagis pas, mais pris soudain conscience, tombant du même coup en fureur contre toi-même, que tu avais complètement oublié de demander aux Congos la signification du mot « *kalazaza* »...

4

Simon le Terrible était venu à l'usine juste au moment de la distillation, moment décisif, moment précieux, que j'attendais depuis des mois. J'avais toujours préféré le subtil parfum du rhum à celui plus lourd du sucre, ce dont l'administrateur ne cessait de me faire reproche. Il avait pourtant raison : plus des trois quarts de nos revenus provenaient des centaines de sacs que nous expédiions au Havre. A bien regarder, continuer la fabrication de l'alcool de canne tenait plus d'une habitude séculaire dont la plupart des usiniers n'arrivaient pas à se débarrasser que d'un désir de faire des profits. J'avais bien tenu de mon père, qui disait :

— Le sucre et le rhum sont frères jumeaux ! Les séparer, c'est vouer chacun d'eux à une mort lente. Tant que je serai valide, l'usine de Génipa fabriquera du rhum.

Il noircissait des cahiers qu'il tenait au secret dans un petit coffre en bois de merisier, chose qui émerveillait ma mère.

— Votre père n'est pas allé très loin à l'école, nous serinait-elle, mais, s'il avait vécu dans un grand pays comme la France, nul doute qu'il serait devenu quelqu'un.

Il avait communiqué le culte du livre à Marie-Louise, mon aînée, et à moi, et, les soirs d'hivernage, il nous lisait des passages de Victor Hugo ou d'Eugène Sue. Il connaissait par cœur des vers de Corneille, de Racine et de Verlaine qu'on lui demandait de réciter lors des baptêmes ou des mariages, mais son auteur favori était Lamartine. Des années plus tard, lorsque vint le moment pour moi de prendre le relais et donc de le remplacer à l'usine, il m'en révéla la raison. En 1843, le gouvernement, à la requête des planteurs antillais et des armateurs, avait déposé un projet de loi visant à interdire la fabrication du sucre de betterave. Le futur poète des barricades soutint cette mesure avec une éloquence extraordinaire, mais elle fut, hélas ! repoussée à une faible majorité.

Simon le Terrible se gaussait des penchants livresques de mon père :

— Tout ça c'est bien beau, mais on n'a pas besoin d'être un académicien pour diriger une sucrerie. Il suffit de savoir foutre le pied au cul de ces fainéants de nègres, voilà tout !

Ce jour-là, l'administrateur ne m'avait point dérisionné comme à l'ordinaire sur mon goût de la distillation. Son visage était barré par dix mille plis et une sueur mauvaise lui perlait sur les tempes. Quelque chose de grave s'était produit, pensais-je, sans doute une grève à l'habitation Les Coulisses ou alors à La Thoraille. Les coupeurs de canne de ces deux plantations étaient réputés rétifs et sensibles surtout à l'agitation socialiste menée par des politiciens mulâtres avides de hâter la fin du règne de ceux qu'ils ne nommaient que par l'expression mi-craintive mi-dédaigneuse de « seigneurs du sucre ». Mon cœur se mit aussitôt à battre tout un vip-vap dans ma poitrine. J'envisageais déjà le pire : l'arrêt de la colonne à distiller faute de cannes à broyer. Parfois, ces grèves pouvaient s'éterniser plus de deux ou trois semaines. La canne, elle, commençait à flécher ou bien pourrissait sur pied si, par malheur, le temps se mettait à la pluie. Le souvenir de la terrible grève de 1901 à l'usine du François me revint en mémoire. A l'époque, je n'étais encore qu'un garçonnet, mais j'avais bien perçu l'agitation de mon père, les cavalcades rageuses des géreurs et des commandeurs qui passaient de case en case pour dissuader nos travailleurs d'emboîter le pas à leurs frères du François. Je me souvenais en particulier d'une phrase créole qui sonnait comme un coup de fouet :

— *Imité ka détenn, tansyon kôzôt!* (Qui imite les autres dépérit, attention à vous !)

Un silence inhabituel régna bientôt dans les champs et l'usine ne brama plus à la tombée du jour. Les chemins de terre étaient désormais déserts et ma mère affirmait que les nègres se cachaient. Même notre servante Antoinise ne descendait plus de son quartier de Petit-Morne, mais elle avait fait savoir à ma mère qu'elle désapprouvait les menées scélérates des grévistes. Ceux-ci avaient promis la mort à toute personne qui s'aventurerait hors de chez elle afin d'aller travailler pour les Blancs. Toutes les nuits, des tambours aux grondements sinistres résonnaient aux quatre coins de la commune et des colonnes de marcheurs, éclairées au flambeau, empruntaient des traces secrètes pour rameuter les derniers hésitants. Le nègre-marron, Léon, était aux anges. Il m'avait mis en garde :

— Petit bonhomme, ne sors pas de chez toi, s'il te plaît ! On ne sait jamais ce qui peut arriver.

Nous apprîmes qu'au François, la troupe avait ouvert le feu et que des ouvriers avaient trouvé la mort. Dès lors, le chanter favori de ces derniers se mit à fleurir sur les lèvres de nos travailleurs :

— *Woy-woy, misyé Michèl pa lé bay dé fwan!* (Oh-Oh, monsieur Michel ne veut pas céder deux francs !)

Mais, grâce à son habileté, à son sens de la négociation, mon père avait réussi à éviter l'explosion à Rivière-Salée. Contrevenant aux ordres de Simon Duplan de Montaubert, qui voulait en découdre, il était passé sur chaque plantation pour discuter avec les amarreuses, les coupeurs de canne, les arrimeurs, les muletiers ; à l'usine, il avait réuni les ouvriers, en particulier les mécaniciens et les chaudronniers qui lui vouaient un grand respect. Partout, il répétait les mêmes mots simples :

— Je comprends votre colère, mais impossible pour nous d'augmenter vos salaires. Impossible ! Là-bas, en France, ils n'ont plus guère besoin de notre sucre et attendent le moindre arrêt dans nos livraisons pour nous dire : « Messieurs, c'est plus la peine ! » Est-ce cela que vous voulez, hein ? Vous voulez que la Colonie bascule dans le gouffre ?

Ses mots avaient apaisé plus d'un, même les plus excités, même Léon dit Mississippi qui, acoquiné aux nègres-Congo, voulait tout incendier et chasser définitivement les Blancs de la surface de la Martinique.

— Ce pays nous appartient, soutenait-il, nous l'avons arrosé de notre sueur et de notre sang pendant des siècles, et les Blancs, qui nous ont mis en esclavage, ne sont qu'une bande de sangsues qui nous collent sur le dos !

La négraille reprit finalement le chemin des plantations et des usines sans que je sache quel accord avait été conclu, mais, à la moue hargneuse que beaucoup faisaient sur mon passage, je devinai qu'ils avaient perdu la partie. Cette confrontation avait aussi changé mon père. Il avait perdu son petit sourire, sa bonhomie, et se montrait évasif quand ma mère le pressait de questions sur son travail. De plus en plus, il s'enfermait dans le galetas de notre maison pour écrire et faisait une consommation impressionnante d'encre violette et de cahiers d'écolier.

Mais le jour où Simon le Terrible vint me trouver en pleine distillation, il n'y avait aucune grève à l'horizon. Il se montra moins autoritaire que d'habitude et hésita sur le choix de ses mots, lui si direct, si farouchement direct.

— Pierre-Marie, tu... tu connais tout le monde à Rivière-Salée et à Petit-Bourg... Enfin, je veux dire que tu connais toutes nos terres... La Thoraille, Vapeur, Les Coulisses, Génipa, Petit-Morne, aucune de nos habitations n'a de secret pour toi. Ah ! quel sacré bonhomme c'était, ton père !... Si le mien m'avait emmené sur son cheval plus souvent, j'aurais sans doute pris plus rapidement la direction de nos propriétés... Bon, eh ben, voilà : un emmerdeur de... d'arpenteur doit arriver cet après-midi. Occupe-toi de lui, je ne veux pas qu'il mesure quoi que ce soit. Il n'a qu'à se contenter de nos propres estimations. Tu les connais, toi ?

— Bien sûr...

— Fort bien ! Sept cent quatre-vingt-deux hectares, pas un de plus ! On est d'accord ?

Je ne pus m'empêcher de sourire.

— Bon-bon, je sais, reprit Simon le Terrible. Je sais que... comment dire ?... que c'est un peu sous-estimé. D'accord ! Mais ces foutus arpenteurs ne cherchent qu'à nous ruiner. Ces bougres d'En-France, qu'est-ce qu'ils connaissent aux colonies ? Ils viennent ici avec leur beaux diplômes, leur français brodé et tout ça, et puis ils veulent nous imposer leurs lois. Le gouverneur est de leur côté. Ne te fais aucune illusion : ces Européens ne nous considéreront jamais comme de vrais Blancs.

Sans attendre ma réponse, il était déjà reparti sur son cheval cubain au pelage noir de jais qui faisait l'admiration de tous à des kilomètres à la ronde. Sept cent quatre-vingt-deux hectares, hon ! Qui croyait-il couillonner ? Ces Blancs-France ne supportaient peut-être pas le soleil, on pouvait les fatiguer très vite après deux-trois galopées à travers la campagne, mais, grâce à leur instruction, un seul coup d'œil leur suffisait. Cet arpenteur-là, à moins d'être un aveugle, ne pourrait pas évaluer l'étendue de notre domaine à moins de neuf cents hectares, et encore, en ne comptabilisant pas les quelques dizaines de jachères qui bordillaient la mangrove ! Cette nouvelle avait gâché ma journée, ma joie de voir l'alcool translucide descendre dans la colonne à distiller et l'émoi qui s'emparerait de moi lorsque j'ouvrirais le robinet pour recueillir et goûter la première mouture du rhum de cette année 1938. Un temps exceptionnel avait régné : le carême avait été sec, mais pas du tout torride, et l'hivernage se faisait modéré, délivrant de rares averses qui ne faisaient pas déborder la rivière Salée. A cette période de l'année, celle-ci sortait vite de son lit, inondant la plaine, ce qui obligeait les commandeurs à faire accélérer la coupe de la canne et provoquait immanquablement l'ire des travailleurs.

L'arpenteur était un homme hautain qui déclara d'emblée qu'on ne lui ferait pas prendre des vessies pour des lanternes, qu'il connaissait les provinces d'outre-mer comme le fond de sa poche pour avoir « fait » l'Afrique occidentale française et la Cochinchine. Refusant d'examiner les actes de propriété de nos différentes plantations, il me demanda de mettre un tombereau à sa disposition car il ne supportait pas l'imprévisibilité des chevaux créoles. Par ailleurs, son matériel de mesure était trop encombrant pour pouvoir tenir sur une selle. Le bougre avait, en effet, apporté une espèce de grosse longue-vue carrée qu'il posa sur un trépied dès notre arrivée à l'habitation Val-d'Or. Sans même prendre le temps d'écouter les mots de bienvenue que le commandeur Bélisaire lui avait préparés à mon instigation, il se précipita à grandes enjambées vers une petite éminence boisée où se tenaient des donneuses d'eau et ficha dans le sol un poteau gradué.

— Hon ! Impossible de s'emparer de l'esprit de celui-là, patron ! me murmura Bélisaire.

— Il a l'air plutôt coriace, c'est vrai...

— Hé ! Mais qu'est-ce qui se passe ? Regardez-moi ça, oui ?

Stupéfaits, nous vîmes l'arpenteur en grande conversation avec un groupe de donneuses d'eau. Ces femmes étaient de solides bougresses qui, tout le long du jour, avaient pour mission d'accourir au moindre appel des coupeurs de canne, des amarreuses ou des muletiers pour leur porter une demi-calebasse d'eau, parfois deux, qu'elles puisaient dans des dames-jeannes qu'elles allaient régulièrement remplir à une source distante de trois kilomètres. Si elles s'attardaient à quelque endroit de la plantation, on entendait les assoiffés gueuler :

— De l'eau, foutre ! Qu'on m'apporte de l'eau immédiatement sans quoi je meurs sur votre compte !

Parfois, certains coupeurs de canne, las d'attendre en vain leur tour, se précipitaient, coutelas dressé, vers la plus proche donneuse d'eau et lui arrachaient sa dame-jeanne des mains non sans l'avoir agonie d'injures. Ils en buvaient goulûment le contenu et voltigeaient le récipient dans l'herbe sans un petit merci. Ce n'était donc pas le djob de tout repos que certaines femmes s'imaginaient lorsqu'elles l'avaient accepté avec enthousiasme à l'embauche. Les néophytes pensaient s'acagnarder à l'ombre de quelque manguier où elles se délecteraient de ses fruits et brocanter des maquerellages, tandis que, là-bas, dans la plaine écrasée de soleil, des malheureux s'échineraient à couper et à attacher la canne pour le béké. Elles déchantaient très vite lorsqu'elles découvraient qu'il leur fallait accourir aux quatre coins de la plantation, filer à la source, une lourde dame-jeanne sur la tête, cela durant les six ou sept heures que durait la journée de travail, sans répit ni possibilité de tricher, comme c'était monnaie courante lorsqu'on était directement employé dans les champs. Là, les amarreuses pouvaient oublier volontairement les tronçons lorsqu'elles avaient trop mal au dos ou qu'elles ne voulaient pas se faire trop distancer par les coupeurs de canne qu'elles étaient chargées de suivre. De toute façon, les petites-bandes repasseraient derrière elles pour ramasser les bouts dissimulés sous la paille de canne et les amarres. Quant aux coupeurs, ils disposaient de toute une panoplie d'astuces pour faire accroire à leur commandeur qu'ils avaient accompli la tâche pour laquelle ils étaient payés. Ainsi plaçaient-ils les tronçons en quinconce dans les paquets pour donner l'impression que chacun d'eux faisait bien la longueur requise, à savoir un mètre pile. Un mètre, pas quatre-vingt-dix centimètres ! Car Bélisaire ne jouait pas. Il ne se laissait pas attendrir. Il ne voulait rien savoir. Quand il vous demandait de délier l'un des paquets de votre pile et qu'il déroulait son décamètre, on pouvait être sûr qu'il mesurerait chaque tronçon avant de les compter. Si la longueur d'un mètre par tronçon et le chiffre légal de dix tronçons par paquet n'étaient pas atteints, il vous collait aussitôt une amende assortie d'un avertissement. Pour cette fois, ce serait une simple retenue sur salaire, mais, à la prochaine entourloupette, votre billet-c'est-plus-la-peine vous attendrait à l'économat de la plantation. Bélisaire et son collègue Firmin Léandor de l'habitation Bel-Évent étaient les commandeurs les plus redoutés de Rivière-Salée. Ils étaient, à l'inverse des autres, réputés incorruptibles et surtout insensibles aux avances des femmes. Mais, n'ayant que deux mains et deux yeux, ils ne pouvaient pas tout contrôler, si bien que, régulièrement, les travailleurs des champs réussissaient à passer à travers les mailles de leurs filets. De nouvelles ruses jaillissaient des cerveaux les plus malins et, final de compte, permettaient aux nègres de supporter l'enfer qu'était leur existence.

Dès qu'il se fit bruit que j'étais un homme aussi compréhensif et conciliant que mon père, il ne se passa pas un jour sans que l'un d'eux ne vienne solliciter mon arbitrage dans un conflit quelconque avec les commandeurs de Val-d'Or et de Bel-Évent. C'était comme si, à La Jobadière, à Féral ou encore à La Thoraille, jamais on ne trichait, jamais on n'avait de prise de bec avec le commandeur ou le géreur de l'endroit. Il est vrai qu'au moment de la récolte, la magnanimité des responsables de ces plantations-là pouvait se constater à l'œil nu : leur tonnage de cannes était nettement inférieur à celui des deux premières, bien que leurs superficies ne fussent pas significativement inférieures. Ou bien leur canne avait moins belle allure, soit qu'elle contînt trop de paille (signe que le commandeur ne s'était pas préoccupé de la faire enlever en octobre-novembre), soit qu'elle poussât crochue parce qu'au moment de la plantée, les boutures avaient été mises en terre à la je-m'en-fichiste.

Face aux doléances des travailleurs sanctionnés par Bélisaire et Firmin Léandor, j'étais souvent partagé entre, d'un côté, la profonde détresse qui se lisait sur la figure des premiers, figures jeunes et pourtant déjà ravagées par les morsures du soleil, les éraflures répétées des feuilles de canne et tout simplement le vieillissement prématuré, et, d'un autre côté, l'irréfutabilité des remarques des deux commandeurs. Félicien Boisnoir : utilisation des mêmes paquets pour plusieurs piles différentes ; Germain Présent : paquets incomplets gonflés avec de la paille ; Lucinda Mélien : vol d'amarres réservées aux bœufs de monsieur Simon ; Maximin Théanor : fausse piqûre de serpent pour bénéficier de quinze jours de repos. Le problème, c'était que ces misérables petits couillonnages, sans doute indispensables pour pouvoir supporter une si triste condition, en s'accumulant d'une plantation à l'autre, avaient des répercussions non négligeables sur le résultat final de la récolte. Estimée en janvier à mille huit cents tonnes, parfois deux mille, nous nous retrouvions avec le chiffre inquiétant de mille deux cents au mois de juin, au moment de faire les comptes. Ce qui voulait dire moins de sacs de sucre et moins de fûts de rhum. Et donc d'inévitables sanctions contre tous les commandeurs, sans distinction aucune entre les intraitables comme Bélisaire et Léandor et les déshonnêtes, hélas ! plus nombreux. Et, pour finir, Aymard Lepelletier-Dumont qui me passait un va-te-laver, me menaçant à mon tour d'une diminution de salaire, parce que lui-même s'était fait remonter les bretelles par les négociants de Fort-de-France qui écoulaient notre production en métropole, lesquels s'étaient certainement vu passer un savon par les importateurs de là-bas. Tout fonctionnait en cercle, exactement comme pour la paye hebdomadaire des travailleurs qui, arrivée de la capitale le jeudi à Rivière-Salée, repartait en quasi-totalité le mardi suivant dans les coffres de la Banque de la Martinique.

Rien ne me faisait plus mal que d'être contraint de remettre un billet de licenciement à un homme qui avait une dizaine de bouches à nourrir et qui, la nouvelle de sa faute s'étant répandue à travers le Sud, serait obligé soit d'émigrer vers les plantations du Nord pour pouvoir retrouver de l'embauche, soit de descendre en ville pour grossir le lot de ces miséreux qui avaient commencé à s'entasser dans ces quartiers infects qui avaient pour nom Terres-Sainvilles ou Bord-de-Canal. Lepelletier-Dumont, qui avait hérité du cœur de pierre de son cousin Simon le Terrible, se gaussait de mes atermoiements dans mon dos. Il disait à ses nègres-macaques — des bougres qui passaient leur temps à le flatter ou lui servaient de gardes du corps :

— Ce Pierre-Marie, il aurait dû se faire abbé, pauvre diable. Ha-ha-ha ! Sans doute qu'il lit les mêmes livres dangereux que son père...

En même temps, j'étais coincé dans un véritable étau car je ne voulais pas non plus me brouiller avec des hommes aussi consciencieux que Bélisaire et Léandor. Dès le départ, mon père m'avait averti que, placé au poste de régisseur, je serais le plus vulnérable de tous et la cible désignée aussi bien des nègres que des Blancs. Toute sa vie, il avait été contraint de jongler, de commettre parfois des injustices ou, d'autres fois, d'accepter sans broncher les remontrances de l'administrateur, formulées en plus à la cantonade.

— Il y aura des jours où tu te sentiras comme un petit bonhomme. Complètement impuissant, quoi ! m'avertissait-il au fur et à mesure qu'approchait le moment où je devrais le remplacer.

Seules les donneuses d'eau ne me causaient jamais aucun souci, leur travail ne laissant aucune place à la dissimulation ou à la coquinerie. Les femmes ne se bousculaient pas pour occuper ce poste, mais, à force de courir à travers champs et de soulever des dames-jeannes remplies d'eau, les plus jeunes devenaient au fil du temps de superbes créatures, des sculptures brunes ou noires sur lesquelles tous les hommes dotés de la moindre parcelle de pouvoir sur la plantation nourrissaient des visées. Car nul n'avait ici le temps pour l'amour tendre, qu'il fût riche ou pauvre, béké ou nègre, nul n'avait le loisir d'enfiler ces mots de miel et de lait qu'évoquaient les chansons. Le sentiment passait après le besoin pressant. La faim de chair ferme, de seins bien debout, de fesses cambrées et de hanches larges avant les roucoulements amoureux. On se contentait, de loin en loin, de brocanter des regards chargés de sous-entendus ou de pratiquer des attouchements rapides et discrets — effleurement du bras, petite pique sous les seins. Puis on « envoyait des paroles », comme ça, sans destinataire précis, des paroles en l'air, au pillage, et les saisissait la femme qui avait deviné votre désir. Alors, un petit sourire à dix francs éclairait sa face si elle était fin prête à étancher votre soif d'elle ou, au contraire, un renfrognement des sourcils et un coup d'yeux effilé comme un rasoir vous indiquait que vous feriez mieux de passer votre chemin. Sur la plantation régnait l'amour sans parole, comme dans ces films muets que l'abbé Tanguy nous projetait parfois à la salle paroissiale de Rivière-Salée. A la seule différence que, dans les champs de canne, la brutalité était de règle. A n'importe quelle heure du jour, en plein travail, le commandeur surveillait l'instant où l'amarreuse ou la donneuse d'eau qui lui agaçait les sens s'écarterait de la pièce de canne pour aller pisser, chose que la plupart faisaient tout-debout, en écartant simplement les jambes. Et le bougre de surgir derrière son dos, de la mater sur le sol, de lui arracher presque ses hardes et de lui enfoncer son manche de pilon entre les jambes. L'affaire ne durait guère plus de cinq à dix minutes et, quand l'homme avait déchargé, il se relevait, mû par un empressement irraisonné, remontait son pantalon choc-en-bloc et disparaissait, à pied ou à dos de mulet, sans une miette de merci ou un regard complice pour celle qu'il venait de braquemarder.

Je m'étais gardé de me laisser aller à de semblables pratiques, non parce que je les trouvais sordides, mais parce que je n'arrivais pas à comprendre comment on pouvait faire l'amour le corps couvert de sueur, de paille de canne ou de terre. Doriane, la donneuse d'eau, se chargea de me prouver qu'il n'y avait là rien de répugnant. Au contraire ! C'est qu'ici, sur la plantation, fleurissait aussi une catégorie de bougresses que tout un chacun appelait avec révérence les « mâles-femmes ». Fortes en gueule, musclées sans être aucunement garçonnières, buvant leur rhum sec et jurant comme des hommes, elles ne se laissaient pas choisir comme les « femelles-femmes » mais désignaient d'autorité le bougre qui leur « rendrait un service ». Cette expression m'avait toujours fait sourire. J'étais stupéfait lorsque, le samedi, au moment de la paye, il m'arrivait d'entendre une de ces mâles-femmes s'exclamer sans la moindre gêne :

— Hé ! Béraud, écoute-moi, mon nègre, j'ai besoin que tu me rendes un petit service ce soir, oui !

En général, les mâles-femmes jetaient leur dévolu sur les timides, les pleutres, les macommères et les bougres sans caractère. Il n'y avait aucune réchappe pour Béraud et ceux de son espèce. Ils avaient beau ruser, essayer de se cacher, disparaître loin de la commune jusqu'au lundi de beau matin, quand reprenait le travail, ils ne perdaient rien pour attendre. Tôt ou tard, ils se feraient capoter dans quelque fossé et chevaucher par la mâle-femme en chaleur qui les poursuivait de ses assiduités. Il pouvait aussi arriver qu'une de ces amazones s'enhardît à faire sa proie d'un commandeur mulâtre ou plus rarement d'un béké. Pour cela, il fallait qu'elle soit formidablement belle et reconnue comme telle par tous. C'était le cas de mamzelle Doriane, du quartier Fond-Masson, qui exerçait la profession de donneuse d'eau sur l'habitation Val-d'Or depuis l'année du Tricentenaire. Avant cela, sa vie était un mystère. La coquinasse laissait parfois entendre qu'elle avait bourlingué sur les plantations de la côte caraïbe, du côté des communes du Carbet et de Saint-Pierre, mais ne baillait pas de plus amples détails. Alors on la soupçonna d'y avoir commis quelque méfait et, puisqu'elle était une mâle-femme, peut-être un meurtre, pourquoi pas ?

Quoi qu'il en soit, Doriane était une travailleuse irréprochable. Les coupeurs assoiffés n'avaient pas besoin de répéter deux fois son nom pour qu'elle accoure aussitôt, sa demi-calebasse d'eau sur la tête, toujours joviale, plaisantant avec celui qu'elle servait ou lui essuyant les yeux avec son mouchoir de tête si quelque grain de poussière y avait pénétré. Elle était donc appréciée, mais redoutée. Les hommes d'expérience déclaraient, bouche sous le bras :

— Celui qui tombe sous la patte de mamzelle Doriane, il a intérêt à avoir la carcasse solide ! Elle peut vous démantibuler quelqu'un, oui. Vous n'avez pas vu l'épaisseur de ses cuisses !

Il ne m'avait jamais une seule fois traversé l'esprit que cette gourgandine pût éprouver le désir de me faire l'amour. J'avais toujours mis son empressement à me bailler de l'eau, quand je faisais la tournée des plantations, sur le compte de la déférence naturelle des négresses envers les jeunes békés, ou alors de l'obséquiosité, parce que le nègre a toujours, un jour ou l'autre, une faveur à demander au Blanc-pays. C'est pourquoi il se plie en quatre devant ce dernier, même si aucune raison ne motive sur le moment une telle attitude. Le jour venu, le patron saura se souvenir qu'untel ou unetelle a fait la preuve qu'il est un bon nègre.

Doriane, ô miracle, n'espérait aucun passe-droit de ma part. Seule la curiosité — selon ce qu'elle déclara après à ses amies-ma-cocotte — la poussa à m'attraper dans mon bureau de l'économat un jour de novembre au cours duquel nous avions fini plus tôt que prévu de réparer les chaudières de l'usine. En hivernage, celle-ci ne corne pas dès six heures du matin, elle ne brame pas, ne relâche pas de fumée. Elle demeure silencieuse, figée sur sa masse, comme éventrée par endroits, puisque entièrement démontée pour procéder à une révision générale des machines. J'étais resté vérifier les indications que m'avaient apportées les géreurs de nos différentes plantations au sujet du sillonnage et de la mise en terre des nouvelles boutures. L'introduction de la Big Tana, cette nouvelle variété de canne venue de Hawaii (à ce qu'il paraissait), me procurait de vives inquiétudes. S'accoutumerait-elle à la terre noire et humide de la plaine de Rivière-Salée ? La proximité de la mangrove et donc l'omniprésence de l'humidité, même par temps sec, ne pouvaient-elles pas lui être dommageables ?

J'étais tellement plongé dans mes pensées que je n'entendis pas Doriane pousser la porte de mon bureau. La diablesse n'avait pas toqué au loquet. Elle se planta devant moi, tout en sueur, et, constatant l'ahurissement qui s'était saisi de ma personne, elle pouffa de rire. Lentement, elle se dévêtit, m'emprisonnant déjà du regard, les traits impassibles quoique légèrement moqueurs à cause du charnu de sa lèvre inférieure. Comme un automate, je me dressai sur mon séant et la laissai ôter mes vêtements. J'étais redevenu tout soudain l'enfant qu'Antoinise, ma servante, propretait, pouponnait, pommadait, parfumait, pichonnait sous les côtes pour le faire rire. Doriane, en dépit de son odeur forte, m'emporta au ciel, plus loin que le septième sans doute car la nuit nous surprit dans mon bureau, allongés sur des cartons, en train de nous entre-dévorer sans paroles. Elle aurait même pu me faire oublier Laetitia si elle n'avait pas été une mâle-femme, c'est-à-dire quelqu'un qui rejetait définitivement l'homme avec lequel elle venait, sous la contrainte, d'avoir compagnie charnelle.

Le jour où ce sacré emmerdeur d'arpenteur était venu mesurer l'étendue de nos propriétés — ce qui n'augurait qu'impôts supplémentaires et taxes en tous genres —, il eut si-tellement soif après avoir planté son poteau gradué à l'extrémité de Val-d'Or qu'il sollicita un verre d'eau auprès du groupe de donneuses qui s'ombroyait sous un manguier-bassignac.

— Un verre ? Ha-ha-ha ! Mais on ne connaît pas ça par ici, s'esclaffa Doriane qui se trouvait parmi elles. Tu te crois en ville, monsieur l'inspecteur !

Elle l'avait confondu avec un de ces inspecteurs des contributions indirectes qui hantaient les campagnes à la recherche de distilleries clandestines. L'arpenteur ne se vexa pas. Il était trop heureux de pouvoir étancher sa soif. A la vérité, il avait hâte d'en finir, devait-il m'avouer plus tard, car il avait entière confiance dans les chiffres que lui avait annoncés monsieur Duplan de Montaubert. Sept cent quatre-vingt-deux hectares, ma foi, à vue d'œil, cette superficie-là lui paraissait tout à fait plausible. Bon, sans doute lui faudrait-il apporter un petit correctif du côté de l'habitation Féral qu'il avait pu découvrir à son arrivée, en haut du morne qui surplombait Génipa. Sa superficie, sans être suspicieux à l'extrême, ne pouvait pas être estimée inférieure à cent cinquante hectares !

Doriane lui proposa de l'accompagner dans son périple, chose peu habituelle car ce genre de fonctionnaires préférait opérer seul afin de ne pas se laisser influencer par qui que ce fût. Elle lui servit régulièrement des calebasses d'eau, récipient dans lequel il buvait pour la première fois et qui l'obligeait à tremper le haut de son costume en drill. L'arpenteur mesura donc Val-d'Or, Bel-Évent, La Jobadière, mais ne poursuivit pas plus avant. Oubliés Féral, Petit-Morne et La Thoraille ! Oubliées les plantations dont Simon le Terrible avait sous-estimé la superficie auprès du Cadastre.

— Tout le monde triche, me disait-il comme pour s'excuser, alors moi, je ne vais pas me montrer plus honnête qu'un autre. Tous les couillons ne sont-ils pas morts à Saint-Pierre pendant l'éruption ? Personne n'aime payer des impôts, Pierre-Marie, et pour ce que la Colonie en fait, je préfère encore voir grossir notre compte en banque que celui de ces conseillers généraux bavards et arrogants. Ils s'en mettent plein les poches ! Ça, tu ne dois pas l'ignorer. Ces mulâtres en costume et cravate qui parlent un français pompeux pour défendre, comment disent-ils déjà ?... ah oui ! la classe ouvrière, c'est ça ! Ils prétendent défendre les justes intérêts des travailleurs des champs et des usines. Des travailleurs nègres ! Ha-ha-ha !... Qui croient-ils mener en bateau, ces mulâtres ? Tu leur glisses une enveloppe bien rembourrée sous la table, comme on l'a fait à Papa Lagros, et les voilà qui te lèchent le plat des mains comme des petits toutous !

Prétextant lui faire sécher son linge, Doriane réussit à dévester l'arpenteur. Puis le convainquit d'enlever sa chemise et sa cravate. Puis son chapeau en feutre. Puis son pantalon et ses godillots vernis. Puis son caleçon en flanelle. Et nous échappâmes ainsi aux amendes que le zélé fonctionnaire n'aurait pas manqué de nous infliger au terme de son inspection. Au lieu de cela, il arpenta plutôt les formes pulpeuses de Doriane et nous oublia net, Dieu merci !

Un an et quelques plus tard, muté en métropole, il revint à Rivière-Salée, demanda la main de Doriane, accepta de servir de papa aux trois négrillons qu'elle avait eus de trois hommes différents et l'embarqua pour la France. « *Sa ki pou'w larivyè pa ka chayé'y* » (Ce qui vous revient de droit, aucune rivière ne peut l'emporter) fut le seul commentaire qu'on fit à Rivière-Salée sur cette insolite union.

5

Tu es l'un des rares à l'usine qui soit capable d'entendre le chanter de la colonne à distillation. Pour le commun des ouvriers, cet obélisque de cuivre à huit plateaux œuvre dans le plus parfait silence, au contraire des moulins-broyeurs ou des chaudières. Dès que le jus de canne frais a achevé son long circuit qui l'a mené du défibreur aux cuves à fermentation et qu'il se met à emplir le faîte de colonne, ton regard emprisonne ses douze mètres de hauteur. Dès cet instant-là, tu n'entends plus rien que le subtil chuintement de l'eau-de-vie qui va commencer à descendre, quinze heures durant, plateau après plateau, jusqu'au petit robinet qui se trouve juste au pied de la colonne. Depuis que tu as découvert la photo d'un sous-marin dans *L'Illustration,* tu ne peux t'empêcher de penser que les cercles de verre qui permettent de surveiller le mouvement de la distillation le long du grand tube rougeâtre sont des hublots de submersible. Tu te laisses alors charroyer dans un voyage qui, chaque année, ne te déçoit jamais, bien qu'il soit toujours identique. Debout au pied de la colonne, tel un sphinx chargé de garder l'entrée d'un mystérieux royaume, tu répètes dans ta tête les mêmes syllabes : « Rhum-Rhum-Rhum ! » Parfois aussi, tes lèvres la balbutient. Qu'un mot si bref puisse posséder autant de pouvoir évocateur ne cesse de te gonfler d'enthousiasme. Ce sentiment qui t'est en général étranger, que tu réprouves même chez autrui parce qu'il te paraît la marque des esprits simples ou frivoles, eh ben voici qu'il s'empare de toi, qu'il échauffe ton esprit ! Rhum-Rhum-Rhum ! Il n'y a qu'à l'alcool extrait directement du jus de canne frais que, à l'instar de ton père, tu accordes vraiment un tel titre. L'autre, celui que le commandeur Audibert fabrique à partir des résidus du sucre, tu ne prends pas sa hauteur, même si sa production, au fil du temps, a hélas ! fini par devenir plus importante que celle de ta grappe blanche adorée. « Rhum industriel » qu'ils le baptisent, hon ! Un peu comme si, qualifiant la grappe blanche de « rhum agricole », ils avaient voulu la rabaisser. Les imbéciles ! Tous ces négociants békés de Fort-de-France, ces conseillers généraux mulâtres toujours prompts à manier le glaive de l'impôt et de la taxe, tous ces importateurs métropolitains qui n'ont jamais vu un pied de canne de leur vie, pourquoi décident-ils de l'avenir de ton travail ? Qu'est-ce qui leur donne le droit d'étouffer une à une les petites distilleries familiales de la Martinique ? Tu t'es réjoui d'apprendre que les Neisson ont acheté une magnifique colonne Savalle et que le maître de l'endroit, ingénieur chimiste brillant, l'a modifiée pour en tirer un élixir aux côtés duquel même ton rhum, celui de Génipa, fait figure d'eau alcoolisée. Aymard Lepelletier-Dumont se plaît à les dérisionner :

— Ils sont fous, ces mulâtres ! Figurez-vous, mon cher Pierre-Marie, qu'ils ont acheté le dernier cri. Deux moulins Mariolle-Fives-Lille flambant neufs ! Et pour quoi faire, hein ? Du rhum agricole ! Pff !

L'administrateur a déjà condamné la grappe blanche de Génipa. Il trouve que la fermentation du vesou est trop lente et que les six cuves dans lesquelles se produit cette alchimie occupent trop de place à l'intérieur de l'usine. Pourtant si l'on veut que le rhum développe toute sa finesse, il est impossible de bousculer le processus. Il affecte de croire que l'arôme corsé du rhum de mélasse est supérieur à celui, plus léger, subtil, de la grappe blanche, mais tu sais bien que tout cela n'est que mauvaise foi et alibi douteux. En fait, s'il n'en avait tenu qu'à lui, le bougre aurait déjà fait supprimer la partie de la distillerie qui travaille le vesou pour ne conserver que celle qui privilégie la mélasse. Après tout, cette pâte visqueuse est la mère du sucre et l'usine de Génipa veut désormais consacrer tous ses efforts à ce que pompeusement Lepelletier-Dumont qualifie d'« or brun ». Il s'imagine, comme ses pairs du Lareinty, de Soudon ou du François, que l'heure est de nouveau venue de terrasser les betteraviers. La presse d'En-Ville a même rédigé des articles savants visant à démontrer que le consommateur métropolitain est désormais capable de distinguer le sucre de canne du sucre de betterave et qu'il considère le premier comme étant incomparablement supérieur à son concurrent. Belles paroles que tout ça ! songes-tu.

Tant que tu seras là, bien vivant, debout dans les bottes de ton père, Aubin de La Vigerie, au pied de la colonne à distillation de la fin février au début juin, ce freluquet d'Aymard n'osera jamais s'en prendre de front à la grappe blanche. Tout ce qu'il pourra faire, ce ne seront que manigances et tricheries pitoyables. Comme ce jour où tu surpris deux ouvriers en train de mélanger ta grappe blanche au rhum industriel dans les dames-jeannes que l'usine de Génipa devait envoyer à Bruxelles pour participer à un concours agricole. Tu entras dans une colère folle. Tu haussas le ton devant un Lepelletier-Dumont abasourdi et, à vrai dire, un peu penaud.

— Bon, c'est vrai, Pierre-Marie... vous avez peut-être raison. Mais... je vous signale qu'à la Foire de Bruxelles, nos rhums seront goûtés et c'est à leur effet sur le palais des juges qu'ils seront notés. Or, mon cher, vous savez bien que le rhum industriel, hormis le grand arôme que nous ne fabriquons pas ici, eh ben... il ne se boit guère. Ça, vous le savez ! Si le concours avait pu porter sur l'usage du rhum en pâtisserie, par exemple, eh ben je vous aurais battu à plate couture. Allez parfumer un gâteau avec du rhum agricole ! Vous n'obtiendrez rien du tout. Votre rhum est trop... comment dire... volatil et...

— Pas volatil, monsieur, léger, subtil !

— Comme vous voudrez, Pierre-Marie ! Je veux bien vous accorder que la grappe blanche enchante le palais mais vous n'ignorez pas que, de plus en plus, ce que les Européens nous demandent, c'est du rhum pour la confiserie, la cuisine, la pâtisserie. Ils s'en foutent, du rhum à boire ! Quand on a déjà le champagne, le cognac, l'armagnac et tout ça, on n'a nul besoin d'un alcool colonial et qui coûte cher, en plus !

L'administrateur avait raison. On était entièrement dépendant du vouloir et du dévouloir du marché métropolitain. Si l'usine et ses plantations constituaient bien une sorte de petite féodalité autonome, celle-ci était loin, fort loin, de pouvoir imposer quoi que ce soit à ceux qui achetaient ses produits. Parfois, tu fermais les yeux et tu essayais d'imaginer ta colonne à distillation muette. Finie la lente évaporation qui, de plateau en plateau, égrenait cet élixir diaphane qui, parvenu au robinet, titrerait à 70, voire à 90 degrés. Ce liquide râpeux n'avait pas encore le titre de rhum, officiellement du moins, puisqu'il était imbuvable tel quel. Il fallait ensuite le transborder dans des cuves pour le couper avec de l'eau pure afin de faire redescendre son degré alcoolique autour de 50 ou 55 degrés. Mais toi, tu n'avais pas la patience d'attendre ! Le fruit de la colonne à distillation, tu t'en frottais le plat des mains et les tempes, tu le humais, tu le goûtais à doses certes lilliputiennes, mais avec délectation, car il témoignait de ton savoir-faire, de ce doigté que t'avait transmis ton père. Nul ne pouvait s'imposer maître distillateur. Même l'ingénieur tourangeau, du haut de ses diplômes de l'École des Arts et Métiers de Paris, n'avait qu'une connaissance abstraite de ce que tout un chacun considérait en fait comme un art. Il lui arrivait de rôdailler autour des cuves à fermentation ou de la colonne, l'air faussement indifférent, mais tu savais qu'il observait chacun de tes gestes et les enregistrait pour être en mesure de prendre ta place le jour où il réussirait à convaincre Aymard Lepelletier-Dumont que tu n'étais pas aussi indispensable au fonctionnement de l'usine de Génipa qu'on voulait bien le croire. Mais le Blanc-France était incapable d'entendre le chanter de la colonne à distillation et l'eût-il entendu qu'il n'aurait pas su l'interpréter. Il fallait une intimité totale avec l'obélisque de cuivre pour pressentir que quelque chose d'anormal se déroulait dans l'un de ses huit plateaux et pour intervenir à bon escient. Il fallait quasiment voir l'évaporation, phénomène généralement imperceptible à l'œil nu. Et puis cette odeur naissante, si différente de celle des cuves à fermentation, si fine, si subtile, comment pouvait-il en acquérir la science, lui qui n'était pas né avec elle ? Lui qui n'avait pas survécu grâce à elle à l'instant où sa mère le mettait au monde, comme ce fut ton cas ?

De guerre lasse, l'ingénieur te chicanait. Comme si ton immobilité, de longues heures durant au pied de la colonne à distillation, avait le don de l'indisposer.

— Savez-vous, mon cher Pierre-Marie, l'étymologie du mot « rhum » ? ricanait-il.

Tu ne bougeais pas d'une maille. Ou, d'autres fois, tu faisais un haussement d'épaules agacé sans lui accorder la charité d'un regard.

— Le mot « rhum », cher monsieur, provient de « *sacca-rhum* ». Eh oui, on a retenu la dernière racine de ce mot latin car...

— Je n'ai pas étudié cette langue, ripostais-tu parfois, mais mon père possède des livres qui ne disent pas la même chose que vous.

— Ah bon ? Et qu'est-ce qu'ils expliquent, ces livres savants ?

— Eh bien, que « rhum » est un mot anglo-barbadien composé de « *rheu* » qui signifie « tige » et de « *bullion* » qui signifie « bouillon ». Tige de canne à sucre bouillie, en quelque sorte !

— Ha-ha-ha ! Laissez-moi rire ! Ce beau mot de « rhum » viendrait à vous entendre du patois barbadien ! Je m'étonne que vous rabaissiez de cette façon une boisson que les La Vigerie vénèrent tant.

Le bougre, satisfait de sa sortie, se dirigeait vers la sucrerie en sifflotant. Il était content de t'avoir distrait de cette colonne dont il savait qu'il ne percerait jamais le mystère, même s'il en connaissait chacun des rouages mieux que toi. Abstraitement du moins. Mais, ne s'avouant pas vaincu, il épiait le moment où tu tournerais le robinet pour tester le résultat de la distillation et t'entreprenait de nouveau, te faisant sursauter :

— Et le mot « punch », mon cher ? Qu'en dites-vous, hein ?

Tu léchais tes doigts avec lenteur, le fixant avec ironie pour bien lui montrer que cette saveur brute lui serait à jamais interdite. Tu consultais le cadran de l'appareil qui mesurait le degré d'alcool, le débarrassant à l'aide d'un mouchoir de la couche de buée qui le recouvrait et tu lâchais négligemment :

— « Punch », dites-vous ? Eh ben ! c'est de l'anglais, ça. C'est ce que tout le monde croit, en tout cas.

L'ingénieur tourangeau se rengorgeait. Il te regardait de haut, presque avec pitié, et tournait une nouvelle fois les talons, non sans t'avoir balancé une taquinerie. Toujours la même :

— Erreur, mon cher Pierre-Marie ! Le barbadien, l'anglais, tout cela c'est du galimatias, pas des langues. De même que le mot « rhum » provient du latin, ciment de notre civilisation chrétienne, « punch » a des origines encore plus anciennes, et donc plus nobles. Cherchez, et quand vous aurez trouvé la réponse, je vous donnerai ma fille à marier. Elle est en train d'achever sa médecine à Paris. Ha-ha-ha !

Il avait eu vent de tes accointances avec la négresse Laetitia et les désapprouvait tout en clamant haut et fort qu'il ne se mêlait point des mœurs des Créoles, qu'ils fussent blancs ou noirs.

Tu avais eu beau consulter les livres que t'avait légués ton père, tu n'y trouvas aucune explication quant à l'origine de « punch », chose qui t'étonna fort. Car s'il y avait un mot qui se promenait sur toutes les lèvres de céans, c'était bien celui-là ! Mot de tous les jours, de tous les instants même. Symbole de cette cérémonie que l'on pratiquait avec un sérieux qui frisait l'idolâtrie. Summum de cet art de vivre insulaire, de cette convivialité créole qui traversait la barrière des races et des classes sans pour autant les abolir.

— Je ne vais pas vous faire languir plus longtemps, fit l'ingénieur au bout de trois années de taquineries incessantes. « Punch » tire son étymologie du mot « *panch* », qui signifie « cinq » en hindoustani. Voilà !

Tu écarquillas les yeux, sûr que le bougre se moquait encore de ta tête. D'abord, tu n'avais jamais entendu parler de cette langue-là et, quand il t'expliqua qu'il s'agissait d'une langue de l'Inde, tu ne pus t'empêcher de sourire. Que connaissait-il, ce métropolitain, qui ne savait que brailler des ordres méprisants aux deux ouvriers indiens-coulis qui travaillaient à l'entretien du quai de pesage ? Avait-il jamais assisté à l'une de ces cérémonies hindouistes que tu avais découvertes sur l'habitation Petit-Pérou, à Sainte-Marie, en compagnie de Chabin Rouillé et de sa femme Irvéna, elle-même descendante directe de Malabars ? Pour lui rabaisser sa morgue, tu te mis à fredonner le chant funèbre que cette dernière avait entonné lorsque le train avait déchiqueté le corps du freineur. Mal t'en prit car il rigola franchement, se dandinant d'aise.

— Vous confondez le tamoul et l'hindoustani, mon cher Pierre-Marie ! déclara-t-il. Ce que parlent nos coulis de la Martinique, c'est du charabia de Dravidiens, tandis que l'hindoustani est issu du sanscrit, la langue sacrée du nord de l'Inde, là où vivent des Aryens à peau presque blanche. L'hindoustani est pour l'Orient l'équivalent de notre grec et de notre latin.

Et d'expliquer que « *panch* » faisait référence aux cinq composants traditionnels du punch, à savoir le rhum, le sucre, la cannelle, le citron et le thé, même si on avait fini par négliger ce dernier au fil du temps. Tu ne cherchas pas à contredire l'impressionnante érudition de l'ingénieur tourangeau. L'homme voulait toujours avoir raison face aux Martiniquais et, au fond, tant mieux si « rhum » et « punch » avaient des origines si nobles. Tant mieux. Toi, tu te contentais de ta colonne à distillation en cuivre et de ses hublots translucides, modeste instrument d'un savoir accumulé depuis, non pas la nuit des temps, mais au terme de trois siècles de douloureuse et patiente besogne.

TEMPS DU CALCULER SUR LA VIE

« Il n'est pas d'arrière-pays. Tu ne saurais te retirer derrière ta face. C'est pourquoi dérouler ce tarir et descendre dans tant d'absences, pour sinuer jusqu'à renaître, noir dans le roc. »

Édouard Glissant, *Boises.*

1

Mon père ne chercha point à lutter contre la mort. On aurait juré qu'il en savait l'heure exacte depuis longtemps car il s'était mis, au mois de mai 1937, à préparer sa sortie. Il avait fini par accepter son état de grabataire et se félicita même qu'une telle déchéance lui fût tombée dessus à quatre-vingts ans dépassés. Nombre de ses amis avaient été foudroyés dans la fleur de l'âge par une congestion et ne parvenaient même pas à articuler un traître mot. Lui demeura lucide jusqu'à la fin. Souvent, il me demandait de le porter, recroquevillé dans sa berceuse, afin de surprendre le lever du soleil sur les hauteurs de Guinée-Fleury et devant ce spectacle qui était encore à mes yeux terriblement banal, il s'extasiait :

— Rien n'est plus beau que ça, Pierre-Marie ! Rien, je te dis !... C'est le privilège du grand âge que de pouvoir redécouvrir la valeur des choses simples.

Pour l'heure, j'étais environné de trop de complications pour bien mesurer tout le poids de sagesse de ses paroles. Je venais en effet de découvrir que le béké de l'habitation de Belleville, dans la commune voisine de Trou-au-Chat, avait soudoyé certains de nos nègres afin qu'ils le fournissent en canne. Et cette canne-là, c'était notre canne ! Celle que le commandeur Bélisaire avait fait planter avec tant et tellement d'amour et qui poussait drue, altière, sur les plus belles pièces de Val-d'Or. C'était lui qui m'avait alerté. Il n'avait, disait-il, pas encore de preuves irréfutables, mais il soupçonnait fort un certain Jeanne-Rose auquel il avait eu l'occasion de faire des remontrances. Le bougre trichait sur les piles de canne qu'il avait coupées dans la journée, parce qu'il était amateur de combats de coqs et qu'à la fin de la semaine, il lui fallait un paquet d'argent pour assurer ses mises. Il était l'un des piliers du gallodrome de Fonds-Coulisses, lequel recevait les volatiles les plus redoutables de tout le sud du pays.

— Arnaud de Belleville offre cinquante francs la pile. Jeanne-Rose a pu être tenté, m'avait averti le commandeur. Ça peut paraître assez incroyable, mais il a cruellement besoin de cannes, cette année. C'est en tout cas ce qui se dit un peu partout.

Notre usine possédait ses propres plantations, ce qui n'était pas le cas de tout le monde, et certains distillateurs ou sucriers étaient contraints de passer des accords avec des petits colons pour garantir leur approvisionnement en cannes — accords non écrits le plus souvent et qui, de ce fait, pouvaient être remis en cause à tout instant. Dès que la récolte approchait, les bruits les plus fous circulaient : le béké untel du Lamentin avait doublé le prix de la pile de canne ; tel autre l'avait triplé. Alors, certains colons peu scrupuleux se laissaient tenter et, reniant les ententes prises six mois plus tôt, livraient sans vergogne au plus offrant.

Mais cela ne suffisait toujours pas : la canne pouvait continuer à manquer. Il fallait toujours plus de canne, encore et encore de la canne. Toujours plus de bras pour la couper, ce qui obligeait parfois à faire appel à des nègres-Anglais de l'île de Sainte-Lucie. Alors, distillateurs et usiniers aux abois s'en prenaient aux domaines comme les nôtres, qui fonctionnaient en autonomie, c'est-à-dire avec un système conjoint d'habitations plantées en canne et d'une usine fabriquant à la fois du sucre et du rhum. Ou plutôt, en quasi-autonomie car nous avions signé, prudence oblige, trois baux à colonat avec des planteurs mulâtres qui avaient la réputation d'être des bougres sérieux. Un mauvais coup de vent en septembre, des inondations dévastatrices en octobre ou en novembre, une sécheresse précoce en décembre, tout cela pouvait mettre à mal nos plantations.

La manœuvre des tricheurs était donc simplissime : il suffisait d'appâter les nègres des champs pour qu'ils oublient leur chemin et qu'à la faveur d'une inattention de leur commandeur, ils fassent bifurquer leur mulet sur quelque trace conduisant chez le concurrent. Avant l'arrivée de la locomotive, la tricherie était généralisée et on se félicita du fait qu'un wagon n'étant pas un mulet, il ne brocantait pas de route si facilement.

— On a simplement oublié que pas facile ne signifie pas impossible, m'avait expliqué mon père. Des malins continuent à détourner la canne en détachant, par exemple, le dernier wagon du convoi et en le poussant à mains d'homme sur une autre voie ferrée. Là, ils l'attachent à deux mulets et conduisent le chargement volé à l'usine de votre voisin. Hon ! Les nègres, y a pas de race plus maligne que ça ! Crois-moi, j'ai vécu quarante ans en intimité totale avec eux, oui.

En fait, une telle coquinerie n'était possible qu'à

l'intérieur des limites de chaque réseau communal car très vite, les ingénieurs qui, au tout début, avaient été chargés de construire le système de voie ferrée à travers le pays, furent rappelés. En bonne logique européenne, ils avaient imposé un même écartement des rails, prévoyant sans doute que, dans un avenir proche ou lointain, toutes les plantations finiraient par se connecter pour ne former qu'un seul réseau. Peut-être même, assuraient certains visionnaires, pourrait-on envisager également un transport de passagers, en particulier entre le nord montagneux et la ville du Lamentin, au centre du pays. Ils n'avaient pas compris, ces brillants esprits sortis de l'École des Arts et Métiers de Paris, que chaque plantation, avec sa distillerie et sa sucrerie, était une unité autonome, un petit royaume qui se suffisait à lui-même, sous l'autorité paternelle d'un « papa béké », seigneur et maître des lieux, de nobles en la personne des administrateurs, des économes et des géreurs, de soldats en celle des commandeurs et d'une tralée de serfs appelés coupeurs de canne, amarreuses, muletiers, arrimeurs et ouvriers d'usine. La similitude entre ce monde-là et celui des seigneuries dont nous parlaient nos livres d'histoire de France m'avait toujours paru évidente.

— La plantation est un univers féodal, me répétait souvent mon père avec fierté, sauf qu'ici, on n'a pas de pont-levis et que notre travail quotidien mélange agriculture et mécanique, ajoutait-il en souriant.

De ses nombreuses lectures, il avait acquis la certitude que l'industrie, dont l'Europe se montrait aujourd'hui si fière, avait pris naissance dans les colonies antillaises dès le mitan du XVIIIe siècle. Nous, les Antilles, étions donc à la pointe du progrès jusqu'à ce que, là-bas, ils inventent cette caricature de sucre que l'on extrait de la betterave.

— Si tu voyais un champ de betteraves ! ricanait-il. Aucune comparaison avec la magnificence de nos champs de canne à sucre ! C'est quoi, au fond, la betterave, un machin qui ressemble à un vulgaire navet... Pff !

Dès que j'avais à prendre une décision de quelque importance, je me référais toujours aux enseignements de mon père, à ses réflexions, à ses aspirations aussi car il vouait un amour plein d'immodération à la canne à sucre. Ma mère, toujours enquiquineuse, prétendait qu'il n'y avait que la câpresse de Grand-Bassin pour lui disputer une partie de son cœur. Il fut l'un des tout premiers à exiger que l'on dotât chaque habitation de son propre écartement de rails. Les ingénieurs durent revenir à la Martinique pour reprofiler les différentes voies ferrées et, dès lors, il devint impossible de détourner le moindre wagon vers les usines concurrentes qui étaient en disette de canne. C'est pourquoi j'avais du mal à comprendre quel subterfuge utilisait ce Jeanne-Rose pour nous subtiliser une partie de notre production afin de la revendre à Arnaud de Belleville. Je le convoquai à mon bureau, un jour où l'usine avait été arrêtée sur ordre de l'ingénieur tourangeau pour une vérification complète des turbines. Celles-ci donnaient des signes de faiblesse depuis quelque temps et il fallait immédiatement s'attaquer au mal si on ne voulait pas prendre le risque d'une panne générale. Le petit colon ne se montra pas faraud comme à son habitude. Il me salua presque avec timidité et me demanda des nouvelles de ma famille.

— Et madame Jeanne-Rose, elle va bien ? répondis-je sans même savoir si elle existait.

Je ne m'étais pas occupé personnellement de lui faire signer le bail à colonat qui le liait à l'usine de

Génipa et le connaissait assez peu. Il avait la réputation d'un fin bretteur et avait eu plusieurs fois maille à partir avec la gendarmerie à cause des duels qu'il provoquait un peu partout. J'avais souvent entendu mon père faire allusion à son penchant pour le maniement de l'épée, bien que le gouvernement eût interdit la pratique des « cartels » après la guerre de 14. Jeanne-Rose n'en avait cure et n'importe qui pouvait recevoir un de ces cartons bleus, décorés de couronnes de laurier, sur lesquels, d'une écriture appliquée, recopiant une formule toute faite, le bougre vous lançait son défi :

Monsieur,

Honneur vous convoquer en duel samedi après-midi à quatre heures tapantes à Desmarinières, derrière chez les Félicien. Mes témoins sont les sieurs Rosambert Poitou et Gesner Bayardin.

Les noms de ses témoins, toujours les mêmes, étaient devenus tellement célèbres qu'on en avait fait une chanson de carnaval. En général, Jeanne-Rose évitait de blesser à mort ses adversaires, préférant les toucher à l'épaule pour les empêcher de travailler pendant un certain temps. Ses victimes, par crainte de nouvelles représailles ou par honte d'aller demander secours à la maréchaussée, n'ébruitaient que rarement le triste sort qu'il leur avait réservé. L'énergumène, comme le désignait mon père, trouvait régulièrement prétexte à croiser le fer : untel avait fait des yeux doux à l'une de ses maîtresses ; tel autre avait médit de lui lors de la fête patronale de Rivière-Salée ; tel autre encore avait volontairement détaché ses bœufs pour qu'ils aillent dévaster sa plantation ou bien salir la source qu'il avait réquisitionnée pour son approvisionnement personnel, ce qui obligeait ses voisins à parcourir un paquet de kilomètres pour avoir un peu d'eau. Bref, Jeanne-Rose était ce que l'on appelait un « nègre scélérat », un de ces nègres qui calquaient leur comportement sur celui des Grands Blancs. Ce jour-là, pourtant, il me fit des assauts d'obséquiosité.

— La mère de mes enfants va bien, monsieur Pierre-Marie. Elle t'envoie un petit cadeau, fit-il en me tendant une magnifique grappe de mandarines.

— Merci... Tu sais pourquoi je t'ai fait venir, hein ?

— Non, patron.

— Ton bail prend fin quand ?

Il fit mine de réfléchir profondément et, évitant de croiser mon regard, lâcha :

— Le 15 août 1937.

— Dans à peu près neuf mois donc. C'est bien ça ?... Tu comptes en resigner un nouveau ?

— Oui, patron. Si monsieur Aymard accepte, ce sera le quatrième et...

— Monsieur Aymard n'est pas le seul à décider, tu le sais bien, fis-je abruptement. Un bail à colonat, ça ne se signe pas à l'aveuglette. On prend l'avis de l'économe et aussi le mien.

Et, durcissant le ton, je lui demandai :

— Tu dois nous livrer trois boucauts de canne chaque année, Jeanne-Rose, or on m'apprend que l'usine n'en a reçu que... laisse-moi vérifier... voilà ! Un boucaut et demi. C'est pas moi qui ai pesé ta canne. D'ailleurs, c'est écrit là !

La pomme d'Adam du bretteur se mit à tressauter d'une façon comique. Il avait tout l'air d'un coq de combat cherchant à battre en retraite dans l'arène, sous les huées des parieurs qui avaient misé sur lui. A vrai dire, il n'était plus très jeune et une part de sa superbe d'antan s'était bel et bien évanouie. Heureusement, mon père m'avait enseigné à ne faire montre d'aucune pitié à l'endroit des scélérats. Traqué, il regardait à droite-à gauche comme si un miracle pouvait surgir des armoires où je rangeais mes registres ou bien des cloisons sur lesquelles j'avais épinglé les calendriers « Rhum Génipa » que nous distribuions chaque Nouvel An en guise de réclame. Au centre, j'avais placé le diplôme que nous avions reçu lors de l'Exposition de Bruxelles, quelques années auparavant.

— Maître Arnaud de Belleville me tient par les graines, finit-il par lâcher, l'air piteux.

— Comment ça ?

— J'ai des dettes envers lui, monsieur Pierre-Marie... Il m'a prêté de l'argent pour parier sur des coqs et je l'ai perdu. Voilà !

Je n'avais jamais rencontré Arnaud de Belleville, qu'une sombre fâcherie, datant du temps de l'antan sans doute, opposait à Simon le Terrible. Mon père le tenait en piètre estime à cause de son appétit pour les jeux de hasard (parties de baccara avec les Blancs, combats de coqs avec les nègres) et l'à vau-l'eau qui régnait sur ses terres. Quand la locomotive traversait la commune de Trou-au-Chat, mon père secouait la tête devant les cannes chevelues et courbées, infestées de mauvaises herbes, qui poussaient sur l'habitation Belleville. Il avait horreur du travail mal fait, même chez ses concurrents, parce que, selon lui, les nègres qui s'étaient habitués au je-m'en-fous-ben d'Arnaud ou des planteurs du même acabit, lorsqu'ils trouvaient à s'embaucher chez nous, y contaminaient notre personnel. A l'embauchée du Nouvel An, mon père se montrait impitoyable envers tous ceux qui, un jour ou l'autre, avaient fait un passage chez celui qu'il ne qualifiait jamais autrement que de « joueur de cartes ».

Prenant sur moi, je décidai de frapper un grand coup. Je rompis unilatéralement le bail à colonat de Jeanne-Rose et me rendis chez celui qui l'avait soudoyé, le sieur Arnaud de Belleville en personne. C'était là une démarche pour le moins insolite. Elle revenait normalement à notre administrateur, Aymard Lepelletier-Dumont, mais je jugeai que ce dernier m'avait laissé carte blanche quand il m'avait lancé, sur un ton lourd de menaces :

— Le coupable, c'est celui qui se laisse couillonner, pas le couillonneur !

Cet Arnaud de Belleville cesserait de me voler ma canne, je m'en étais fait le serment. Accompagné d'une grappe d'ouvriers qui m'étaient dévoués parce qu'ils l'avaient d'abord été à mon père et qu'ils avaient apprécié la façon méthodique avec laquelle celui-ci m'avait passé le témoin, je débarquai une après-midi de juin chez Belleville. Inévitablement, le bougre s'adonnait à une partie de cartes dans sa véranda avec quelques commerçants mulâtres du bourg qui m'entrevisagèrent avec gêne. Ces derniers tenaient à la réputation de respectabilité que leur race se forgeait, lentement mais sûrement, à travers le pays et ne désiraient pas être surpris à se livrer à une activité que la bonne société jugeait répréhensible dès l'instant où elle mettait en jeu des sommes considérables, ce qui était présentement le cas. Des liasses de billets de banque étaient d'ailleurs bien en vue sur la table où plusieurs bouteilles de rhum et de bière avaient été entamées.

— *Arno, man bizwen palé ba'w !* (Arnaud, j'ai à vous causer deux mots !), fis-je, volontairement arrogant.

— *Sa ki tibolonm taa ?* (Qui est ce petit gars ?), demanda le planteur, ahuri.

Sa figure, ravinée par les nuits blanches et l'alcool, faisait peine à voir. Il semblait être dans un état second et, à en juger par la minceur du tas de billets qui se trouvait à côté de lui, il était clair qu'il n'avait cessé de perdre depuis le début de la partie. Les mulâtres se levèrent et prirent congé de lui sans répondre à sa question ni daigner nous saluer.

— Qui êtes-vous ? répéta-t-il.

Sa voix, empreinte d'une formidable lassitude, presque cassée, cadrait bien avec l'état de décrépitude dans lequel se trouvait sa maison. Elle avait dû avoir fort belle allure dans un lointain passé, avec ses deux étages entourés de vérandas à colonnades et son porche monumental, mais elle n'avait pas été repeinte depuis longtemps. De blanche, elle était devenue grisâtre et même verdâtre à hauteur des fenêtres, dont certaines, déglinguées, grinçaient au gré du vent.

— Je suis le fils de maître Aubin, répondis-je, gêné.

— Ah ! Aubin et moi, on a été de bons camarades, oui, mais... mais ça fait une éternité qu'on ne se voit plus. La vie sépare les gens, allez savoir pourquoi ?

Un homme dans la trentaine, qui devait être le fils d'Arnaud de Belleville, sortit en courant de la maison et se mit à faire des ruades dans la cour en poussant des paroles incompréhensibles mêlées à des grognements. D'un bond, Arnaud s'empara d'un fouet qui traînait sur un fauteuil à bascule au siège troué et gueula comme s'il s'adressait à un animal :

— *Vini isiya ! Vini lamenm, ou tann, Loran !* (Viens ici ! Viens immédiatement, tu m'entends, Laurent ?)

Comme son fils refusait d'obéir, Arnaud lui tendit un morceau de maïs grillé, ce qui eut le don de l'apaiser et de le faire revenir dans la véranda, docile, la langue pendante, une petite bave au coin des lèvres. Au moment où il allait s'en emparer, Arnaud saisit le débile par le col, le projeta par terre et se mit à le rouer de coups de cravache.

— Macaque ! Macaque ! Sacré macaque que tu es !

Je me souvins que les Belleville faisaient partie de ces familles blanches qui préféraient se marier entre cousins, voire demi-frères ou demi-sœurs, plutôt que de risquer la moindre mésalliance avec les gens de couleur. De ces unions consanguines naissaient souvent des êtres maladifs, maigrichons, dépourvus d'esprit comme ce Laurent de Belleville qui, réussissant à échapper à l'emprise de son père, monta jusqu'au deuxième étage où il se mit à faire et à refaire le tour de la véranda au pas de course.

— Je... je suis venu vous parler de Jeanne-Rose, fis-je lorsque Arnaud se fut calmé.

— Quoi ? Je veux plus entendre parler de ce chien de mulâtre ! Il a failli me débanquer. Soi-disant qu'il connaît les combats de coqs comme le fond de sa poche !

— Il vous apporte notre canne. Vous savez bien qu'il n'en a pas le droit. Jeanne-Rose a signé un bail à colonat avec l'usine de Génipa.

— Je... je ne le savais pas.

— Eh ben ! je vous l'apprends. Si vous ne cessez pas votre manège, monsieur Aymard va se fâcher et, quand il se fâche, c'est sauve-qui-peut !

Le vieux planteur à la barbe en broussaille me faisait pitié. J'étais venu à grand ballant pour l'intimider, or voilà que je me trouvais en face d'une épave humaine, d'un homme qui avait sombré dans une déchéance sans remède et était prêt à tout pour garder la tête hors de l'eau, y compris faire voler les cannes de ses voisins puisque, à l'évidence, il était incapable depuis un siècle de temps de tenir ses propres plantations.

— Votre Jeanne-Rose, repris-je, comment il fait ? Il rapporte comment notre canne jusqu'à chez vous ?

Le vieil homme sourit. Sa bouche à moitié édentée ressemblait à une caverne sans fond. Se versant un verre de rhum, il s'éclaircit la voix, fit deux pas dans ma direction et me dévisagea avec curiosité.

— Tout ça, c'est de la faute du Crédit Foncier Colonial, oui... De leur faute et de personne d'autre ! lâcha-t-il.

Il était l'un des derniers, m'expliqua-t-il, à survivre à la hargne de cette institution qui avait prêté de l'argent à tour de bras aux petits et moyens planteurs et qui, à présent, les étranglait, les uns après les autres. Prêt pour l'achat d'engrais ou d'outils agricoles ? Pas de problème. Avance sur les recettes de la prochaine récolte ? Aucun problème. Bref, le robinet d'argent coula à flots trois décennies durant jusqu'à ce que, profitant tantôt de la mévente du sucre et du rhum en Europe, tantôt de mauvaises récoltes dues aux intempéries, le Crédit Foncier Colonial s'emparât des propriétés en faillite et les vendît aux enchères.

— Je préfère foutre le feu à ma maison et à tous mes biens plutôt que de les laisser faire ça ! s'écria Arnaud de Belleville.

Croulant sous les dettes, il avait tenu tant bien que mal, incapable de payer correctement ses ouvriers agricoles, de mettre en culture de nouvelles variétés de canne et de livrer à l'usine du Lamentin le tonnage qu'on attendait de lui. Alors, quand un bougre comme Jeanne-Rose lui offrait de la canne dérobée Arnaud ne savait où, de la belle canne, bien debout, ferme en plus, pouvait-il la refuser, hein ? Fallait être fou.

— Il faisait comment ? insistai-je.

— Ah ! vous êtes têtu, vous. Exactement le portrait de votre père Aubin. Ha-ha-ha !... Eh ben ! c'est pas difficile à comprendre : j'ai fait fabriquer des rails avec exactement le même écartement que les vôtres par un forgeron du Vauclin, un nommé Francius Montrose. Ce nègre-là, y a pas plus fort que lui dans ce travail en Martinique ! Des fois, on vient le chercher de Saint-Pierre...

Pour de bon, je découvris le lendemain environ cinquante mètres de rails dissimulés dans les halliers qui séparaient l'habitation Val-d'Or de celle d'Arnaud de Belleville. Jeanne-Rose devait les poser la nuit sur notre réseau et, grâce à des complicités, détachait le dernier wagon des convois pour le faire glisser sur sa voie trafiquée. Au bout de cette dernière, des muletiers de l'habitation de Belleville s'empressaient de le décharger et, lorsque notre train remontait avec ses wagons vides, il était facile, quoique risqué — la loco roulant plus vite cette fois —, d'y accrocher au passage celui que Jeanne-Rose avait détourné une heure plus tôt. Le subterfuge n'aurait sans doute jamais été éventé s'il avait été possible de poser les rails trafiqués ailleurs qu'à Val-d'Or, où le commandeur Bélisaire avait l'œil à tout.

— Un nègre, ça ne tombe pas en faillite, fit Arnaud de Belleville en me tendant la main en signe de paix. Ça tombe dans la dèche, ça devient un nègre-marron, mais personne ne s'étonne. Tandis que nous, les békés, quand une telle chose nous tombe dessus, c'est une catastrophe. Oui, une catastrophe !

Je fis saisir les rails trafiqués et revint sur ma décision de rompre le bail à colonat de Jeanne-Rose. Après tout, la canne qu'il avait plantée, elle nous revenait de droit !

2

Pierre-Marie de La Vigerie ne prit conscience du fait que sa famille appartenait à la roture, c'est-à-dire à la plus basse classe des Blancs créoles, qu'au moment où, maître distillateur reconnu et admiré à travers tout le pays, il ne fut convié ni à la veillée mortuaire ni à l'enterrement de Simon le Terrible. Ce diable d'homme était mort comme il avait vécu : à cheval, en plein galop vers quelque plantation du vaste domaine qu'il contrôlait, et à midi en plus, heure éminemment diabolique en terre antillaise. La nouvelle fut annoncée à la fois à la conque de lambi, comme pour les nègres, et par un inhabituel barrissement de l'usine de Génipa. Par contre, la sirène municipale, qui avait coutume d'indiquer cette heure du mitan du jour, se fit muette, ce qui, aux yeux des habitants de Rivière-Salée, était le signe de quelque mauvais présage. Pierre-Marie surveillait la mise en fût du rhum qu'on destinait au vieillissement. Au bout de quelques mois, le liquide transparent se colorerait en brun à cause du tanin que contenait le bois de chêne. Devenu « rhum vieux », il ferait la joie des Blancs-France et des bourgeois d'En-Ville, sans doute parce qu'il en venait à ressembler davantage aux alcools d'Europe. Pierre-Marie, à vrai dire, ne raffolait guère de cette qualité de rhum-là. Il avait hérité de son père le culte de la grappe blanche, de l'eau-de-vie que l'on fabriquait directement à partir du jus frais de la canne à sucre. Aubin de La Vigerie était formel :

— Cette invention est la faute des ingénieurs métropolitains qu'on embauchait au début du siècle parce qu'on n'imaginait pas qu'un créole pût assurer le bon fonctionnement d'une usine moderne. Hon !... Ces bougres-là ne connaissaient que le vin. La transparence du rhum leur semblait pas très catholique. Or, la composition chimique du vin est très différente de celle du rhum. Le vin vieillit, il se bonifie avec l'âge, ce qui n'est pas le cas de notre alcool. Une fois ton rhum blanc fabriqué, il ne bouge plus, qu'il ait deux ans ou vingt ans d'âge. C'est pourquoi si tu rates ta distillation, tu es fichu, tandis qu'un vin médiocre peut, à la longue, s'améliorer. Du rhum vieux, quelle stupidité ! Du rhum badigeonné de tanin qu'ils devraient plutôt dire...

Pierre-Marie considérait donc le remplissage des fûts comme une corvée fastidieuse et se tenait un peu à l'écart des ouvriers, les mains dans les poches, l'air presque rêveur. Il ne comprit pas tout de suite pourquoi ceux-ci montraient des signes d'énervement alors que la manœuvre se déroulait sans anicroche aucune. Ils lui jetaient de temps à autre des regards dubitatifs, voire réprobateurs, lorsque l'un d'entre eux, plus courageux que ses compagnons, lui fit signe de consulter sa montre à gousset. Pierre-Marie sursauta, découvrant qu'il était midi plus vingt bonnes minutes.

— La sirène de la mairie n'a pas corné aujourd'hui, patron, fit l'ouvrier comme pour s'excuser.

— Ah bon ! Tu en es sûr ?

— On n'a rien entendu, en tout cas. Peut-être qu'elle est en panne, patron.

Les autres ouvriers hochaient de la tête en signe d'approbation. Pierre-Marie, leur baillant la permission de faire la pause-déjeuner, se rendit à son bureau, dans une maisonnette attenante à l'usine. Il y trouva Firmin Léandor, commandeur de l'habitation Bel-Évent, Bélisaire, celui de Val-d'Or, qui écoutaient, consternés, ce jeune béké qui était le cousin germain de Simon le Terrible et que tout un chacun considérait déjà comme son successeur, vu que l'administrateur n'avait conçu que des filles. Aymard Lepelletier-Dumont s'avança vers Pierre-Marie et déclara d'un ton sobre, sans aucune nuance d'émotion :

— Monsieur Simon est tombé de cheval sur la route de Thoraille tout à l'heure. Il a perdu la vie.

Pierre-Marie balbutia quelques condoléances auxquelles le cousin ne prit même pas la peine de répondre. Il demandait déjà certains papiers qui lui permettraient dès le lendemain de prendre les rênes de l'usine et de ses plantations.

— Il n'y aura pas de jour de congé pour les nègres, déclara-t-il. Monsieur Simon n'a jamais voulu que nos machines s'arrêtent un seul jour. Vous le savez bien, n'est-ce pas ?

Pierre-Marie haït aussitôt ce gringalet sous les ordres duquel il se trouverait désormais, à moins que le conseil d'administration du groupe La Palun n'en décidât autrement, ce qui était fort improbable. Ce genre de Blancs créoles — ceux d'en haut, disait son père, Aubin — n'avaient à l'évidence ni cœur ni compassion, ni rien qui pût rappeler quelque sentiment humain. Ils vivaient dans le mépris absolu d'autrui, y compris de leurs congénères moins fortunés comme l'étaient les La Vigerie, et se croyaient éternels. Du moins jusqu'à ce que le destin les frappât sans crier gare, comme cela avait été le cas pour Simon le Terrible ce jour-là.

— On l'enterre dimanche matin, évidemment, ajouta Aymard Lepelletier-Dumont tout en parcourant à la hâte les documents que lui avait apportés l'économe.

Puis, fixant les commandeurs mulâtres Firmin Léandor et Bélisaire, il dit d'un ton guilleret :

— Vous serez des nôtres, je suppose ?

— Oui, monsieur, répondirent-ils d'une seule voix.

— Bon, je sais que mon cousin n'était pas très aimé mais sans sa poigne, mes chers amis, il y a beau temps que cette usine s'en serait allée queue-pour-tête.

Pierre-Marie reçut la double insulte sans broncher. Il accompagna le jeune homme jusqu'à sa monture, lui prêtant une main pour l'aider à se hisser sur sa selle. D'abord, le bougre n'avait pas daigné le convier aux obsèques ; ensuite, il avait émis des doutes sur ses capacités de maître distillateur et de fabriquant de sucre car il était de notoriété publique que Simon Duplan de Montaubert n'avait su faire qu'une seule et même chose de toute sa vie : commander, commander et encore commander. Il ne savait même pas régler la colonne à distillation et était incapable de distinguer l'arôme du rhum agricole de celui du rhum industriel. Quant à la fabrication du sucre, opération certes plus compliquée, il n'en avait qu'une idée très sommaire. D'ailleurs, le nègre Sosthène, le mécanicien génial du Diamant, n'avait de cesse de le tourner en bourrique dès qu'il avait le dos tourné :

— Messieurs-dames, foutre que c'est bien d'être

un Blanc comme monsieur Simon dans ce pays-là ! Hon-hon-hon ! Tu n'as pas besoin de tenir un coutelas entre tes mains sous le soleil chaud, tu n'as pas besoin de savoir manier une pince ou un tournevis. Bref, il te suffit de parler. C'est tout ! Tu parles et hop ! le nègre t'obéit. Il se courbe, il se met à genoux, il fait des pieds et des mains pour te satisfaire, il te flatte avec ça en plus ! J'espère que dans l'autre monde, je serai un Blanc, tonnerre de Brest ! J'ai déjà trop souffert en tant que nègre dans cette chienne de vie-là. Faut qu'il y ait une justice quand même ! Le Bondieu ne peut pas toujours tout offrir aux mêmes personnes.

L'après-midi du décès de Simon le Terrible, l'usine continua à fonctionner comme si de rien n'était, mais, au visage grave des ouvriers, à l'absence des éclats de voix qui d'ordinaire rivalisaient avec le grondement des machines, il était visible que tout le monde était sous le choc. On détestait le béké, mais on l'aimait en même temps. C'était le bougre méchant qui vous licenciait pour un oui ou pour un non et le papa généreux qui acceptait de vous allouer un petit lopin de terre ou d'être le parrain des enfants nègres les plus dénantis, chose qui leur assurait, une fois devenus adolescents, la priorité à l'embauche qui dans ses plantations, qui à l'usine. Pierre-Marie n'appartenait pas à cette catégorie de hobereaux créoles. Souvent, un nègre à qui il venait de concéder une faveur lui lançait en guise de remerciement :

— Merci, patron ! Malgré ta peau blanche, je n'arrive pas à te voir comme un béké. C'est drôle, hein ?

— Je suis un béké, réaffirmait-il, souriant en coin.

— Oui, mais un nègre-béké ! Tu es les deux à la fois. Ha-ha-ha !

Chaque fois qu'on évoquait sa gentillesse — sa faiblesse envers la négraille, pestait Simon le Terrible —, Pierre-Marie resongeait à ce mot étrange de « *kalazaza* » que son père, Aubin, lançait presque comme une insulte à la face de sa mère. Hector, le jardinier, avait fini par lui révéler que ce mot désignait une personne qui avait l'air tout-à-faitement blanche mais ne l'était pas vraiment, parce qu'une goutte (ou plusieurs gouttes) de sang nègre étaient tapies dans ses veines, prêtes à resurgir à n'importe quelle génération. Était-ce là le secret qui rongeait sa mère, même à l'orée de la vieillesse ? Celui qui la poussait à couper les cheveux de son frère Moïse le plus ras possible parce qu'ils étaient trop frisés à son goût ? A interdire à sa sœur Ismène de porter des robes trop près du corps car elle possédait une croupière aussi rebondie que celle d'une femme de couleur ? Était-ce cela qui l'avait fait réveiller Hector, à deux heures du matin, bondir dans le tilbury et se faire conduire à Fort-de-France, à vingt-cinq kilomètres de chez eux, parce qu'un messager venait de toquer à leur porte pour leur annoncer que Marie-Louise avait accouché ? A son retour, sa mère avait eu l'air plus soulagé que joyeux.

— *I pwan chivé papa'y, i pwan koulè papa'y, i pwan nen papa'y. Mari-Lwiz fè an bèl ti bétjé, wi!* (Il a pris les cheveux de son père, la couleur de son père, le nez de son père. Marie-Louise a mis au monde un vrai petit béké, oui !)

Pierre-Marie s'était étonné sur le moment que sa mère eût imaginé un seul instant que sa fille pût accoucher d'un enfant qui ne fût pas un Blanc créole comme eux, mais il était encore trop jeune pour comprendre. La mort de Simon le Terrible vint réveiller en lui tout un lot d'insinuations, de phrases à moitié achevées, de regards troubles ou colériques que s'échangeaient régulièrement ses parents. Il attendit toute la journée le faire-part de deuil qui lui ouvrirait les portes de Château-L'Étang où la famille de Simon Duplan de Montaubert et tout ce que le sud du pays comptait de Blancs créoles se rassembleraient pour la veillée. A la reprise du travail, sur les deux heures de l'après-midi, quelqu'un se présenta bien à la porte de l'usine, mais c'était pour annoncer que, final de compte, il avait été décidé d'accorder quartier libre aux ouvriers en signe de deuil. Tandis que ceux-ci se dispersaient joyeusement, emportant les trois dames-jeannes de rhum dont on les avait gratifiés pour qu'ils organisent leur propre soirée funèbre à la rue Cases-Nègres, Pierre-Marie regarda le messager remonter à cheval, le visage fermé, et s'en aller au trot en direction de l'habitation Petit-Morne.

« Je suis un zéro devant un chiffre... Pour ces gens-là, je ne suis rien du tout », songea-t-il.

Il rentra chez lui et, pour la première fois de sa vie, trouva sa maison bien silencieuse. Pas d'épouse énamourée, marmaille turbulente pour l'accueillir, lui, le célibataire endurci, le têtu qui avait eu l'audace de refuser, quelques années auparavant, la main d'Eugénie Sansac de Taverney, la richissime héritière du domaine Nouvelle Cité, à Sainte-Marie, la plus vaste plantation de canne à sucre de toute la Martinique. A trente et un ans à présent, il avait découragé tous les efforts de sa mère pour lui trouver ce qu'elle appelait une « gentille compagne ». Pourtant, Edmée de La Vigerie n'avait pas ménagé ses efforts : la moindre occasion lui était bonne pour organiser des fêtes où se pressaient la plupart des jeunes filles blanches en âge de se marier. Évidemment, les plus jolies avaient été promises à des Grands Blancs dès leur puberté et, à l'âge de seize ou dix-sept ans, convolaient en justes noces, sur dérogation spéciale de monsieur le gouverneur, avec, pour les chanceuses, un homme plus âgé qu'elles d'une dizaine d'années ; pour celles envers qui le destin se montrait cruel, un barbon le plus souvent veuf. Ne restaient que les laiderons, celles qui avaient tenu tête à leurs parents ou qui avaient fait les difficiles dans le secret espoir de rencontrer un prince charmant en la personne de quelque officier ou fonctionnaire métropolitain qui les auraient emmenées loin de leur prison insulaire.

— Renaud va se marier bientôt, Moïse est fiancé, s'indignait Edmée de La Vigerie. Qu'est-ce que tu attends, toi ? Tu ne vis que pour l'usine. Ne me désespère pas plus longtemps, mon cher fils !

Elle le soupçonnait d'avoir hérité du goût de son père pour les câpresses et le pressait de questions sur ses relations féminines, quant elle ne le faisait pas espionner par Antoinise ou Hector. Elle avait ainsi débarqué un matin dans la dépendance où il s'était installé à son retour du nord du pays et y avait chassé, à grands coups de cravache, Laetitia, la couseuse de sacs de sucre. L'expression d'horreur et d'affliction mêlées qui déforma son visage lorsqu'elle découvrit Pierre-Marie enlacé à cette dernière, nus tous les deux et se cajolant, n'eut d'égale que le choc qu'avait produit en elle l'annonce, par le docteur Molinard, qu'Aubin, son mari, demeurerait grabataire jusqu'à la fin de ses jours. Elle prononça d'ailleurs les mêmes mots :

— La déveine est sur moi !

Edmée de La Vigerie partageait, sans même s'en rendre compte, la plupart des superstitions de cette négraille qu'elle affectait tant de mépriser. Lorsqu'un importun traînait à prendre congé, elle allait mettre un balai tête en bas derrière la porte de la cuisine ; si un papillon noir traversait la maison, elle y voyait aussitôt l'annonce d'un prochain malheur et s'agenouillait au bord de son lit pour demander grâce au Seigneur.

Aubin se gaussait de tout ce lot de couillonnaderies, lui qui disait haut et fort qu'il ne croyait pas tellement en Dieu et pas trop au diable et qu'après la mort, il n'y avait rien. Elle mettait le scepticisme de son mari sur le compte des livres savants dont il faisait, à mesure que le grand âge s'emparait de lui, une consommation effrénée. A part les livres d'école, elle considérait que tout imprimé relevait de l'inutile et du maléfique, exactement comme les nègres.

— Tu n'iras pas à la veillée, j'espère ! lança-t-elle à Pierre-Marie lorsqu'il rentra cet après-midi-là de l'usine.

— J'irai !

— Non ! Je te l'interdis, tu m'entends ? On n'est pas assez bien pour la famille de monsieur Simon, on est des gens de trop petite conséquence, eh ben, parfait ! On garde notre rang, on se tient à l'écart. Moi, personne ne verra ma figure à l'enterrement.

Pierre-Marie eut la tentation de profiter de l'occasion pour crever l'abcès. Il eut l'envie de la serrer dans ses bras et de lui dire : « Arrête, man-man-doudou ! Arrête, je t'en prie ! Je sais tout. Depuis tout petit, je sais tout. Je sais que tu n'es pas une vraie Blanche. En toi coule le sang des nègres et donc en moi aussi, cessons ce manège stupide ! Il n'est plus temps de feindre. Le monde a changé autour de nous. Ne vois-tu pas tous ces mulâtres qui s'en reviennent de Paris avec des diplômes de docteur, d'avocat, de pharmacien ou de professeur ? Demain, ils tiendront le haut du pavé, et les békés, enfermés dans leurs plantations, incultes, assoiffés de profit rapide, stupidement fiers de cette couleur blanche qu'ils portent comme un blason, viendront leur manger dans les mains. » Mais il n'eut pas le courage de lui briser le cœur. Le secret demeurerait bien gardé, même si tout le monde le connaissait. Combien de fois n'avait-il pas entendu une domestique qu'elle venait de rabrouer, ou quelque ouvrier saisonnier venu demander la charité d'une embauche à qui elle n'avait pas ouvert sa porte, maugréer :

— *Sakré kalazaza ki ou yé !* (Espèce de soi-disant blanche !)

Pierre-Marie se rendrait donc à la veillée de Simon le Terrible. Il l'avait décidé et rien ne le ferait changer d'avis. Non pour défier la caste blanche qui le tenait sur ses marges, ni au contraire pour continuer à faire accroire au monde qu'il en faisait partie, mais pour signifier qu'il était le maître distillateur de l'usine de Génipa et qu'il entendait bien le rester, quelles que fussent les circonstances. Il n'ignorait pas que l'ingénieur tourangeau chercherait à l'évincer pour avoir la haute main sur la fabrication du rhum, agacé qu'il était de voir que si Pierre-Marie ne lui disputait pas celle du sucre, ce dernier avait déployé des trésors d'imagination, avec la complicité de nègres qui lui étaient fidèles, pour le tenir à l'écart de la colonne à distillation.

3

Ta mère avait longtemps hésité avant de vous emmener tous là-bas, non seulement parce que vous, la marmaille, étiez au nombre de cinq, mais parce qu'elle craignait un brusque changement de température. Elle avait maintes fois consulté le livre de géographie de la France appartenant à Marie-Louise sans être vraiment convaincue qu'au mois de juillet, il faisait bien plus chaud à Paris qu'à la Martinique. Elle harcelait de questions tous ses amis qui avaient déjà fait le voyage et, chaque fois que l'ingénieur venait à la maison s'entretenir avec ton père d'un différend quelconque, elle trouvait le moyen de glisser son intérêt pour l'été dans la conversation. Le Tourangeau, qui ne mesurait pas l'importance qu'avaient pour elle ses réponses, répétait toujours, un peu par politesse, un peu parce qu'il la trouvait encore bien jeune pour radoter :

— A Paris, je ne sais pas, mais chez moi, en Touraine, il peut y avoir des années pourries. L'été est noyé sous les pluies et le thermomètre peut descendre à 10-11 degrés en pleine nuit.

Ta mère frissonnait par avance et finit par se mettre en tête que toi, Pierre-Marie, le petit dernier, tu n'irais pas en France. Bien que tu ne fusses pas de santé fragile, elle ne voulait pas te faire courir le risque d'attraper une pneumonie. D'ailleurs, sa sœur cadette, qui était restée célibatrice et vivait à Basse-Pointe, tout au nord du pays, sur le domaine familial, se ferait une joie de t'accueillir pendant les trois mois d'absence de tes parents.

Dès qu'ils surent que tu n'embarquerais pas à bord du magnifique paquebot transatlantique que ta mère vous avait fait admirer un jour dans la rade de Fort-de-France, tes frères et sœurs se mirent à te taquiner :

— Pierre-Marie n'ira pas en France ! Pierre-Marie n'ira pas là-bas, bè-kè-kè !

Tu te mettais à pleurer — plus que la Vierge de Man Louloute, selon la drolatique expression de ta nounou, Da Fanotte — et, en guise de consolation, tu courais rejoindre la bande à Florius, l'incitant, par esprit de revanche, à commettre les quatre cents coups contre les biens des Blancs. Vous vous dirigiez vers Château-L'Étang, la demeure de Simon le Terrible, pour voltiger des mottes de caca-bœuf sur le linge que ses lavandières avaient mis à l'ablannie sur de grosses pierres qui entouraient un bassin ; vous surveilliez Baudouin Louvier de la Garrande, le géreur de l'habitation Bel-Évent, qui rentrait toujours saoul après avoir fait la tournée des caboulots de Rivière-Salée et qui jurait, dans l'obscurité commençante, parce que son cheval refusait d'avancer. Florius, s'approchant de l'animal à pas feutrés, le tirait par les rênes et lui faisait faire un demi-tour complet sur place tandis que deux autres garnements lui tiraient violemment la queue. Le cheval reprenait au galop le chemin qu'il venait de parcourir sous une pluie d'injuriées salaces qui jaillissaient de la bouche enflée par le rhum de monsieur Baudouin.

Dès qu'il s'agissait de nuire à ce qu'il appelait en créole « *Bagay Bétjé-a* » (les biens du Blanc), Florius ne connaissait aucune limite. Seuls ceux qui appartenaient à tes parents bénéficiaient de sa magnanimité, parce que tu étais membre à part entière de leur bande de négrillons, petits chabins et mulâtres, mais aussi, insinuait-il, parce que « tout le monde sait que les La Vigerie, c'est pas des Blancs-Blancs, c'est des *kalazaza,* oui ». Pourtant, ce n'était pas faute de ta part de pousser la bande à commettre des méchancetés à l'égard de ceux que tu ne considérais désormais plus comme tes frères et sœurs. Tu t'étais même gourmé à coups de poing avec Moïse qui bombait le torse devant toi et se vantait :

— Quand je reviendrai de France, tu ne me comprendras plus, Pierre-Marie. Pauvre bougre !... Hou-la-la, qu'est-ce qu'il fait chaud, ouvre-moi cette f'nêtre, s'il te plaît ! Hé, ta ch'mise, elle est sale ou quoi ?

« F'nêtre », « ch'mise », « ç'rise », ainsi que des *r* exagérément prononcés, représentaient pour vous, à l'époque, la quintessence de l'accent métropolitain que vous aviez l'occasion d'entendre, plutôt rarement il est vrai, de la bouche de l'ingénieur et du docteur Molinard, sur le poste de T.S.F. qui fonctionnait une fois sur deux ou sur les mêmes trois-quatre disques soixante-dix-huit tours que ta mère passait et repassait sur son gramophone. Mais il n'y avait pas que l'accent créole qui, à entendre ta mère, alourdissait votre français des îles : son vocabulaire vieillot était également en cause. Elle menait une bataille incessante (quoique perdue d'avance) contre des expressions telles que « crier-à-moué » ou « dérespecter » que tes frères et sœurs s'appliquaient maintenant à ne plus employer. Ton père, dont ce serait le premier voyage là-bas, disait en se rengorgeant quand il recevait un ami pour le punch :

— Je vais voir bientôt le pays de mes ancêtres. Quelle joie ! Les La Vigerie sont une très ancienne famille originaire de Vendée qui a émigré aux Amériques vers 1662. Nous avons conservé tous nos papiers paraphés par les rois de France. Mon arrière-arrière-arrière-grand-père était le marquis de La Vigerie, oui ! D'ailleurs, mon dernier fils, Pierre-Marie, je lui ai baillé le même prénom qu'un de nos ancêtres qui vivait à Saint-Pierre à l'époque de la Révolution française.

Tu avais fini par comprendre qu'une sorte d'animosité régnait au sein des Blancs créoles entre ceux dont les ancêtres avaient foulé la terre martiniquaise au tout début de la colonisation, au XVIIe siècle, et les nouveaux arrivants, ceux du mitan du XIXe siècle, que ton père qualifiait avec mépris de « Marseillais », parce qu'ils étaient pour la plupart originaires du sud de la France. Petit à petit, ces derniers, dont les noms n'arboraient même pas de particule, avaient commencé à damer le pion aux vieilles familles et à les regarder de haut.

Un beau jour, à la grande stupéfaction de tout le monde, ton père déclara d'un ton solennel qui ne souffrait aucune contradiction :

— Mon dernier fils m'accompagnera là-bas. Ce petit bout de chou est destiné à me remplacer à l'usine. Il n'est pas question que je commence à le priver, lui qui, toute sa vie, sera esclave de la distillerie. Ma femme, préparez le trousseau de Pierre-Marie ! Après tout, il a presque quinze ans sur sa tête, ce n'est plus un enfant.

Tu visiterais donc, toi aussi, l'Exposition Coloniale Internationale de Vincennes. Le jour venu, à votre grande surprise, vous, les enfants, fîtes la connaissance des frères et des sœurs de votre père. Ils étaient venus sur le port de Fort-de-France en grande tenue, ces gens dont les noms vous étaient devenus familiers à force de les avoir entendus dans les conversations de vos parents — tonton Joseph-Marie, tante Irène, tatie Éléonore et bien d'autres —, mais dont les visages vous étaient parfaitement inconnus. Quant à leurs propres enfants, vos cousins germains, vous ignoriez jusqu'à leur existence, sauf Marie-Élodie qui avait été invitée une seule fois à la communion solennelle d'une certaine Marie-Lydie. Ton aînée en était revenue émerveillée. Vos oncles étaient tous des propriétaires de plantations, pas de simples géreurs ou employés d'usine, et ils étalaient fièrement leurs biens, à l'entrée desquels des panneaux en bois sculptés annonçaient : « Habitation La Fayette », « Habitation La Sagesse », « Habitation La Fleury », « Habitation Duharoc ». A côté de tous ces gens de haut parage, ton père faisait figure de manant, de Blanc manant. Mais, en ce jour du départ pour la France, il tenait sa revanche. N'avaient-ils pas été officiellement invités par le gouverneur, lui et votre petite famille, tous frais de voyage payés (en deuxième classe) suite à la médaille d'or obtenue par le rhum de l'usine de Génipa à l'Exposition de Bruxelles l'année précédente ? Son nom et sa photo avaient même paru dans les journaux de là-bas et on en avait fait grand cas ici. Bref, Aubin de La Vigerie, en dépit de son dénantissement, était devenu une personnalité insulaire et, à ce titre-là, ses parents proches ne pouvaient plus continuer à l'ignorer comme ils le faisaient depuis bientôt trois décennies.

Au moment des embrassades, dans la foule qui

agitait des mouchoirs blancs sur le quai, au mitan des épouses éplorées ou des mères en chagrin de voir partir si loin un des fruits de leur entrailles, tu remarquas que votre parentèle demeurait sur son quant-à-soi. Pas d'effusions ni de larmes démonstratives à l'instar des nègres et des mulâtres dont certains tentaient même d'escalader l'échelle de coupée. Juste un baiser sec sur le front de chacun de vous, les enfants, de franches poignées de main échangées avec ton père et un signe de tête distant, voire dédaigneux à l'égard de ta mère qui n'avait cessé de les défier du regard.

Les douze jours de voyage en paquebot, le luxe insolent des cabines, les fêtes somptueuses organisées à bord, la féerie des nuits en haute mer, sont restées comme imprimées dans ta mémoire à-quoi-dire un rêve éveillé. Tu ne reconnaissais plus ta mère : elle rayonnait d'allégresse et ne cherchait plus de chicanes à ton père. Ses grand-robes créoles et ses mouchoirs de tête couleur safran faisaient fureur aux réceptions offertes par le capitaine aux passagers de première classe. Pourtant, au départ, ta mère n'avait pas voulu que ton père dilapidât — c'était là le mot qu'elle avait employé — les économies qu'ils avaient commencé à amasser depuis l'avant-guerre. « La deuxième classe, ça nous ira fort bien », prétendait-elle, mais ton père avait payé le supplément exigé pour changer de classe afin de « tenir son rang », expression favorite de ta mère, qui sortait pour la première fois de la bouche d'Aubin de La Vigerie. A l'époque, seuls les Blancs créoles, les hauts fonctionnaires métropolitains et quelques rarissimes mulâtres fortunés pouvaient se permettre une telle dépense.

— C'est le seul vrai plaisir que je vais m'accorder de toute ma vie, conclut-il devant ta mère qui palpait, incrédule et déjà à moitié furieuse, les sept billets de première classe.

Elle fut pourtant la reine de ce voyage enchanteur. Les femmes accouraient à sa cabine pour admirer ses bijoux créoles ; les hommes lui faisaient des baisemains à la moindre occasion. Un seul incident, minime à tes yeux, vint ternir le triomphe de ta mère : elle traitait le personnel du bateau aussi rudement que des nègres d'habitation et si la plupart d'entre eux, sans doute en attente d'un pourboire royal, courbaient l'échine, le seul employé de couleur, un Guadeloupéen, la piqua au vif après qu'elle l'eut plusieurs fois tancé sur sa lenteur à servir votre table.

— *Ka ou konpwann ou yé, ti madanm ? Ou sé an Blan kasé !* (Qui croyez-vous être, ma petite dame ? Vous n'êtes qu'une Blanche cassée !), s'écria-t-il en toisant ta mère.

Vos voisins de table se retournèrent, mais ne comprirent évidemment pas la cause de cette invective ni les propos du serveur. A dater de cet incident, il te sembla que la lueur qui brillait dans les yeux de ta mère avait faibli. Sa voix elle-même trahissait une certaine contraction et elle multipliait les sourires forcés quand on venait la saluer sur le pont avant du paquebot où, allongée dans un transat, elle passait des heures à contempler la mer. Ton père n'avait pas réagi à l'algarade du serveur, lui pourtant si prompt à rabaisser leur caquetoire aux impudents. Sans doute avait-il conscience, cultivé comme il l'était, qu'on n'était plus dans le monde de la plantation et qu'ici, d'autres valeurs avaient cours. Sans doute...

L'arrivée au Havre fut une vraie déception. Le temps était grisailleux et, de loin, la ville ne te sembla pas belle. Il n'était d'ailleurs pas question de la visiter car une fois les bagages à terre, ton père vous emmena à la gare afin de « descendre à Paris », comme il disait. Nulle surprise pour toi ! La locomotive et les wagons étaient simplement plus spacieux que ceux qui charroyaient la canne à Rivière-Salée. A travers la vitre de votre compartiment défilaient sous les yeux ébaubis de ta mère ainsi que de tes frères et sœurs (et bien sûr de toi-même) ces plaines immenses, couvertes de blé ou d'autres céréales que vous ne parveniez pas à identifier, une vraie symphonie de jaune pur, de vert et de beige, et de loin en loin la masse sombre des forêts, plutôt décevantes parce que tous les arbres y étaient identiques.

A Paris, tu fus la proie d'une véritable chavirade devant l'aller-venir incessant des automobiles sur les boulevards, l'empressement de la foule, la splendeur de la cathédrale Notre-Dame et du Panthéon. Le gouvernement avait bien fait les choses : un guide s'occupa de vous loger à l'hôtel et de vous faire visiter la capitale en calèche. Inexplicablement, seul ton père demeurait froid, presque indifférent devant tant de sujets d'émerveillement. Il posait un regard lointain sur les êtres et les choses, et, lorsque l'un d'entre vous sollicitait son opinion, il lâchait seulement : « Magnifique, oui ! » Il avait hâte de rejoindre l'Exposition Coloniale à Vincennes. Quand ta mère s'étonna du nombre de mendiants et autres cherche-pain qui vous harcelaient, ton père déclara, énigmatique :

— Hon ! Le gouvernement veut prouver que la crise de 29 est passée et bien passée, mais tu as la preuve qu'il n'en est rien... Cette Exposition, elle a dû coûter les yeux de la tête !

Il avait raison. Le parc où se tenait l'Exposition Coloniale Internationale s'était transformé en une réplique miniature de toutes les possessions de l'Empire. Le pavillon de la Martinique semblait bien modeste à côté de ceux de l'Indochine et de l'Afrique noire où on trouvait pêle-mêle des éléphants, des léopards, de gigantesques bas-reliefs et des statues impressionnantes en terre cuite ou en bois précieux, des tam-tams décorés de pierreries, des flèches, des arcs et des javelots. Sans discontinuer, des orchestres jouaient la sérénade et le visiteur ne savait plus où donner de la tête entre les déhanchements frénétiques des puissantes négresses de Haute-Volta ou du Congo et les mouvements lascifs des Cambodgiennes dont les mains avaient la pureté des battements d'aile de l'oiseau-mouche. Au pavillon des comptoirs français de l'Inde, un charmeur de serpent s'amusait à faire dodeliner de la tête un reptile en comparaison duquel les serpents-fer-de-lance de la Martinique auraient passé pour des vers de terre.

— Il n'y a donc pas que l'Empire anglais sur lequel le soleil ne se couche jamais, commenta sobrement ton père.

Il s'inquiétait de la place qui avait été réservée à notre rhum, celui de Génipa, au Pavillon de la Martinique, mais fut vite rassuré. Il trônait en bonne place avec son étiquette rouge et noire au mitan de ses concurrents, le rhum Dillon à l'étiquette jaune et rouge, le Saint-Étienne plutôt vert, le Courville, jaune et orangé, le Clément, vert et blanc, et, surtout, le plus grand, le plus admirable à ses yeux, le Neisson, avec son étrange bouteille carrée (que les vrais amateurs surnommaient « épaule carrée ») sur laquelle figurait un galion du temps-longtemps aux voiles noires et jaunes largement déployées. Des Antillaises en costume créole de cérémonie offraient des dégustations aux visiteurs tout en multipliant les explications sur la canne à sucre et la fabrication du rhum. Les sacs de sucre faisaient d'ailleurs piètre figure à côté de la rutilance des bouteilles de rhum, de même que les pots de café, les cabosses de cacao, les bâtons de vanille, les noix de muscade et les paniers tressés à la façon caraïbe qui emplissaient le reste du pavillon. Le rhum était roi et, visiblement, cela faisait un immense plaisir à ton père. Il attendait avec impatience la « Journée du Rhum », programmée pour le 10 juillet, d'autant que la visite du maréchal Lyautey, commissaire général de l'Exposition, était annoncée. Vous aviez tous hâte de voir en chair et en os ce glorieux fondateur de l'Empire français, celui grâce à qui la France n'était plus « un hexagone, mais un planisphère », selon l'expression enthousiaste de votre précepteur, Sylvère de Cassagnac.

Le grand jour arrivé, il fallut ravaler sa déception : souffrant, le maréchal s'était fait remplacer par le ministre des Colonies et s'était contenté d'adresser un message de félicitations lu par Henry Lémery, député de la Martinique. Ce dernier ainsi que son collègue Alcide Delmont déployèrent ensuite des trésors d'éloquence pour dénoncer les obstacles que rencontrait la commercialisation du rhum antillais en France. Des mots, que tu avais souvent entendus dans la bouche de ton père lorsqu'il discutait avec Simon Duplan de Montaubert ou l'ingénieur tourangeau, étaient martelés à un public apparemment acquis à votre cause. Taxes excessives du Conseil Général de la Martinique, mévente, spéculation des distributeurs métropolitains, dumping du rhum de Madagascar, contingentement et encore mévente, et toujours mévente. Ton père ne disait mot. Très attentif aux discours de chacun, il attendait, lui, le grand maître en distillation, celui qui avait l'art de transformer l'alcool de canne à sucre en un vrai élixir, qu'on sollicitât son avis. Qu'est-ce que ces députés de couleur encravatés connaissaient à la lente métamorphose du vesou dans les cuiseurs ? A la descente glougloutante du précieux liquide dans la colonne à distillation ? Au calcul complexe du degré alcoolique de chaque cuvée ? La veille au soir dans votre chambre d'hôtel, il avait préparé une brève mais percutante allocution qu'il avait lue à ta mère à si haute voix que vous, les enfants, qui logiez dans la chambre d'à côté, aviez pu en entendre chacun des mots. Il l'avait répétée une bonne vingtaine de fois jusqu'à la connaître par cœur. Depuis que vous vous trouviez en terre métropolitaine, leurs sempiternelles disputailleries semblaient avoir cessé. Vous les aviez même entendus faire l'amour et Marie-Louise s'était recouvert le corps de sa couverture, de honte sans doute.

— Le rhum, messieurs et mesdames, n'est pas seulement une boisson alcoolique ! s'était écrié ton père. C'est bien plus que cela ! Le rhum possède d'éminentes vertus gustatives et mérite donc le qualificatif de nectar. Le rhum possède des vertus fortifiantes et est donc un breuvage tonique. Le rhum est indispensable à tout art culinaire qui se respecte et est donc un aliment. Le rhum, et cela, aucun de vous ne saurait l'ignorer, mesdames et messieurs, car la Grande Guerre l'a amplement prouvé, a une valeur thérapeutique et est donc un médicament. Enfin, et j'ai gardé le plus étonnant, le plus remarquable pour la fin, le rhum stimule l'activité sexuelle et est donc un aphrodisiaque.

Vous aviez entendu votre mère contester cette dernière phrase que votre père, en dépit d'une résistance acharnée, avait bien été contraint d'ôter de son envolée lyrique. Envolée qu'il n'eut jamais à prononcer car nul ne lui demanda son avis. Seuls les grands planteurs et les usiniers eurent droit à la parole, chose dont ne se privèrent pas Henri Salin du Bercy, seigneur et maître de la plaine du Lamentin, Simon le Terrible et d'autres éminents représentants de la noblesse coloniale. Une fois de plus, ton père prit conscience de la piètre estime dans laquelle était tenu le nom des La Vigerie. Il était loin, définitivement révolu, le temps où, en la ville de Saint-Pierre, avant l'éruption, ce nom brillait au fronton d'une des plus importantes maisons de négoce. Il arrivait à ton père, dans des moments de nostalgie, d'évoquer le théâtre qu'il adorait, les bras du Mouillage où l'on pouvait côtoyer toutes les nationalités de la terre et la rade, surtout la rade en arc de cercle où une multitude de navires de tout tonnage, indéfiniment renouvelée, arborait fièrement les drapeaux de leur pays.

— J'ai fréquenté des Hollandais, des Américains, des Cubains, des Allemands et même, tenez-vous bien, des Chinois ! disait-il à Firmin Léandor lorsqu'il invitait ce dernier à prendre le punch. Tout ce monde-là venait charger notre sucre, notre rhum, notre café, notre cacao, notre vanille. Ah ! le temps de Saint-Pierre était vraiment extraordinaire... La montagne Pelée nous a fait reculer d'un demi-siècle, mon cher. Regarde-moi à présent dans ce trou de Rivière-Salée ! Mon univers, c'est quoi, hein ? L'usine, encore l'usine, toujours l'usine ! Merde alors !

Ton père avait quand même vivement applaudi les propos du député guadeloupéen Gratien Candace qu'il avait quasiment imprimés dans sa formidable mémoire et que, des années durant, il déclamerait chaque fois qu'il recevrait des convives à la maison :

— Guadeloupéens, Martiniquais, Réunionnais, et aussi Guyanais, Indochinois, Madécasses, sont réunis autour de vous, monsieur le ministre, confondus avec fierté dans la grande et vieille famille française à laquelle la plupart d'entre eux appartiennent depuis des siècles, pour vous dire qu'ils sont attachés au produit qui les fait vivre comme le Beauceron est attaché à ses blés, comme le Méridional ou le Bourguignon est attaché à son vin. Lorsque la canne à sucre est atteinte, lorsque le rhum ne se vend pas, c'est près de huit cent mille Français, peuplant nos vieilles colonies, qui sont directement atteints dans leur vitalité.

Les jours suivants, ton père devait pourtant tomber dans la plus dévastatrice des colères. Il avait même fallu le retenir pour qu'il ne fasse pas un esclandre au pavillon de la Martinique. On venait en effet d'y installer des échantillons de rhum métropolitain dont les bouteilles aux étiquettes agressivement coloriées, ornées de visages nègres hilares et exagérément déformés, avaient le don d'attirer l'attention des visiteurs de l'Exposition Coloniale.

— Rhum Négrita ! Rhum Babarum ! s'énerva-t-il, brandissant l'une des bouteilles qu'il menaçait de fracasser sur le sol. Ça, c'est du rhum, alors ? Hein, cette cochonnerie-là, cette salopeté-là ? Voilà ce qui nous cause le plus de tort, ici ! Quand on goûte à ce pissat de rat, comment voulez-vous qu'on ne soit pas dégoûté à jamais de tout ce qui porte le nom de rhum, hein ? Comment ?

Là-bas, à la Martinique, on était au courant de cet ersatz de rhum qui circulait en Europe, mais fort peu de gens avaient eu l'occasion d'en goûter. Les distributeurs métropolitains avaient pris l'habitude de mélanger le rhum antillais avec de l'alcool neutre ou bien des produits chimiques sous prétexte que le titrage du premier était trop élevé pour le palais de leurs clients. Ils avaient le culot, fulminait ton père, d'appeler cette douteuse pratique « sophistication du rhum ». Après un tel traitement, la vraie saveur de l'alcool de canne disparaissait corps et bien, habituant malheureusement le consommateur européen à une boisson équivoque, sans saveur ni odeur caractéristique. Mais ton père s'était surtout indigné parce que les étiquettes des bouteilles que l'on avait déposées au pavillon de la Martinique, au beau mitan du rhum antillais, ne portaient pas la mention obligatoire « Rhum de fantaisie », obtenue grâce à l'action des distillateurs créoles auprès des plus hautes autorités de l'État.

Aubin de La Vigerie en fut si gravement choqué qu'il renonça à se rendre en Vendée pour retrouver les descendants du vicomte (ou du marquis, tu ne savais plus) de La Vigerie et écourta votre voyage. Au lieu des trois mois initialement prévus, vous retraversiez l'Atlantique au bout de cinq semaines, malgré les vives protestations de ta mère qui voulait visiter le musée du Louvre et le château de Versailles. Sur le paquebot, leur cabine devint un véritable champ de bataille. Mais, juste avant le départ, il vous fut donné d'assister à un événement extraordinaire : l'Exposition Coloniale avait installé au Jardin d'acclimatation une représentation théâtrale annexe où des Canaques, presque nus, portant au cou une pancarte indiquant « Hommes anthropophages », multipliaient les gesticulations simiesques au mitan de leurs femmes qui se livraient à une danse obscène, le pilou-pilou. Seins ballotants et fesses animées par un trémoussement frénétique, ces sauvagesses poussaient à intervalles réguliers des cris qui mêlaient bestialité et érotisme exacerbé. Moïse t'expliqua la signification du mot « anthropophage » à voix basse tandis que ta mère, révulsée, entraînait tes sœurs loin de la scène.

— Les anthropophages, les vrais, fit ton père, ce sont ceux qui ont emmené les Canaques ici. Cette mascarade déshonore l'Empire français.

Cet épisode grotesque renforça encore plus sa détermination à s'en retourner au pays...

4

L'odeur de la vinasse, c'est-à-dire le résidu de la distillation des mélasses et du vesou, est l'une des plus pestilentielles qu'il soit donné à un être humain de sentir. Quel contraste entre l'arôme secret et capiteux du rhum et ces exhalaisons fétides qui vous saisissaient à la gorge, aux narines et même au cerveau dès que l'usine commençait à rejeter la vinasse dans la rivière la plus proche ! Pourtant, il fallait bien que celle-ci dégorgeât ses déchets, comme le font d'ailleurs tous les jours hommes et animaux. L'usine est un être vivant qui s'alimente et défèque, de janvier à juin du moins, car après, on la démonte entièrement pour réviser chacune des machines. Lorsque j'étais enfant, je ne me souviens pas que l'odeur de la vinasse m'eût particulièrement gêné, ni d'ailleurs aucun de ceux qui faisaient partie de la bande à Florius. Au contraire, en dépit de l'interdiction qui nous en avait été faite, nous aimions nous approcher au plus près des deux énormes tuyaux cylindriques qui déversaient les déchets de l'usine directement dans la rivière Salée, laquelle s'abrunissait d'un seul coup jusqu'à devenir presque noire et visqueuse. Mais la plupart du temps, comme on était à la saison du carême, son lit était presqu'à sec ; ne coulait alors très lentement, en direction de la mangrove puis de la mer, que cette vinasse malodorante contre laquelle pestait ma mère. Tout un chacun s'y habituait au bout de deux jours, mais elle s'écriait :

— Mon Dieu, qu'est-ce que je t'ai fait pour que tu me fasses respirer cette crassitude-là ? Je n'arrive même pas à avaler une seule bouchée tellement je suis écœurée.

Mon père, pour une fois, ne demeurait pas indifférent aux enquiquineries de ma mère. Le problème du rejet de la vinasse le préoccupait beaucoup, mais il ne voyait pas d'autre solution. L'ingénieur tourangeau lui-même avait été contraint de baisser les bras après avoir essayé de la mélanger avec diverses compositions chimiques de son invention. Un jour, pourtant, il débarqua triomphal dans notre cour et lança à la cantonade :

— Monsieur de La Vigerie, on nous a trouvé une solution pour la vinasse !

Et de brandir un document qu'il disait provenir des services du gouverneur, un arrêté signé de la propre main de ce dernier, qui proposait tout simplement de transformer la vinasse en fumier. Sceptique, mon père s'avança sur notre véranda et tendit une main molle à l'ingénieur. Il n'avait jamais rien attendu de bon de ces fonctionnaires de Fort-de-France qui ne se sentaient à l'aise qu'à l'ombre de bureaux aérés grâce à des ventilateurs et qui, sans le montrer ouvertement, éprouvaient du dédain pour les campagnards.

— Des imbéciles ! avait-il coutume de protester. Chez eux, en Europe, les usines sont construites dans les villes alors qu'ici, elles le sont en pleine campagne. Ça, ils ne le comprendront jamais ! Ils nous croient aussi demeurés que leurs paysans.

Il avait donc hâte de savoir quel remède miracle leur avaient concocté ces beaux messieurs de la capitale. Devant sa simplicité, il fut partisan de le mettre en œuvre le plus rapidement possible. On était encore en novembre de l'année 1926 et de grosses pluies s'abattaient nuit et jour sur la région de Rivière-Salée. Cela n'empêcha point mon père de convoquer une quinzaine d'ouvriers qui, à cette époque de l'année, se reconvertissaient en petits agriculteurs ou en pêcheurs, pour leur demander de creuser deux imposantes fosses à vinasse. Car il était là, le remède ! L'usine ne rejetterait plus directement ses déchets dans la rivière Salée, mais dans des fosses où, grâce à l'adjonction de paille de canne, on obtiendrait du fumier. Même Simon le Terrible, d'abord hostile à cause des frais qu'il faudrait engager, se rallia à la proposition des services du gouverneur. Il calculait déjà les économies qu'il ferait sur l'achat des engrais importés dont la Martinique avait commencé à faire une consommation exagérée à son gré.

— Enfin ! exultait ma mère. Le Bondieu a fini par écouter mes requêtes. Merci mille fois, Très-Haut !

Pour de vrai, on n'eut plus à subir l'échevèlement nauséabond de la vinasse depuis qu'elle était stockée aux abords de l'usine. Les fosses furent construites en un temps record et, pour une fois, les nègres, premiers importunés à l'époque des rejets dans la rivière, applaudirent à une décision des Blancs-France. Anthénor, le chef syndicaliste, chaudronnier de son état à l'usine, disait haut et fort :

— *Lè an bagay bon, fôk di i bon ! Vyé-Blan sé pa kanmarad mwen men pou an fwa, yo fè an bagay ki byen.* (Quand quelque chose est bon, il faut l'admettre ! Les Blancs, c'est pas mes amis, mais pour une fois, ils ont bien agi.)

Mais l'enthousiasme général devait vite se muer en doute, puis en colère : le remède-guérit-tout qu'on avait annoncé n'était pas si facile à mettre en pratique. Mon père fut le premier à le découvrir et, dès cet instant, je le sentis nerveux, agressif même. Il ne m'emmenait plus aussi souvent à dos de cheval jusqu'aux plantations de Bel-Évent et de Thoraille et ne se préoccupait plus de me trouver un petit djob à l'usine, le jeudi, jour où il n'y avait pas classe. Il pestait entre ses dents contre un ennemi invisible. Personne, en effet, n'avait précisé aux usiniers qu'il fallait d'abord que la vinasse fût désacidifiée avant d'être placée dans les fosses et que, pour ce faire, il fallait utiliser du lait de chaux en quantité massive. Pis : cette chaux n'était efficace que si la vinasse avait été au préalable refroidie, ce qui entraînait une perte de temps de deux jours au minimum.

Et puis, surtout, on disposait de fort peu de paille de canne. Monsieur le gouverneur et ses brillants fonctionnaires n'avaient sans doute jamais contemplé la récolte de la canne que de loin ! Comment pouvaient-ils ignorer que l'essentiel de cette paille était utilisé en guise d'amarres pour ces paquets de dix tronçons auxquels des femmes aux mains expertes tressaient des nœuds si solides que même les bœufs en drivaille ne parvenaient pas à les défaire ? Ne savaient-ils point que ce qui en restait était emporté par les travailleurs des champs afin de nourrir leur propre bétail ? Mon père, Aubin de La Vigerie, s'en voulait lui-même de n'y avoir pas songé et de s'être laissé emporter par un enthousiasme qui se révélait à présent démesuré. Du fumier à bon marché ! Qui n'en avait pas rêvé ? Et à volonté, de surcroît, puisque, paradoxalement, la vinasse était ce que l'usine produisait le plus, soit l'équivalent de dix fois le volume de rhum obtenu au terme de la distillation. Mon père eut alors l'idée de remplacer la paille de canne par la bagasse. Mais, là aussi, on dut admettre assez vite que la peau de la canne à sucre, fût-elle broyée par trois moulins, ne se décomposait pas assez vite parce que, selon l'ingénieur, elle contenait « trop de cellulose ».

Toutefois, le résultat le plus négatif de cette innovation fut la formation de véritables foyers pestilentiels et de redoutables nids à moustiques. Ces derniers bourdonnaient nuit et jour au-dessus des bacs lorsque le temps était au soleil, mais, dès qu'une rousinée de pluie s'annonçait, ils se dispersaient en groupes compacts à l'intérieur de l'usine, puis dans les plantations les plus proches, atteignant parfois les premières maisons du quartier Petit-Bourg. Des plaintes fusèrent de partout car les piqûres de ces insectes s'étaient révélées plus féroces que celles qu'infligeaient depuis toujours leurs congénères de la mangrove. Avec ceux-là, tout ce qu'on risquait, c'était des rougeurs sur la figure et les bras ou des démangeaisons qui s'apaisaient après une application de chandelle molle. Seuls les nègres étrangers à la commune et les Blancs-France risquaient d'attraper le paludisme.

— Ce gouverneur, avec ses idées soi-disant modernes, il cherche à nous désagrémenter la vie ou quoi ? s'irritait l'administrateur adjoint.

Lui, Aymard Lepelletier-Dumont, n'avait jamais été favorable au stockage de la vinasse. Habitant sur les hauteurs de Desmarinières, l'odeur méphitique qu'elle dégageait ne pouvait, il est vrai, l'importuner. Quoi de plus naturel, affirmait-il, que de rendre à la nature ce qui appartient à la nature ?

— Nous broyons la canne, elle se transforme en mélasse, puis en sucre ou en rhum, tout en rejetant ce pissat rougeâtre qu'est la vinasse, et tout ça, mon bon monsieur, sans adjonction d'aucun produit chimique ! Je ne vois donc pas quel mal il y a à déverser celle-ci dans la rivière Salée.

Ainsi exposait-il ses vues à l'inspecteur du travail, un certain monsieur Debretagne, fraîchement nommé dans la colonie, qui se montrait particulièrement tatillon sur le respect des lois en vigueur sur la sécurité du travail et l'hygiène des ateliers.

— Pas étonnant qu'il soit devenu immédiatement camarade avec Anthénor, pestait Aymard Lepelletier-Dumont, c'est des communistes, ces deux-là ! Je me demande où va la France si elle permet à ce genre de suppôt de Moscou de gangrener son administration. Mon cher Pierre-Marie, il me vient parfois à l'idée qu'un jour, nous aurons intérêt à placer ce pays sous la protection des États-Unis. J'ai visité Puerto Rico, eh ben ! je peux vous dire que là-bas, tout fonctionne comme sur des roulettes. L'efficacité yankee est aux commandes ! Et ces fait-chier de communistes, ils ont été mis au pas une fois pour toutes.

Debretagne, qui insistait à chacune de ses visites d'inspection pour que le syndicaliste Anthénor nous accompagnât dans les différents ateliers de l'usine, avait été un artisan déterminé de l'introduction des bacs à vinasse. Il avait même été l'instigateur du décret, mais, à ce moment-là, nous ne le savions pas encore, sinon l'administrateur en aurait profité pour marquer des points sur lui. Nous croyions, Lepelletier-Dumont et moi, qu'il s'agissait d'une énième lubie du gouverneur. Ces hauts fonctionnaires, qui avaient fait l'Afrique ou l'Indochine, oubliaient que nous faisions partie des « vieilles colonies », de celles qui, rappelait souvent mon père, furent françaises longtemps avant l'Alsace, le comté de Nice ou la Corse, et qu'à ce titre nous avions intégré l'essentiel de la civilisation française. Et que par conséquent, ces bougres ignares venus de la métropole n'avaient pas le droit de nous traiter comme des indigènes !

— Trois siècles d'appartenance à la nation française, c'est pas rien ! fulminait parfois maître Aubin. On n'a tout de même pas fêté le Tricentenaire pour les beaux yeux de la princesse, tonnerre du sort !

L'inspecteur Debretagne était à mille lieux de ces subtilités historico-patriotiques. Il avait une mission, celle de faire respecter la nouvelle législation qui protégeait les travailleurs, et il n'y faillirait pas, quelles que fussent les oppositions qui pouvaient se dresser sur son parcours.

— Peu me chaut les hobereaux créoles ! clamait-il lorsqu'il avait une prise de bec avec un planteur ou un usinier.

Mais voilà, ce décret sur les fosses à vinasse, qu'il avait mis tant d'ardeur à mettre en œuvre, était devenu une véritable nuisance pour les travailleurs de la rue Cases-Nègres. La nouvelle variété de moustiques semblait avoir une prédilection pour les fûts métalliques dans lesquels les nègres conservaient l'eau de pluie qui servait à leur toilette quotidienne et à leur cuisine. Des enfants étaient tombés malades et certains traînaient des fièvres intermittentes que le docteur Molinard n'arrivait pas à soigner. D'aucuns regrettaient la pestilence qui enveloppait la région à l'époque où l'usine rejetait la vinasse directement dans la rivière. Ça puait, certes, ça vous baillait l'envie de vomir, mais, au moins, personne n'attrapait de maladies.

La loi étant la loi, Debretagne persista. Le fumier commença à prendre corps. A cause de l'alcalinité de la vinasse, m'avait prévenu l'ingénieur tourangeau, on allait droit à la catastrophe. Toutes les bestioles les plus vermineuses de la Création y trouveraient une sorte de paradis où elles prospéreraient : rats des champs, bêtes-à-mille-pieds, serpents-fer-de-lance, mygales-matoutou-falaise, chiques et, bien entendu, moustiques qui régneraient par millions au-dessus de tout ce beau monde.

— Bon, le fumier est là, autant en profiter! déclara Aymard Lepelletier-Dumont.

Il m'échut la lourde responsabilité de choisir les ouvriers qui pénétreraient dans les fosses afin d'en extraire le précieux adjuvant. Après tout, peut-être cela nous permettrait-il à la longue de nous passer de ces engrais chimiques qui grevaient lourdement le budget de nos plantations. Aucune économie, si minime fût-elle, n'était inutile en cette période où notre rhum et notre sucre patinaient à nouveau sur le marché métropolitain. Mais nul n'était disposé à entrer pieds nus dans cette inquiétante mixture (« cette charognerie », vitupérait Anthénor) qui semblait vivre d'une vie propre, ici ferme et compacte, là gluante ou carrément liquide.

Je ne voulais imposer à personne un tel supplice, aussi proposai-je une prime considérable (le prix de trois journées de travail à l'usine contre une matinée d'extraction de fumier) pour qui se désignerait lui-même. Les mécaniciens, les ajusteurs et les chaudronniers furent les premiers à se récuser sans que cela choquât quiconque puisqu'ils étaient considérés par tous comme des travailleurs hautement qualifiés. Les responsables des turbines et des chaudières détournèrent les yeux quand mon regard se posa sur eux. Les décrocheurs arborèrent une mine farouche qui en disait long sur l'opinion qu'ils se faisaient d'une telle tâche.

— *Man simé ay pwôpté an fôs kaka pito!* (Je préférerais nettoyer une fosse à excréments !), ronchonna celui que je m'apprêtais à solliciter.

De telles fosses existaient partout, y compris aux abords des grandes demeures à colonnades des plus riches planteurs, et nul n'avait jamais rechigné lorsqu'il fallait les vidanger. Aux approchants de la nuit, on voyait des cohortes de femmes guillerettes, un pot de chambre en équilibre sur la tête, sillonner les quartiers de Rivière-Salée pour aller en vider le contenu dans la fosse à excréments la plus proche de leur domicile. Le caca, c'est humain, ça provient de notre sang, de notre chair, disait-on, et il n'y a pas de mal à devoir le manipuler. Au contraire, les fosses à vinasse, c'était quoi, hein, sinon l'antichambre de l'Enfer ?

Les employés du chemin de fer se tenaient à l'écart, goguenards. Ils savaient que je ne ferais appel à leurs services qu'en dernière instance car on ne pouvait pas les remplacer facilement à leur poste. Autant à l'usine, il n'y avait aucune difficulté à déplacer un décrocheur et à le mettre à surveiller le vesou qui tombait dans les gouttières ou bien à demander à un chaudronnier de contrôler le remplissage des foudres du rhum que l'on destinait au vieillissement, autant trouver un homme pour conduire la loco ou poser des traverses relevait de la gageure. Ma grosse crainte, chaque matin, au réveil, était de devoir constater l'absence d'un de nos conducteurs pour cause de maladie ; si, par malheur, celle-ci se prolongeait, il me fallait faire appel à un étranger — quelqu'un du Lamentin le plus souvent — qui exigeait d'être payé les yeux de la tête et à la journée en plus. Une fois, faute d'autre solution, j'avais même été obligé de conduire une des locomotives moi-même, et j'avais vu la surprise et l'admiration de nos ouvriers qui n'ignoraient pourtant pas que, dans mon adolescence, j'avais expérimenté grâce à mon père presque tous les postes de travail de la sucrerie et de la rhumerie, mais qui doutaient de mes capacités en matière de chemin de fer puisque je les avais acquises loin d'eux, là-bas, dans le Nord, sur l'habitation Petit-Pérou, dans la commune de Sainte-Marie.

— Eh ben ! pour tirer ce foutu fumier de là, il ne reste que monsieur Florius, ironisa le contremaître Sonson.

Il avait raison : des bacs à vesou, où il était employé, aux fosses à vinasse, mon ancien chef de bande n'aurait pas à faire de gestes très différents. Sauf que le vesou, c'était du sucre en pâte, que ça sentait bon, même si on en ressortait un peu écœuré, alors que la vinasse équivalait, qu'on le veuille ou non, à de la merde. De la merde mille fois pire que les excréments humains. Je n'eus pas à trahir notre amicalité d'antan. Par défi ou parce qu'il couvait déjà quelque démêler-sans-comprendre avec le commandeur Sonson, Florius se décida à descendre dans les fosses à vinasse et à en extraire le fumier. Il ne tint pas deux jours. Son corps se couvrit de boutons purulents et une mauvaise toux grasse lui boucha les poumons. Le docteur Molinard, requis en catastrophe par l'administrateur, le fit conduire à l'hôpital civil de Fort-de-France, où Florius faillit perdre la vie. Cette fois-ci, l'administrateur tenait sa revanche sur cet énergumène de gouverneur et ses idées farfelues. Il se permit même de rabrouer l'inspecteur Debretagne alors que, d'habitude, il faisait preuve devant lui d'une feinte humilité. C'était sans compter sur la capacité de réaction de ce dernier qui ordonna la fermeture des fosses à ciel ouvert et l'installation d'immenses cuves métalliques dans lesquelles la vinasse serait conservée durant la saison sèche pour être rejetée dans la rivière Salée pendant les crues d'hivernage. Dès la fin août, en effet, notre cours d'eau, qui n'était qu'un mince filet verdâtre en carême, se mettait à grossir jusqu'à devenir un torrent et, si un cyclone se manifestait, un véritable petit fleuve. Cette métamorphose avait stupéfié l'ingénieur tourangeau la première année où il avait pris ses fonctions à l'usine de Génipa. Dans les pays tempérés comme la France, nous expliqua-t-il, le volume des rivières et des fleuves ne varie pas aussi considérablement entre saison sèche et saison humide.

— En mer, sous vos tropiques, il n'y a presque pas de marées, mais par contre vous avez des raz-de-rivière ! plaisantait-il chaque fois que la saison d'hivernage approchait.

Toujours est-il que la nouvelle solution proposée par l'inspecteur Debretagne était fort astucieuse. Aucun d'entre nous n'y aurait pensé, tout natifs du pays que nous étions, Noirs et Blancs.

— Ils en ont dans le crâne, ces bougres d'En-France, tout de même ! s'extasia Anthénor, le syndicaliste, qui était un peu en froid avec l'inspecteur métropolitain depuis l'installation des fosses à vinasse.

Mais l'administrateur adjoint invoqua le coût des cuves métalliques et surtout le temps qu'il faudrait consacrer à leur fabrication. Aymard Lepelletier-Dumont ne voulait pas s'avouer vaincu : il tenait dur comme fer à cette tradition séculaire qu'était le rejet de la vinasse dans la rivière pendant que l'usine était en fonctionnement, c'est-à-dire toujours en plein carême.

— Eh bien ! vous ferez couvrir les fosses, finit par imposer l'inspecteur. Plus question de fumier ! La paille de canne, qu'on la garde pour le bétail ! Vous poserez des tôles en guise de couvercles, comme ça, il n'y aura plus de moustiques pour vous empoisonner l'existence, messieurs.

Et, s'adressant particulièrement à l'administrateur adjoint, détachant ses mots, il lui bailla le coup de grâce :

— Seulement, deux de vos fosses sont trop proches de la rivière, monsieur Lepelletier-Dumont. Je crains que, par infiltration, la vinasse ne s'y répande quand même. Désormais, toutes les fosses devront être installées à soixante mètres au moins des canaux, fossés ou rivières. Soixante mètres, est-ce bien clair ?

Contenant sa rage, le jeune béké m'interrogea d'un geste du menton. Dès le lendemain, je faisais reboucher les deux fosses en question et en creuser de nouvelles à distance réglementaire. Cette vie-là, ce travail à l'usine, mon père Aubin n'avait pas tort, c'était bien une sorte d'esclavage. Pour les nègres d'abord, mais aussi pour les békés-goyave comme nous autres, les La Vigerie. Mais je l'aimais malgré tout. Ma vie n'aurait pas eu de sens si, chaque matin, je n'avais entendu le bruissement mouillé des cylindres écrasant les cannes ou le roulement des chariots emportant les sacs de sucre dans les magasins de dépôt.

5

Très tôt, ton père, sans en avoir l'air pour ne pas choquer ta mère, t'enseigna le rituel du rhum. Cet alcool, à l'entendre, était incomparablement supérieur à ces boissons aux noms ronflants que l'on importait d'Europe et que les Grands Blancs affectaient de lui préférer : armagnac, cognac, kirsch et consorts. Seuls certains vins très fins de Bordeaux pouvaient parfois rivaliser avec lui, encore que, sous un climat aussi chaud et humide que celui de la Martinique, ils perdissent irrémédiablement leur saveur.

— De toute façon, se vantait-il, quand le rhum est arrivé pour la première fois en Europe à la fin du XVIIe siècle, figure-toi que les gens de là-bas ne savaient même pas fabriquer de l'alcool blanc. Enfin... de l'alcool blanc sérieux, je veux dire. Tu sais ce qu'ils buvaient jusqu'à tout récemment ? Tu veux le savoir ? Des breuvages ridicules comme l'Eau cordiale genevoise, le Parfait Amour, l'Eau d'oranger, l'Eau des mille fleurs, la Crème de pucelle... Ah ! la Crème de pucelle, j'en aurais bien goûté, de celle-là ! Quoi d'autre ?... L'Eau des Barbades, qui n'est qu'une eau-de-vie à la cannelle, la fenouillette et le ratafia de Cassis. L'alcool blanc, le vrai ? Ces messieurs ne l'ont découvert que grâce à notre rhum des Antilles !

Le rituel du rhum, ton père le comparait rien de moins qu'à la cérémonie du thé au Japon, cérémonie dont personne dans son entourage n'avait jamais entendu parler et dont ta mère se gaussait, croyant qu'il s'agissait d'une de ces balivernes livresques dont il aimait à faire étalage lorsqu'ils recevaient des amis. Car seule cette qualité de gens-là vous était familière. Les parents de ton père, et encore moins ceux de ta mère (qui vivaient fort loin de Rivière-Salée, il est vrai), ne faisaient pas partie de vos fréquentations. Les La Vigerie te paraissaient seuls au monde pour une raison que tu n'arrivais pas encore à élucider, quoique des prénoms d'oncles ou de belles-sœurs émaillassent parfois les conversations aigres-douces qu'échangeait le couple dès qu'il se retirait dans sa chambre, à l'heure du coucher.

Il fut un temps, assez bref te sembla-t-il, au cours duquel ton père se lia d'une très étroite amicalité avec Firmin Léandor, le commandeur de l'habitation Bel-Évent. Ce dernier arrivait chaque samedi matin à la devanture de votre maison sous prétexte de l'aider à faire la paye des travailleurs des champs. Habituellement, cette tâche reposait sur les épaules de l'économe de chacune des plantations, mais, au fil du temps, ton père avait tenu à tout centraliser afin de prévenir les fraudes. Certains commandeurs, en effet, pour des motifs inavouables, couvraient des coupeurs de canne qui n'avaient pas accompli leurs vingt-cinq piles de canne quotidiennes ou favorisaient les amarreuses qu'ils envisageaient comme femmes-dehors. Ainsi, à partir de l'année du Tricentenaire, on se mit à payer les nègres des champs et les nègres d'usine au même endroit et à la même heure, ce qui égratigna un peu la superbe de ces derniers qui s'étaient toujours considérés comme relevant d'une engeance supérieure aux premiers.

— C'est au moment où maître Aubin est sur le point de passer la main qu'il nous fait cette méchanceté-là, alors ! se plaignaient amèrement les mécaniciens et les cuiseurs, qui exigèrent d'être servis avant tout le monde parce qu'ils étaient persuadés de faire partie de l'élite.

Ton père accueillait Firmin Léandor à la manière d'un prince, bien qu'il fût un mulâtre. Pourtant, tu l'entendais souvent critiquer cette race, la vouer même aux gémonies. Il n'avait pas de termes assez durs pour la qualifier : ambitieuse, insolente, prétentieuse, superficielle, portée sur la jactance vaine, traîtresse surtout. On peut faire confiance les yeux fermés à un nègre quand on a réussi à dompter son tempérament, affirmait-il, mais un mulâtre, il faut s'en méfier comme de la peste. Il détestait ceux qui, au bourg de Rivière-Salée, tenaient haut le pavé et ne craignaient plus la grandipotence des Blancs créoles, méprisant même ceux qui, à l'instar de ton père, ne possédaient ni terres ni usine. L'instituteur de la classe du cours moyen où devait entrer ta sœur Marie-Louise se permit même de brocarder ton père quand ce dernier préféra la retirer de l'école communale et la confier de nouveau à votre précepteur.

— *Ou pè an moun koulè mété lanmen'y an dé fant katjé'y men, asiré pa pétèt, sé yonn adan yo ki kay déjennfité'y ba'w!* (Vous avez peur qu'un homme de couleur ne glisse la main dans la fente de ses cuisses, mais je vous assure que c'est l'un d'eux qui va vous la dépuceler !), lui lança-t-il avec une grossièreté appuyée.

En fait, l'instituteur avait très peur qu'on ne ferme le cours moyen faute d'un nombre d'élèves suffisant car la plupart des petits nègres qui étaient censés le fréquenter n'y faisaient que de brèves apparitions, souvent deux ou trois matinées dans la semaine, parce qu'ils devaient aider leurs parents aux travaux des champs. On les embauchait dès l'âge de sept ou huit ans dans les « petites bandes » qui avaient la charge de ramasser les cannes oubliées par les amarreuses. José Hassam, ton meilleur ami, un négrillon qui parlait le français comme un dictionnaire et qui faisait de tête des calculs compliqués, n'y avait échappé que parce que sa grand-mère, Man Tine, se tuait à la tâche pour l'élever. Il se disait déjà qu'il réussirait haut la main à l'examen des bourses et qu'il irait continuer ses études à Fort-de-France pour devenir un grand monsieur.

— Celui-là est une énigme pour moi. Une énigme, oui ! te disait ton père, rêveur, lorsqu'il le voyait s'arrêter dans le sentier qui passait non loin de votre demeure et te siffler pour que vous abattiez ensemble les quatre kilomètres qui vous séparaient de l'école communale.

Ainsi donc, le commandeur Firmin Léandor devait être une exception car une bonne demi-heure avant son arrivée, ton père gourmandait votre servante Antoinise pour qu'elle installât le service à punch sur la table de la véranda. Il la traitait de « Mamzelle Balai » parce qu'à ses yeux, la jeune femme passait les trois quarts de son temps à nettoyer la maison de sa poussière ou de ses toiles d'araignées et la cour des feuilles mortes des manguiers.

— T'es fiancée à un balai ou quoi ? s'énervait-il. Tu n'as pas oublié le sirop de groseille, hein ? La cuiller m'a l'air sale, va me la propreter, allez, remue ton corps !

Dès qu'il posait le pied par terre, Firmin Léandor, confiant son cheval à ton frère Renaud, lançait à la cantonade :

— *Mèt Oben, ki mannyè mabouya-a yé bonmaten-an ?* (Maître Aubin, comment se porte le lézard-margouillat ce matin ?)

— *Aaa, nèg mwen ! I la ka chatrinen mwen toubannman, wi.* » (Aaah, mon vieux ! Il me chatouille terriblement, oui.)

— Eh ben, décollons-le !

— C'est toi que j'attendais, Firmin. Le décollage est prêt.

Ce lézard-margouillat qui, chaque samedi matin, s'incrustait au fond de la gorge de ton père et de son ami t'intriguait fort. Et quand tu les voyais s'envoyer une bonne rasade de grappe blanche mâtinée de sirop et d'un zeste de citron vert, se racler le palais avec une intense satisfaction, une envie de vomir s'emparait de toi. Il faut dire que si, comme tous les enfants, tu adorais les anolis, ces lézards verts qui couraient sur le balcon de la véranda et que vous vous amusiez à capturer à l'aide d'une herbe-cabouya transformée en minuscule lasso, leurs cousins margouillats te faisaient horreur. Votre instituteur prétendait qu'en bon français, il fallait dire « caméléons », mais ce mot-là ne vous disait rien. Il n'avait pas, comme margouillat, le pouvoir d'évoquer la peau lépreuse et blanchâtre, vaguement humide, du petit reptile, ni ses pattes munies de ventouses rose violacé, ni sa langue démesurée en forme de fourche qu'il tigeait de sa gueule pour attraper les mouches imprudentes ou les ravets. En fait, le margouillat était surtout la phobie des femmes. Quand elle en découvrait un terré derrière le tableau de *La Semeuse* qui décorait votre salle à manger — apparemment leur cachette de prédilection —, Antoinise devenait presque folle. Elle le pourchassait à l'aide du manche de son balai en maugréant :

— Espèce de diable, je vais t'écrabouiller, tu vas voir !

Ta mère lui lançait de l'alcali. Ta sœur aînée Marie-Louise se réfugiait, terrorisée, dans la chambre des filles. Toutes savaient que si, par malheur, le margouillat vous sautait au visage ou sur n'importe quelle partie du corps, il serait impossible de le faire lâcher prise. Impossible ! Il s'agrippait à votre peau à l'aide de ses pattes visqueuses et on était obligé de le tuer en lui perçant la tête à l'aide d'une grosse aiguille ou en l'étouffant grâce à du pétrole lampant. A la vérité, il ne t'avait jamais été donné d'assister à cette scène dramatique qui, tu le compris bien plus tard, relevait plus du fantasme que d'une menace réelle. Mais les femmes avaient bien raison : cette créature était vraiment horrible. C'est pourquoi tu ne comprenais vraiment pas pourquoi ton père et Firmin Léandor n'éprouvaient aucun dégoût non seulement à la laisser pénétrer au fond de leur gorge, mais, en outre, à l'avaler avec délice lorsqu'ils prenaient leur décollage.

— Quand tu dors, il y a une sorte de flume qui se forme dans ta bouche, finit par t'expliquer un jour Antoinise, surtout si tu es un peu grippé. Du rhume, quoi ! Et, quand tu te réveilles, tu sens une gêne et tu le craches. Eh ben ! le flume, il ressemble comme deux gouttes d'eau au margouillat.

Ton père ne recevait jamais Firmin Léandor à l'intérieur de votre demeure. Les Blancs créoles, fussent-ils dénantis comme vous l'étiez, conservaient tout de même un certain sens de la hiérarchie. Permettre à un homme de couleur de fouler le plancher de votre salon ou de votre salle à manger revenait presque à déchoir (et dans votre cas, tomber plus au fond encore !). Le mulâtre ne s'en offusquait nullement. Tout cela n'était-il pas dans l'ordre des choses ? Tu remarquas même qu'il faisait son possible pour éviter le regard de ta mère et qu'il ne posait jamais les yeux sur tes sœurs alors qu'il plaisantait parfois avec vous, la garçonnaille. Ton père le questionnait sur l'avancement de la récolte à Bel-Évent, quand bien même il savait qu'il n'obtiendrait que d'excellentes nouvelles. Firmin Léandor était un bougre sérieux, pas un de ces « rois Makoko » qui, aussitôt qu'ils avaient obtenu une promotion, se tournaient les pouces ou cochonnaient le travail. Aux approchants de huit heures du matin, ton père et lui se rendaient à pied à l'économat de l'usine, accompagnés de Renaud, Moïse et toi-même. Juste avant l'usine, tes frères empruntaient un chemin de traverse pour aller rejoindre la bande à Florius, leurs arbalètes déjà munies de belles pierres rondes. Les grives trembleuses, les merles, les tourterelles et les gangans n'avaient qu'à bien se tenir ! A ton grand dam, ton père te retenait par la main, te disant :

— Toi, tu es trop petit pour tomber dans la brigandagerie. Tu viens à l'économat avec nous, mon bonhomme !

Les deux hommes disposaient leurs registres sur une table à tréteaux et commençaient à calculer la paye des nègres d'habitation. Firmin Léandor brandissait un curieux carnet à couverture verte dans lequel il notait les tâches accomplies par chacun d'eux, les amendes éventuelles qu'il avait pu infliger à certains, le tonnage approximatif des cannes que Bel-Évent avait livrées à l'usine, l'état de la voie ferrée et le nombre de traverses à remplacer ainsi qu'une foule d'autres indications de moindre importance. Tu t'étonnais toujours que quelqu'un qui passait l'essentiel de son existence à cheval, galopant aux quatre coins de la plantation pour contrôler l'avancée du travail, pût écrire autant. Une grande respectation mutuelle régnait entre ton père et lui et ils ne se trouvaient que rarement en désaccord. A huit heures trente, ton père arrêtait tout et t'envoyait chercher les cocos fraîchement cueillis qu'un habitant de la rue Cases-Nègres lui déposait chaque samedi à la porte de l'économat. Le moment sacré du « cocoyage » était arrivé ! Firmin ouvrait prestement les noix avec le coutelas six pouces très effilé qu'il portait à la hanche et ils se mettaient à boire si goulûment l'eau de coco qu'elle leur dégoulinait dans le cou et parfois sur le col de leur chemise en kaki. Ton père te laissait souvent une petite crasse, bien que tu n'appréciasses que modérément la fadeur de ce breuvage. Tu lui préférais mille fois les limonades rouges, vertes ou jaunes que votre bande achetait à la boutique de Tantine. Puis, les deux amis se versaient immédiatement une solide rasade de rhum coco-merlo que ton père allait recueillir dans une dame-jeanne qui ne quittait jamais son bureau. Les yeux clos, ils savouraient leur cocoyage, ton père se frappant la poitrine de plaisir.

Sur les onze heures et quelques, quand la paye des travailleurs des champs, beaucoup plus nombreux que ceux de l'usine, était achevée, Firmin Léandor, d'ordinaire si ténébreux, arborait un sourire inhabituel et s'écriait d'une voix volontairement enfantine :

— Maître Aubin a oublié le mabi, alors ?

— *Asé di blag, boug mwen ?* (Tu plaisantes ou

quoi, mon vieux ?), rétorquait maître Aubin, jovial, en sortant du tiroir de son bureau une fiole qui contenait un liquide marron clair.

Cette boisson, que l'on prétendait héritée des premiers habitants de la Martinique, les Caraïbes, était réputée (tu l'appris en grandissant) pour ses vertus aphrodisiaques. Il s'agissait de morceaux d'écorce de bois-mabi que l'on avait mis à macérer dans du rhum avec de la cannelle, de la muscade et du gingembre. Ton père t'en versait une goutte sur ton pouce et te lançait :

— Tu n'as pas encore l'âge pour ça, mais ta manman n'est pas là pour te voir, alors profites-en, Pierre-Marie ! La vie est courte. C'est pas vrai, Firmin ?

— *Asiré pa pétèt !* (Pour sûr !)

Troisième temps fort du rituel du punch, le « mabiage » se terminait par une larme de rhum vieux que les deux amis se versaient non plus dans les verres dont ils s'étaient servis pour le « cocoyage », mais dans des timbales en fer-blanc cabossées. L'heure courant à grandes enjambées vers midi, ils s'empressaient de faire la paye des ouvriers de l'usine. Là, Firmin Léandor n'avait plus voix au chapitre. Il se contentait de vérifier l'exactitude des additions ou des soustractions effectuées par ton père. Tu étais aussi stupéfait de la rapidité et de la précision avec lesquelles il procédait. Son crayon noir glissait sur les colonnes de chiffres tandis que sa bouche les énonçait à mi-voix et flap ! de tête encore il s'écriait : « Juste ! » ou au contraire : « Une petite erreur, maître Aubin ! Ça fait trente-neuf francs pour Rigobert Gros-Désir, pas trente-sept. » Légèrement agacé, ton père, qui était davantage porté sur la lecture que sur l'arithmétique, vérifiait ses calculs et reconnaissait que le mulâtre avait raison. De temps à autre, il murmurait comme s'il était seul dans le bureau :

— Tout ça d'argent ! Bondieu-Seigneur, où est-ce qu'on va le prendre pour payer tout ce monde-là ?

— *Ni lajan byen!* (L'argent est bien là !), ripostait Firmin, sur la défensive, un peu irrité à son tour.

— Je sais, je sais ! Mais certains s'imaginent que l'usine possède un pied d'argent. Qu'il suffit d'en secouer les branches pour que billets et pièces de monnaie tombent par terre !

Anthénor, le syndicaliste, causait bien des soucis à ton père. Il incitait les ouvriers à se mettre en grève ou à ralentir le travail pour obtenir des augmentations. Lors de l'assassinat d'André Aliker, gérant du journal communiste *Justice*, en 1936, l'usine de Génipa s'était ainsi retrouvée bloquée pendant onze jours. Comme il était l'un des meilleurs chaudronniers, il était hors de question de le licencier, or le bougre n'avait cure des menaces répétées de Simon le Terrible. Ce dernier prétendait que le syndicaliste avait collé une photo d'un Russe appelé Staline sur la porte de sa maisonnette afin de narguer les Blancs.

— Son Bondieu, c'est pas Jésus-Christ, enrageait l'administrateur. C'est Staline, un dictateur qui a supprimé la propriété privée dans son pays et qui veut convertir le monde entier à son système sans foi ni loi !

A midi, la sirène municipale de Rivière-Salée cornait son déchirement quotidien qui vous faisait tous trois sursauter dans le bureau de ton père. Les deux hommes s'étaient si bien attelés à leur tâche qu'ils avaient réglé tous les problèmes concernant la paye des ouvriers et planifiaient déjà la semaine à venir. Quatre heures d'intense cogitation plus la chaleur qu'amplifiait le toit de tôle ondulée les avaient mis en nage. Firmin Léandor félicitait ton père d'avoir un garçon aussi sage que toi. Régulièrement, ce dernier s'était inquiété de savoir si tu t'ennuyais et tu lui répondais toujours par la négative. Ce bureau était à tes yeux une véritable caverne d'Ali Baba dans laquelle tu avais tout loisir de fouiller et de farfouiller sans qu'une voix sentencieuse, comme celle d'Antoinise ou de ta mère, ne vînt te rappeler à l'ordre. Dans un coin s'empilaient des livres de compte cartonnés qui portaient en guise d'inscription une simple date en lettres dorées : « 1927-1928-1929 ». Tu saisissais l'occasion de mettre en pratique les rudiments de lecture que t'avait enseignés votre précepteur avant que tu n'ailles à l'école communale, endroit où tu avais le sentiment de perdre ton temps, voire de régresser au dire de ta mère qui, lorsqu'elle était de mauvaise humeur (chose fréquente), aimait employer des mots savants. En effet, sous prétexte de permettre aux gamins nègres d'atteindre le même niveau que les petits mulâtres et les quelques Blancs qui composaient sa classe du cours élémentaire deuxième année, ton institutrice revenait toujours en arrière sur des leçons que vous aviez étudiées un ou deux mois plus tôt. Florius, le chef de votre bande, qui, à cause de multiples redoublements, vous dépassait d'une tête du haut de ses seize ans, se lamentait à haute voix :

— *Fwansé sé pa bagay tout moun, non!* (Le français, c'est pas quèque chose qui est à la portée de tout le monde!)

Il savait que cette audace — c'est-à-dire l'utilisation de l'idiome interdit — lui vaudrait sur-le-champ un pensum ou parfois une correction. Il devrait recopier cent fois la phrase : « Je ne dois pas parler créole en classe », ou bien tendre la main gauche, les doigts intimement collés les uns aux autres, pour recevoir dix coups de règle bien sonnés qui lui arrachaient des larmes, mais pas un seul crier-à-moué, sinon il risquerait de perdre son titre envié de chef de bande. A tout prendre, Florius préférait ce supplice à l'éventualité de commettre quelque faute grossière qui ferait éclater de rire ceux d'entre vous qui maîtrisaient le français, faute qui, de toute façon, serait tout aussi sévèrement sanctionnée. Il n'avait pas oublié ce jour d'octobre, juste après la rentrée scolaire, où il avait levé le doigt et avait demandé bravement à la maîtresse :

— Madame, si'ou'plaît, mon plume est cassée. Je 'peux prêter celui de José ?

Il avait aussitôt été mis à la porte et, lorsqu'il fut autorisé à rentrer, la maîtresse l'envoya s'asseoir au fond de la classe, seul sur un banc qui branlait à cause d'une patte plus courte que les autres. Il ne fallait pas qu'il continue à distraire ce petit génie de José Hassam qui, en plus, était le plus poli et le plus dévoué de tous les élèves. En réalité, une vive animosité s'était déjà développée entre le grand dadais, expert en chasse aux tourterelles et en capture d'écrevisses, et ton meilleur ami. Florius lui reprochait souvent de ne parler que le français pendant la récréation alors que vous profitiez tous de ces vingt minutes d'absolue liberté pour farauder dans l'idiome qui vous était, Noirs, mulâtres et Blancs, le plus naturel.

Outre les livres de comptes et les registres, le bureau de ton père contenait bien d'autres merveilles : manomètres usagés, roulements à billes, caisses à outils, tonneaux et dames-jeannes de toutes formes. Tu imaginais des machines insolites à l'aide de morceaux de tôle et de vieilles chaînes, à la grande joie de maître Aubin qui disait à Firmin Léandor :

— De mes trois fils, c'est sûrement le plus petit qui va prendre ma relève. Il a déjà l'usine dans le sang, le bougre !

— Mes respects, maître Pierre-Marie ! plaisantait Firmin Léandor. Vos désirs sont des ordres.

Il était temps de rentrer déjeuner. Temps aussi de s'envoyer un grand verre de rhum d'usine. Rhum brut, violent, « *maténonm* » (« renverse-homme ») comme on le désignait en créole. Le soleil était cette fois à son zénith et les deux hommes se protégeaient avec des chapeaux-bakoua à large bord. Sans un mot, vous repreniez le chemin à pied, sauf quand le temps était pluvieux, chose peu fréquente durant la récolte. Hector venait alors vous chercher en tilbury. Il vous avait dressé une table de fortune sous le préau de la case-à-outils où vous attendaient déjà Antoinise et ses plats du samedi à la succulence rare. Dans la salle à manger, ta mère et tes frères et sœurs terminaient leur déjeuner et vous faisaient à tour de rôle des saluts amicaux par la fenêtre. Ton père s'inquiétait avant tout de savoir si Renaud et Moïse étaient rentrés sains et saufs de leur expédition avec la bande à Florius et, rassuré, il s'écriait, invitant Firmin Léandor à s'asseoir :

— Aaaah ! le samedi est le seul jour de la semaine où je remercie le Bondieu de m'avoir créé. Antoinise, tout est paré pour le punch, foutre ?

Sur une sorte de buffet désaffecté, votre servante avait posé un napperon brodé d'un blanc immaculé sur lequel elle avait disposé en cercle les objets sacré du culte : des carafons en cristal contenant, celui-ci du sirop de canne, celui-là de la grappe blanche, cet autre du rhum vieux, une carafe rouge en terre cuite des Trois-Îlets remplie d'eau fraîche dont le goulot était protégé à l'aide d'un petit mouchoir blanc, une soucoupe contenant un citron vert entier et un autre découpé en fines lamelles, une tasse de sucre roux et en particulier une cuiller en argent à manche très long qui ne servait que pour remuer le punch. Les deux amis s'approchaient respectueusement du buffet, l'œil traversé de lueurs de convoitise, la main légèrement tremblante. Ton père murmurait :

— *Mussieu mwen! Mussieu mwen!* (Mon bon monsieur ! Mon bon monsieur !)

Il versait avec délicatesse une larme de sirop dans chacun des verres. Puis, il s'emparait du carafon de grappe blanche qu'il levait à hauteur des yeux et tournait lentement pour recueillir la lumière de midi. Puis, il se mettait à remplir le verre de son hôte en gardant les yeux fixés sur lui jusqu'à ce que Firmin Léandor s'exclame :

— Hop là ! Tu veux me tuer, compère ?

— C'est rien ! Un petit 55 degrés n'a jamais fait du mal à personne.

Il remplissait son propre verre à moitié avant de tendre au mulâtre la soucoupe de lamelles de citron vert. Chacun en purgeait une dans son punch d'un air comiquement concentré, puis ton père s'emparait de la cuiller au long manche argenté et touillait son punch. Il la tendait ensuite à Firmin Léandor, qui se livrait à la même opération avec un soin également exagéré, puis levait son verre à leur santé. Alors, d'un coup sec, les deux hommes ingurgitaient la totalité du breuvage. Quand ton père était d'humeur badine, il s'écriait :

— A la tienne, Étienne !

— Sans rancune aucune ! répondait son hôte, se piquant au jeu.

Une communion parfaite régnait entre les deux hommes à ce moment-là. Un peu comme si le punch réussissait, par miracle, à briser les barrières raciales et sociales qui les opposaient. Moment pur, suspendu entre l'implacable de midi et la touffeur de la seconde moitié du jour. Récompense suprême pour les millions de coups de coutelas qui avaient coupé la canne, les dizaines de milliers de « Hohisse ! » qui avaient soulevé les paquets du bât des mulets jusqu'aux wagons, les innumérables gestes, condamnés à être précis, exécutés par les employés de l'usine. Hommage à la colonne de distillation qui, année après année, livrait un rhum d'une qualité universellement reconnue comme supérieure.

Les deux compères engloutissaient ensuite leur déjeuner, sans parler, comme s'ils avaient quelque tâche urgentissime à accomplir dans l'après-midi, ce qui n'était pas du tout le cas. Au café, Antoinise savait qu'elle devait servir un « pousse », un petit coup de rhum vieux qui favorisait la digestion. Tu contemplais, un peu ahuri, l'aplomb de Firmin Léandor et de ton père, qui, se calant dans leur chaise, entreprenaient tranquillement, comme des personnes à jeun, quelque discussion sur la mévente du rhum en France ou sur les taxes scélérates que lui infligeait le Conseil Général, lequel, à l'époque, t'apparaissait comme une créature monstrueuse, une hydre invisible, uniquement préoccupée de manger la laine sur le dos des usiniers. Si on était en période de récolte et qu'on avait accumulé du retard, ils s'en retournaient à l'usine pour contrôler le travail des nègres qui avaient accepté de sacrifier leur samedi pour que le sucre et le rhum de Rivière-Salée continuent à tenir la dragée haute à ceux des communes avoisinantes. Ces bougres-là, étrangement — et à la grande fureur d'Anthénor, le syndicaliste —, parlaient de « notre usine » comme s'ils en étaient actionnaires. En tout cas, ils en étaient fiers et tenaient des propos lénifiants sur monsieur Simon qui, à leurs yeux, n'était pas si terrible que cela.

— Seuls les paresseux ont peur de lui ! affirmaient-ils.

Sur les trois heures de l'après-midi, ton père décrétait un pauser-reins. C'était le moment de la relève des cuiseurs et des chaudronniers. Une autre équipe piaffait déjà d'impatience à l'entrée de l'usine, blaguant avec Firmin Léandor auquel elle faisait mine de reprocher de se trouver là, lui, l'homme des champs, le commandeur de plantation.

— Si tu veux brocanter ta place avec la mienne, lui lançait quelqu'un, y a pas de problème ! Monsieur Aubin, tu es d'accord, hein ?

Souriant, ton père leur offrait le « labraguine », verre de grappe blanche qui était le bienvenu au moment de s'atteler aux machines, dans l'atmosphère étouffante de l'usine. Levant haut le sien, il s'écriait :

— *Sa ki mô san konnèt sa labradjin yé, enben yo sé an bann tèbè, fout!* (Ceux qui crèvent sans connaître ce qu'est le labraguine, eh ben, c'est une bande de couillons, foutre !)

L'usine se mettait à ronfler de plus belle, une fois que la relève s'était réalisée. Les moulins-broyeurs dégorgeaient le jus de canne, le triple-effet malaxait la mélasse, les turbines sifflaient leur symphonie infernale et ton père avait grand mal à cacher l'heureuseté qui l'habitait. S'il n'éprouvait guère un tel sentiment dans son foyer, là, au mitan de ses ouvriers, dans le bruit, la sueur, les fumées et les mauvaises odeurs, il rayonnait. Et toi, à ton tour, tu te laissais emporter par l'atmosphère euphorique qui emplissait les ateliers. Seul, Firmin Léandor, mais c'était bien naturel, demeurait sur la réserve. Il jetait un regard toujours curieux et vaguement incrédule à ces machines qu'il ne manipulerait jamais et qui transformeraient bientôt la canne, qu'il avait fait planter avec tant d'amour, en cristaux de sucre lumineux et en eau-de-vie diaphane.

Comme pour le consoler, ton père l'invitait à prendre un « folibar » dans son bureau. Là, les deux hommes se délectaient d'un grand arôme en échangeant des grivoiseries sur les femmes de leur connaissance. Ton père surtout s'en baillait à cœur joie car s'il ne s'en vantait point, il avait la réputation de faire tomber en six-quatre-deux les préventions des plus réticentes aux étreintes furtives, seuls actes d'amour qu'un homme sérieux et travaillant pût se permettre durant la récolte. Si la câpresse de Grand-Bassin était sa maîtresse attitrée, Esther, votre blanchisseuse, qui connaissait le fond de culotte de tout le monde, ne se gênait pas pour dévoiler à Antoinise les petits écarts de leur patron.

Quand l'usine était sur le point de fermer, aux approchants des six heures, et que les ouvriers se mettaient à défiler à l'économat pour souhaiter un bon dimanche à maître Aubin — certains d'entre les plus méritants espérant qu'il leur glisserait un billet de dix francs pour qu'ils aillent jouer au sèrbi ou parier sur des coqs de combat —, vous voyiez souvent arriver le Syrien Wadi Mansour, poussant sa brouette chargée de chemises voyantes, de fers à défriser les cheveux, de chapeaux de messe, de sous-vêtements féminins et de paires de souliers. Qu'il pût pousser devant lui un tel bric-à-brac, et cela durant toute la journée du samedi, écumant les campagnes reculées, là où le nègre est crédule et la négresse compatissante (Wadi Mansour leur jouait la comédie du pauvre exilé déchiré par le mal du pays), avant de s'acheminer vers l'usine de Génipa où il savait pouvoir aguicher les bougres qui avaient touché leur paye, était un motif d'étonnement renouvelé pour ton père. Au Levantin en sueur, dont la bedondaine tressautait à chaque pas, il lançait :

— Hé ! la Syrie, monsieur Léandor a besoin de te voir, oui ?

— J'arrrrrive, maîtrrrre Aubin !

— Pas besoin de t'essouffler davantage en parlant français, mon bougre, tu es si à l'aise dans notre créole !

Wadi Mansour était un objet de taquinerie perpétuelle pour Aubin de La Vigerie, cela sans la moindre once de méchanceté. Pendant que le Levantin déballait son tralala de vêtements à la recherche, à la demande de ton père, plus farceur que jamais, de la culotte noire dont avait prétendument besoin le commandeur Léandor pour protéger sa femme des assauts nocturnes des incubes qui infestaient la région de Rivière-Salée (Esternome, le fainéant qui se faisait renvoyer de toutes les plantations, étant l'un des plus redoutables), maître Aubin disposait trois timbales sur son bureau. Il observait du coin de l'œil les réactions de Wadi Mansour. Chacun savait que le Levantin n'était pas insensible aux attraits de la grappe blanche et qu'il suffisait de l'inviter à en goûter, puis à en regoûter, ensuite à en re-regoûter, comme l'expliquait comiquement votre servante Antoinise, pour que le bougre, qui était parti pour vous couillonner, c'est-à-dire vous fourguer des souliers trop étroits pour vos pieds ou bien vous faire prendre des traites sur quelque montre qu'il jurait être en or, se laissât amadouer à son tour au point de vous céder sa marchandise pour bien moins que ce qu'elle valait. C'était d'ailleurs la raison pour laquelle Wadi Mansour ne s'était jamais enrichi, au contraire de ses cousins Abdallah et Youssef qui, au bout de deux ans de colportage et de mystification de leurs clients, avaient réussi à installer deux magnifiques boutiques de linge dans la rue principale du bourg de Rivière-Salée.

— Wadi, mon cher, tu nous dis qu'il faut prier ton Bondieu cinq fois par jour, rigolait ton père en remplissant les timbales à ras bord. Eh ben, ici, comme tu le sais, le nôtre s'appelle Grappe blanche et ses saints sont Grand Arôme, Rhum vieux et Cœur de chauffe. Ses démons sont Tafia et Coco-Merlo. Ha-ha-ha !... Buvons ce petit trafalgar, mon ami, neuvième prière de notre sainte journée !

Les yeux du Levantin luisaient avec une drôle d'intensité. On sentait qu'une sorte de combat intérieur se livrait en lui. Il avait déjà beaucoup bu depuis quatre heures du matin et peu vendu sa marchandise, au vu du monticule de vêtements qui s'élevait dans sa brouette. Il cherchait un peu d'aide, un encouragement auprès du commandeur Firmin Léandor qui demeurait impassible. Ses lèvres frétillaient comme pour formuler quelque excuse, mais, dès qu'il voyait les deux hommes empoigner leurs timbales, Wadi Mansour enfournait d'un seul coup la sienne. On aurait juré qu'il avait peur que ton père ne se ravisât et ne la lui reprît des mains. Le trafalgar, coup de rhum à assommer un bœuf, semblait n'avoir aucun effet sur le colporteur dont le visage s'éclairait d'un large sourire à mesure que le divin liquide descendait dans sa gorge et puis boudouf ! le bougre s'écroulait par terre, là, dans le bureau de l'économat. A cause sans doute de ta présence, les deux amis feignaient de s'attendrir sur le sort du Syrien qu'ils tiraient à bout de bras à l'extérieur. Firmin Léandor replaçait les vêtements dans la brouette et la conduisait à hauteur de son propriétaire. A cette heure-là, presque sept heures du soir, la cour de terre battue de l'usine était tout bonnement sinistre. Les ailes du bâtiment principal commençaient à dessiner des ombres inquiétantes autour de vous.

Ton père puisait une demi-calebasse d'eau dans un fût et en aspergeait la figure de Wadi Mansour, qui reprenait, non sans difficultés, ses esprits.

— Dans ta religion, y a cinq prières par jour, Wadi, continuait à plaisanter maître Aubin. Eh ben ! figure-toi que dans la nôtre, il y en a le double. Oui, le double, vieux frère ! Allez, lève-toi, s'il te plaît ! J'ai besoin d'aller faire ma dixième prière, foutre !

Puis, avec Firmin Léandor, ils aidaient le Syrien à se remettre debout sur ses jambes, sans cesser de le faire tourner en bourrique. Un étrange cortège empruntait alors la route communale : ton père, soudain grave, menant la marche, les mains croisées dans le dos, le commandeur de Bel-Évent à deux pas derrière lui, presque respectueux, un masque d'impassibilité sur le visage, toi, qui essayais de ne pas te faire distancer, et enfin, pestant, crachant, trébuchant dans les crevasses ou butant sur les roches, un Wadi Mansour pitoyable avec sa brouette débordant de marchandises hétéroclites. Il vous quittait à la croisée de Petit-Bourg en divaguant dans sa langue maternelle, à la grande joie de ton père, qui l'imitait. L'arabe de cuisine de maître Aubin avait le don de dérider Firmin Léandor.

— *Achraf choubkaz maasaf, ya wèldi ! Yallah bismallaf tetaalam ennaaldine sadik...*, éructait-il tout le long du chemin, jusqu'à ce que Firmin Léandor, hilare, aperçoive la petite savane où il avait attaché son cheval.

Les deux amis se séparaient d'une simple poignée de main. Le commandeur de Bel-Évent te baillait une petite tape amicale sur la nuque avant de poser le pied à l'étrier, te répétant toujours la même phrase :

— T'as rien vu rien entendu, hein, mon bonhomme ?

A la maison, ta mère boudait à cause de l'heure tardive. La marmaille avait déjà soupé et attendait d'embrasser son père avant d'aller au lit. Aubin de La Vigerie s'installait lourdement dans son fauteuil, au salon, et réclamait un « pousse ». Antoinise, avant de s'en aller, avait tout préparé : il suffisait à ta mère d'ajouter une cuillerée de sirop de canne au minuscule verre de grappe blanche qui trônait au mitan d'un plateau en bois, sur un vieux guéridon. Ton père « poussait » alors son estomac à accepter les carreaux de fruit-à-pain et les tranches de cochon salé qu'il ne tarderait pas à engloutir. Il avait toujours fait preuve d'un appétit gargantuesque sans pour autant devenir gras.

— Le rhum fond ma graisse, assurait-il. Y a pas de meilleur médicament que lui !

Une fois que tu t'étais lavé les pieds derrière la maison avec une bassine d'eau, à moitié entamée par tes frères et sœurs, et que tu avais gagné la chambre que tu partageais avec Moïse, tu tentais en vain de trouver le sommeil. Tes paupières étaient aussi lourdes que de la pierre, mais ton esprit continuait inexplicablement à demeurer en éveil. Tu entendais alors ton père se disputer avec ta mère. Jurons et sanglots se mêlaient pendant un temps qui te semblait interminable. Jusqu'à ce que ton père, élevant plus haut la voix, s'écriât :

— Bon-bon, Edmée, c'est pas ce soir qu'on va régler ça ! Tu le sais bien... Je vais me servir un « va-t'en-coucher ». Bonne nuit, chère !...

Ton père était un fieffé menteur : votre religion créole ne comportait pas dix prières journalières comme il l'avait déclaré au Syrien Wadi Mansour, mais bien onze...

TEMPS DE LA RIGOLADERIE ET DU HAUSSEMENT DE BEC

« Je suis un vieux navire coutumier des tangages et des tempêtes fébriles.

Je m'embalconne, me débalconne, me déchambranle de visions obsessives. Je m'arabesque et m'encouleuvre de fantasmagories.

Nageoires flottantes et ailes phosphorescentes. Mes rêves sont pleins d'oiseaux et de poissons volants. Subversion voluptueuse et danse jubilatoire de mes loas excités aux épices de l'orage. »

Frankétienne, *La Nocturne Connivence des corps inverses.*

1

Ma mère avait fini par s'inquiéter de la connivence qui s'était établie entre ma sœur aînée Marie-Louise et notre servante Antoinise du jour où la première reçut officiellement sa bague de fiançailles. Jusque-là, Antoinise avait toujours gardé une certaine distance avec nous, la marmaille, s'essayant même au rôle de seconde mère tant elle se montrait vindicative dans ses réprimandes. C'était elle qui, chaque matin, nous désignait les vêtements que nous devions porter et qui coiffait mes deux sœurs d'horribles papillotes en papier journal qui les faisaient ressembler à des coléoptères. Ismène, de nature coquette, avait beau protester contre le port des robes à manches longues ou la poudre à joue avec laquelle notre servante la barbouillait, cette dernière faisait semblant de ne rien entendre. Elle continuait tranquillement à nous habiller, chacun à tour de rôle, un petit sourire narquois au coin des lèvres. Ma mère lui vouait une entière confiance car elle était fort secrète et cousue sur le chapitre de sa vie. De plus, elle n'écoutait point aux portes comme notre blanchisseuse, Esther, une drôlesse qui semblait n'avoir pour autre raison de vivre que les ragots et autres paroles rapportées.

Antoinise avait compris qu'en dépit de ses dix-neuf ans, Marie-Louise était devenue une femme. Toutes deux faisaient à présent de fréquents apartés dans un angle de la véranda ou à la cuisine, baissant soudain la voix lorsque ma mère apparaissait dans leur champ de vision. Au début, celle-ci ne vit rien de mal à ce brusque changement de situation et se félicitait même devant ses amies qu'Antoinise enseignât à Marie-Louise l'art de tenir un ménage. Pour donner le change sans doute, il arrivait à mon aînée de repasser quelque vêtement, de recoudre un bouton ou d'éplucher un chou de Chine d'un air qui se voulait très appliqué. Mais si mon père, tout occupé à faire la conversation avec son futur gendre, n'avait rien remarqué de ce manège, le précepteur jetait de temps à autre des coups d'œil inquiets au couple étrange que formaient la câpresse Antoinise, dont les cheveux crépus très fournis luisaient de pommade, et Marie-Louise, très blanche, presque pâlichonne, arborant une longue natte jaune attachée avec un ruban de couleur vive qui lui descendait dans le dos. Outre le fait qu'une telle amicalité entre une femme de couleur et une Blanche était pour le moins singulière, le gandin, au dire d'Esther, toujours bien renseignée, craignait qu'Antoinise ne lui racontât par le menu les frasques amoureuses dont il était coutumier. En effet, s'il se comportait comme un petit saint à Rivière-Salée, prenant très au sérieux son rôle d'éducateur de la progéniture des La Vigerie, il se murmurait qu'en ville, il menait grand train et se livrait à des bamboches effrénées avec des femmes de douteuse vertu dans un casino appelé le « Select-Tango ». Mais ma mère avait tout de suite tranché :

— C'est un homme, il a le droit de faire toutes les expériences qu'il veut ! Au contraire, quand il aura la bague au doigt, il n'aura pas la tentation de courir la gueuse comme monsieur mon mari, puisque le vice n'aura plus de secret pour lui.

Mon père aurait préféré pour sa fille un homme de la terre ou un usinier, quelqu'un qui savait comment levait la canne à sucre, qui reconnaissait à sa seule odeur la provenance de tel ou tel rhum, mais il n'en laissa jamais rien paraître. Les temps se faisaient durs depuis le contingentement des alcools coloniaux sur le marché métropolitain et il aurait été impolitique d'émettre la moindre réserve quant à l'union entre sa fille et cet homme qui deviendrait l'héritier, un jour prochain, d'une des plus importantes maisons d'import-export de Fort-de-France. Des années plus tard, violant le secret des lettres qu'il écrivait à celle qu'il appelait tantôt « l'Élue » ou plus sobrement « l'Aimée », je découvris qu'il ressentait une vive brûlure au plus profond de lui chaque fois qu'était évoqué le fait que son futur gendre fréquentait des lieux déshonnêtes.

Encore pour donner le change, Antoinise et Marie-Louise m'accueillaient dans leur intimité parce que j'étais le plus petit de la maisonnée et qu'elles s'imaginaient que je ne comprendrais pas grand-chose à leur batelage. Car elles battaient de la gueule, ces deux-là, elles rivalisaient d'un flot incessant de remarques triviales, de ouï-dire sur nos voisins, de rêves déclinés à voix haute (Antoinise désirait partir « pour France ») ou d'échanges de conseils sentimentaux. Je feignais de ne point les écouter, feuilletant les revues de couture dans lesquels Antoinise était sûre de trouver la robe qui irait le mieux à Marie-Louise pour le grand jour. Pourtant, elle-même n'avait jamais trouvé à se marier. A cette époque, rares étaient les gens de couleur qui prenaient le temps de passer devant monsieur l'abbé. Notre servante étalait une rare virulence à l'encontre de ses concubins successifs, lâchant dans un soupir :

— Hon ! Toi, tu as de la chance d'être une békée. Tu ne subiras jamais de nègres volages, menti-menteurs, vicieux, pingres, scélérats ou blasphémateurs, comme ça a été mon cas.

— Békée-goyave, tu veux dire ! protestait Marie-Louise d'un ton badin. Békée sans le sou, oui !

— Certes ! Mais békée quand même...

A l'entendre, le pire de ses amants avait été le nègre Sosthène, ce monsieur La Technique devant lequel tout le monde faisait des courbettes durant les six premiers mois de l'année parce qu'il était hors de question que l'usine de Rivière-Salée s'arrêtât, ne serait-ce qu'un seul instant, au beau mitan de la récolte. Il arrivait toujours avec sa démarche pleine de gammes et de dièses, un panama incliné sur le crâne qu'il avait plus dégarni qu'un coco sec, jetant à la volée des mots de bel français cavaté-et-laineté, n'écoutant les explications d'Aubin de La Vigerie que d'une oreille distraite. Sosthène portait beau, même si, à vue d'œil, il était beaucoup plus chargé d'ans qu'il ne voulait l'admettre. En cinq sec, il avait jaugé les gourgandines dont il n'avait pas encore goûté la chair et décidé sur laquelle il jetterait son dévolu une fois sa magie terminée.

— Car ce nègre-là, Bondieu-Seigneur protège-moi, oui ! racontait Antoinise à ma sœur aînée, c'est un magicien de ses dix doigts. Je suis sûr qu'il récite une parole avant d'enfiler son linge de travail et d'empoigner ses outils. Car comment peux-tu expliquer qu'il exige que tout le monde se tienne à dix pas de la machine qu'il entreprend de réparer ? Et comment admettre aussi qu'en un virement de main, il réussisse à détecter la panne et à la faire disparaître ?

Son dû en poche, Sosthène se mettait à baliverner à la boutique de l'habitation où régnait en mégère cette Tantine qui était la terreur de la marmaille des environs. Les négrillons approchaient tout tremblant, leur carnet de crédit à la main, de l'énorme comptoir encombré de bocaux de bonbons multicolores auquel elle était accoudée, fusillant chacun du regard. Les plus bravaches, ceux qui affirmaient qu'ils ne cilleraient point des yeux devant elle, s'accouardissaient aussitôt franchi le seuil de la boutique. Florius, le chef de notre bande, était son souffre-douleur, à cause des dettes impayées de ses parents. Elle l'injuriait, refusant de lui vendre le quart de beurre rouge ou la demi-livre de morue séchée qu'il était venu chercher :

— *Sakré ti vakabon ! Chapé kôw douvan mwen la, wi ! Di manman'w vini fè konmisyon'y li-menm !* (Espèce de petit voyou ! Disparais de ma vue ! Va dire à ta mère de venir faire ses courses elle-même !)

Avec les adultes, elle ne faisait guère montre de plus d'affabilité, comme si rudoyer autrui lui était plus naturel que parler, mais elle était la première à inciter les coupeurs de canne à gaspiller leur solde du samedi à la buvette attenant à sa boutique. Au fond, peut-être ne souhaitait-elle pas qu'ils réglassent leurs dettes, ce qui était une manière pour elle de les maintenir sous sa coupe. Tantine ne suscitait donc autour d'elle que haïssance et rancune.

Ah ! il n'y avait qu'avec monsieur Sosthène

qu'elle se montrait humaine, maugréait Antoinise. Normal, ces deux-là étaient faits de la même mauvaise pâte ! Tantine courait s'attifer d'un madras-tête-chaudière rouge vif du plus bel effet dès que monsieur La Technique pénétrait dans sa buvette et minaudait comme une chatte-pouchine pour commander à boire. Évidemment, Sosthène ne payait jamais les tournées qu'il offrait avec tant de générosité et Tantine n'inscrivait nulle part les dettes que contractait le baliverneur. Il n'avait de cesse de la complimenter sur ses rondeurs, la clairreté de son teint qui était pourtant bien chocolat et lui faisait miroiter un éventuel concubinage (bien qu'elle fût l'épouse de Sonson, le commandeur du chemin de fer) car le bougre clamait à chacune de ses visites :

— Mes amis, l'esclavage a bien été aboli dans ce pays, si je ne m'abuse ? Eh ben ! je ne vais pas chercher à le rétablir en m'accrochant une chaîne à la patte. Mariage égale esclavage, foutre ! Vive le concubinage !

Chaque fois qu'il était mandé à l'usine de Génipa, Sosthène parvenait à subjuguer une nouvelle femme tout en se faisant pardonner ses menteries et sa fuite par sa précédente victime en la comblant de bijoux en chrysocale et autres colifichets qu'il achetait pour trois fois rien des mains de Wadi Mansour. Pour le compagnon de la négresse adultère, la manœuvre se révélait en général moins aisée, surtout si celui-ci avait été la risée des habitants de Rivière-Salée pendant un bon paquet de temps. Mais force flatteries, des cascades de français faussement académique et quelquefois un ceinturon flambant neuf ou un coq de combat suffisaient à calmer l'ire de celui que Sosthène avait trois ou six mois plus tôt encornaillé.

— J'ai longtemps résisté à son charme, continuait Antoinise. Longtemps-longtemps-longtemps ! Je suis sûre qu'il possède un charme, une poudre-emmener-venir ou quelque philtre diabolique du même genre. Ce n'est pas possible ! Il te parle en appuyant sa main sur tes reins et voilà que tu commences à tressaillir, que ta gorge s'assèche. Tu sens une force qui s'empare de ton esprit et, sans comprendre ni pourquoi ni comment, tu te laisses entraîner par lui dans les halliers et il te coque tout debout sans même prendre la peine de se déshabiller complètement. Enfin bref ! Un nègre c'est un siècle, comme dit le proverbe, chère Marie-Louise, et il me faudrait une vie entière pour te détailler les vilaineries du sieur Sosthène.

Ma mère prit la décision, quinze jours environ avant les épousailles de mon aînée, de mettre un terme à ce tête-à-tête, devenu à ses yeux agaçant, entre les deux jeunes femmes. Elle tança vertement Marie-Louise en ces termes qui se gravèrent dans mon crâne :

— Maintenant, tu dois savoir tenir ton rang ! Tu ne peux plus te permettre d'échanger des confidences avec une négresse de bas étage, une marie-souillon. Attention à ne pas contrarier ton futur mari !

Désormais, elles ne se voyaient plus qu'en cachette ou profitaient des absences répétées de ma mère, qui se rendait tous les deux jours à Fort-de-France pour voir si sa commande d'assiettes en porcelaine de Limoges avait fini par arriver. L'avant-veille de la noce, me prenant comme alibi, Marie-Louise emprunta la trace de Petit-Morne à la recherche de lys de rivière, fleurs qui pourtant ne duraient guère que quelques heures après avoir été mises en pot. Antoinise l'attendait en chemin. Elles se mirent à l'abri des regards dans une case à farine-manioc désaffectée. Notre servante avait l'air soucieux, grave même. Elle semblait avoir perdu toute envie de bavarder et ma sœur devait lui arracher ses mots.

— Bon, je vais t'avouer... ce qui ne va pas, finit-elle par murmurer en prenant les mains de Marie-Louise entre les siennes. Toi, tu es encore jeune fille, aucun homme n'est encore monté sur ton ventre. Moi, j'ai souffert, j'ai connu beaucoup d'hommes, des nègres, des chabins, des mulâtres, des békés. Figure-toi qu'ils sont tous pareils ! Avant de t'ouvrir les cuisses, ils sont sirop-miel, mais une fois leur désir satisfait, tu deviens un essuie-pieds pour eux... Tu sais, ton mari n'a pas bonne réputation. Il joue au bon garçon devant tes parents, mais il ne peut pas voir un jupon sans se mettre à le courailler dans la minute qui suit... Excuse-moi si je te fais de la peine, Marie-Louise ! On est de bonnes amies et je m'en voudrais de te cacher certaines vérités. Hier soir, je suis allée voir un séancier du Vauclin pour qu'il lise ton avenir et il m'a remis ceci pour toi, ma doudou-chérie...

Et Antoinise, à la grande stupéfaction de mon aînée, de lui remettre une aiguille dorée, beaucoup plus longue que celles qu'utilisaient les couturières. Marie-Louise crut qu'il s'agissait d'un bijou et lui sauta au cou, la couvrant de baisers affectueux. Elle n'ignorait pas que les négresses avaient un goût immodéré pour l'or et que les plus démunies d'entre elles détenaient souvent des colliers-forçat, des épingles tremblantes, des anneaux-pomme-cannelle ou des camées qui valaient une fortune. Contrairement aux Blanches, elles ne vénéraient guère les billets de banque qu'elles se pressaient de transformer en or dès qu'elles avaient réussi à amasser un petit pécule. Mais notre servante se raidit et lui dit à voix très basse :

— Tu n'as rien compris, ma petite. Cette épingle te servira pendant ta nuit de noces. Ton homme n'est pas sain, je le sens. Il ne m'a pas l'air d'un bon chrétien.

— Il discute pourtant de la Bible avec mon père, rétorqua ma sœur.

— Hon ! C'est des macaqueries, tout ça. En tout cas, le soir de tes noces, lorsqu'il sera couché à ton côté, pique-lui la peau sans qu'il s'en aperçoive. S'il en sort du sang, c'est que je me suis trompée. Fais ta vie avec lui et advienne que pourra !... Par contre, si c'est du pus, alors, ma cocotte-chérie, prends tes jambes à ton cou. Monsieur est un diable à sept têtes ! Un Antéchrist !

Comme dit comme fait. Après deux jours de bamboche effrénée qui rassemblèrent quelques-uns de nos proches parents et leurs serviteurs, Marie-Louise, resplendissante dans sa robe à traîne au sortir de l'église de Rivière-Salée, commença à se faire du souci. Elle devait quitter notre demeure avec son époux vers les cinq heures de l'après-midi et traînait les pieds. Hector, notre jardinier et voiturier tout à la fois, ainsi qu'Antoinise, avaient rassemblé son trousseau dans le tilbury qui devait conduire le couple dans une villa des Anses d'Arlets où il passerait sa lune de miel. Mon aînée nous fit ses adieux deux fois, trois fois. Ma mère pleurait des larmes douces, se cachant le visage entre ses mains. Mon père, très ému, se tenait roide, sur le seuil, un peu ridicule dans son costume du dimanche, et triturait le col de sa cravate. Au moment de grimper à bord du véhicule, Marie-Louise inventa un nouveau prétexte pour retarder son départ : elle avait oublié un châle qui la protégerait du serein ou bien désirait faire ses besoins avant un si long trajet. Ou encore elle voulait s'assurer qu'Ismène avait surmonté son chagrin et ne s'était plus enfermée dans le cabinet des filles pour sangloter.

— Il est l'heure de partir, ma chérie, finit par dire mon père. Il est l'heure, oui.

Alors, prise d'une inspiration subite, elle demanda à son époux, qui était déjà installé à bord du tilbury et montrait des signes d'impatience, de l'accompagner dans sa chambre. Elle avait besoin de sa grande taille pour décrocher une reproduction de *L'Angélus* de Millet qu'un oncle lui avait offerte pour l'un de ses anniversaires. Il obtempéra, visiblement de mauvais gré, et lança un regard lourd de reproches à ma mère. Quelques secondes plus tard, un hurlement jaillit de la chambre. Nous nous y précipitâmes et fûmes abasourdis devant le spectacle de Sylvère de Cassagnac, une aiguille dorée fichée dans la paume de la main, qui chignait comme un bambin parce qu'un mince filet de sang l'avait rougie. Statufiée, la bouche ouverte en forme de *o*, Marie-Louise avait perdu sa superbe de femme mariée. Elle balbutiait :

— Excu... excuse-moi, mon mari. Je suis... si maladroite !

Mon père partit d'un vaste éclat de rire qui eut le don de détendre l'atmosphère. Il boxa affectueusement son gendre sur l'épaule et dit :

— Chez moi, y a jamais eu de capons, mon vieux ! J'espère que mon petit-fils ne tiendra pas de vous.

L'épreuve de l'aiguille se révéla pourtant concluante puisque, moins de trois ans après, le couple se démaria sans avoir conçu de descendance. Antoinise eut le mot de la fin :

— *Man té za fout di sa!* (Je l'avais bel et bien prévu !)

2

Dès le début de son intronisation en tant que contremaître en chef de l'usine de Génipa, Pierre-Marie redouta le samedi, qui était jour de paye. S'il y avait une chose à laquelle son père avait oublié ou négligé de l'initier, c'était bien à ce rituel grotesque qui voyait s'aligner devant une table placée à l'entrée du bureau de l'usine tout ce que celle-ci comptait d'employés. Une hiérarchie subtile plaçait en tête les mécaniciens, les chaudronniers et les ajusteurs, puis les cuiseurs, ensuite les responsables des moulins-broyeurs, enfin les décrocheurs. Quant aux simples manœuvres, ceux que l'absence de toute qualification faisait utiliser à des tâches dégradantes, voire dangereuses — comme le nettoyage des énormes cuves à fermentation —, ils se tenaient un peu à l'écart, très humbles, attendant que les vrais ouvriers fussent servis. Les femmes, elles, étaient toujours payées les dernières.

Pourtant, ce moment-là était pour tous une occasion de bamboche et de francs éclats de rire. On s'habillait en blanc, on se posait un chapeau élégant sur la tête et les gandins commençaient à faire leur cour aux femmes — du moins ceux qui avaient la certitude qu'ils percevraient l'intégralité de leur solde car, pour la plupart, cette dernière subissait toujours une forte retenue. Tantine, la boutiquière, qui était l'épouse de maître Sonson, le contremaître chargé de la voie ferrée, remettait à Pierre-Marie, la veille au soir, le montant des dettes contractées par chacun au cours de la semaine écoulée, dettes qu'il déduisait automatiquement des différents salaires. C'est que la boutique appartenait à l'usine et que Tantine n'en avait que la gérance. Sacs de sel, de riz ou de pois rouges, barriques de viande de cochon salé, fûts d'huile ou caisses de morue séchée, tout était importé de Fort-de-France à bord de la pétrolette, baptisée *Babazane,* qui reliait Petit-Bourg à la capitale. Les prix que pratiquait Tantine étaient notoirement plus élevés que ceux des Débits de la Régie du bourg de Rivière-Salée, mais aucun travailleur n'aurait eu assez de force et de courage, après une rude journée de travail, pour se rendre jusque là-bas.

— *Lajan Bétjé ka rété an lanmen Bétjé* (l'argent du Blanc créole reste entre ses mains), ne manquaient jamais de maugréer certaines femmes-majorines qui étouffaient de colère devant le peu d'argent — « la petite monnaie sale », dans leur parler — que Pierre-Marie leur remettait.

C'est pourquoi le régisseur se déchargeait au moindre prétexte de cette corvée sur ses adjoints : Sonson bien sûr, mais aussi Audibert, contremaître de la rhumerie, et Rosalien, contremaître de la sucrerie. Car il n'y avait pas seulement les dettes à la boutique de l'usine : il fallait parfois déduire des retenues sur salaire dues à des fautes graves commises par untel ou unetelle pendant la semaine, fautes que Pierre-Marie et ses adjoints notaient au fur et à mesure sur un petit carnet dont ils ne se séparaient jamais.

Pierre-Marie avait hérité de son père une sainte horreur des punitions tatillonnes et fermait les yeux lorsqu'il surprenait un ouvrier en train de remplir en cachette deux-trois bouteilles de rhum ou de dérober un peu de sucre. Les fautifs le connaissaient tellement bien qu'ils ne se cachaient même pas, mais les autres contremaîtres, en particulier Sonson, étaient loin de faire preuve d'une telle magnanimité. Ils s'appliquaient à tancer les ouvriers dès que l'ingénieur ou Simon le Terrible était dans les parages pour se faire bien voir et obtenir, peut-être, un jour quelconque, une petite promotion. Sonson s'approchait par surprise d'un décrocheur ou d'un cuiseur et hurlait :

— Je t'ai pris sur le fait, mon bougre ! Tu dormais ! Oui, tu dormais sur le travail du Blanc ! Ça ne se fait pas, mon vieux, je t'enlève deux francs sur ta semaine. Et encore, je suis gentil !

Quand Pierre-Marie le chargeait de faire la paye, il prenait un immense plaisir à ridiculiser les ouvriers qui eux-mêmes, par fatalisme, se laissaient contaminer par sa scélérate hilarité. Il ne faisait jamais l'appel des noms, mais privilégiait des sobriquets ou en inventait sur-le-champ si d'aventure la personne en était dépourvue :

— Georges gros-talon ? s'écriait-il.

— Présent !

— Tu as fait quatre journées à deux francs, ça fait huit francs. Tu dois un franc cinquante à la boutique, ça te fait six francs cinquante. Voici ton argent ! Gérard douze-orteils ?

— Présent !

— *Adolphine gwo bonda* (Adolphine gros-derrière) ?

— Présente !

— Alexia gros-pied ?

— Présente !

Pierre-Marie détestait aussi ce cérémonial parce qu'il exigeait que l'on posât un pistolet bien en vue sur la table de la paye, à côté des billets et des pièces de monnaie, dans le but d'impressionner d'éventuels récalcitrants. En effet, certains acceptaient mal les amendes infligées par Sonson et Audibert (Rosalien était d'un naturel plus posé) et, d'avoir contenu leur rage durant une semaine entière, il leur arrivait d'exploser au moment où on leur annonçait le montant de leur paye. En ce temps-là, la plupart d'entre eux avaient dix ou douze bouches à nourrir et ne pouvaient se permettre de revenir à la maison avec juste deux francs-quatre sous. Certains tentaient de parlementer et il arrivait à Pierre-Marie d'arbitrer en leur faveur, au grand dam des contremaîtres. Ainsi n'avait-il pu supporter le regard désemparé de Télus, un réparateur de rails reconnu pour son esprit consciencieux, quand ce dernier s'était vu retirer plus de la moitié de sa paye parce que la voie ferrée avait été endommagée à hauteur de la rivière La Manche et qu'il lui avait fallu deux jours pour la réparer.

— *Déjounen travay komotif-la pèd!* (La locomotive a perdu deux jours de travail !), s'indignait Sonson, tandis que, dans la file des ouvriers en attente de percevoir leur solde, fusaient des insultes à son endroit, prononcées toutefois les dents serrées.

— Je ne pouvais pas deviner que la rivière allait déborder, patron, tentait de s'expliquer Télus.

— C'est pas mes affaires ! Tu dois vérifier les rails matin-midi-soir, c'est ça ton travail ! C'est quand même moins difficile que de couper la canne en plein soleil ou de s'esquinter à l'usine. Eh ben ! Bondieu, qu'est-ce que j'entends là ?

Une épidémie de coqueluche avait frappé la région et plusieurs nouveau-nés avaient perdu la vie, parmi lesquels le petit dernier de Télus, qui aurait besoin d'argent pour s'acheter un cercueil blanc car on ne pouvait pas jeter un enfant, c'est-à-dire un petit ange, dans une vulgaire boîte en bois de caisse comme on le faisait pour les adultes. Une telle ignominie n'était pas admissible! Dieu le punirait s'il agissait ainsi, lui qui s'était toujours montré un bon chrétien. Il fallait que Sonson le comprît. Le mari de Tantine, la boutiquière, bougre sans cœur, nègre sans papa ni manman, ne voulut rien entendre :

— *Sa pa zafè mwen! Yich ou sé yich ou, travay Bétjé-a sé travay Bétjé-a!* (C'est pas mon problème ! Ton fils c'est ton fils, le travail du Blanc c'est le travail du Blanc !)

— Laissez tomber, Sonson ! fit Pierre-Marie qui était tenu d'assister à la paye, même s'il n'officiait pas. Pour cette fois, l'usine oubliera la dette de monsieur Télus. Mais c'est bien la dernière fois !

Rongeant son frein, humilié, Sonson s'exécuta en lançant un regard furibard au réparateur de rails. Il ne perdait rien pour attendre celui-là ! Un jour ou l'autre, il le coincerait de nouveau et là, le bougre n'aurait pas d'échappatoire. Ah ! ça, non. Mais la paye ne donnait pas toujours lieu à des scènes aussi tragiques. Le comique pouvait faire son apparition, lui aussi, sans crier gare, et plonger les ouvriers dans la bonne humeur. Ainsi, tout le monde savait que le contremaître Audibert poursuivait de ses assiduités une ouvrière qui avait la charge d'étiqueter les dames-jeannes de rhum que l'on destinait aux Débits de la Régie. En général, ce rhum-là, surnommé « coco-merlo », était loin d'être le meilleur et pouvait titrer jusqu'à 60 ou 70 degrés. Un véritable tord-boyaux ! Pourtant, lorsqu'il venait faire sa cour, Audibert acceptait sans broncher les timbales remplies à ras bord que lui offrait l'élue, non pas de son cœur mais de ses sens, afin de lui démontrer à quel point il était entiché d'elle. Inévitablement, la langue du bougre devenait lourde, il se mettait à tituber et s'écroulait près des fûts de rhum vieux sans que personne ne vînt lui prêter secours. Il pouvait ronfler ainsi des après-midi entières, ce qui permettait aux ouvriers de la rhumerie de souffler un peu. Mais à son réveil, Audibert, comprenant qu'il avait été une nouvelle fois berné par cette Adolphine, se mettait à distribuer des punitions et des retenues sur salaire à tour de bras, épargnant toutefois la négresse-matador. A force-à force, les ouvriers supplièrent la jeune femme de céder aux avances du contremaître. Elle ne serait ni la première ni la dernière. Le monde était ainsi fait depuis que Satan se le disputait au Bondieu. Les Blancs en haut, les mulâtres et les Chabins au mitan, les nègres en bas et les Indiens-coulis au fond. (Les Chinois et les Syriens quelque part entre les mulâtres et les nègres.) C'était là une hiérarchie séculaire qu'il était vain de chercher à bousculer, et que la négresse Adolphine ouvrît son devant au contremaître mulâtre Audibert n'avait rien de bizarre ni de scandaleux. Cela était, au contraire, dans l'ordre des choses. Mais la jeune femme refusait de s'y soumettre. Elle avait sa tête ! Personne ne l'obligerait à supporter le poids du corps adipeux de monsieur Audibert sur son ventre, un ventre qui n'avait même pas encore enfanté. Personne, foutre ! Alors on utilisait tous les arguments possibles :

— Au moins, tu feras un enfant qui n'aura pas la

peau entièrement noire. Il échappera à notre malédiction, oui ! Et puis, Audibert va lui bailler de l'embauche quand il deviendra grand...

Aucune de ces plaidoiries ne parvint à briser l'implacable détermination d'Adolphine. Elle était très fière de son arrière-train bombé qui chaloupait à chacun de ses pas et déclenchait regards lubriques chez les hommes et remarques agressives chez les femmes, pour peu qu'elle se vêtît d'une robe trop serrée. Le contremaître Audibert n'était pas le seul à mourir d'envie de palper cette croupière merveilleuse, mais, à l'évidence, il était celui qui avait le plus de chances d'y parvenir car Adolphine travaillait sous son autorité directe à la rhumerie. Ne détectant aucun signe d'affaiblissement dans le refus de l'ouvrière, Audibert adopta une tactique différente : pour un oui ou un non, pour une étiquette collée de travers, pour un nom de débit de la Régie mal orthographié ou une dame-jeanne ébréchée, il lui collait une retenue sur salaire. Un beau jour, il annonça :

— Adolphine gros-derrière ?

— Présente !

— Cinq journées, ça fait six francs moins trois francs de commissions à la boutique et un franc cinquante d'amendes. Il te reste un franc cinquante !

La négresse ouvrit de grands yeux. Clouée sur place, elle n'entendait pas les récriminations de ceux qui attendaient derrière elle sur la file, impatients qu'ils étaient de toucher leur paye. Le commandeur Audibert répéta trois fois son nom sans qu'elle bougeât d'un pouce. Pierre-Marie s'apprêtait à intervenir lorsque l'effrontée, se carrant devant le contremaître, poings posés sur les hanches, lui lança :

— Pourquoi ? Qu'est-ce que j'ai fait de mal ? Les amendes, c'est pour quoi, hein ?

— Toi, rien ! riposta Audibert. Mais ton garçon Géraud qui travaille dans les petites-bandes de La Jobadière, monsieur n'arrête pas de faire des siennes.

— Comment ça ?

— Comment ça, quoi ? Tu oses encore me contredire ? Je ne suis pas un menteur. On m'a rapporté qu'il mettait des bouts de canne de moins d'un mètre dans ses paquets. C'est pas la bonne longueur, tu le sais bien ! Allez, viens prendre ton argent, Adolphine, et cesse de nous faire perdre notre temps, s'il te plaît !

Ne se démontant pas pour un sou, la négresse se mit à ricaner et, prenant à témoin la file des travailleurs en attente d'être payée, elle déclara :

— Monsieur Audibert s'inquiète de la longueur des cannes que ramasse mon fils, mais il ne s'inquiète pas de celle du bâton de cacao qui s'enfonce entre les cuisses de sa femme dès qu'il est à l'usine ! Sacré ma-commère, va !

Une hilarité irrésistible secoua l'assistance. Des femmes se roulèrent sur le sol en se tenant le ventre. Un homme entreprit de mimer l'acte sexuel à grands coups de reins dans le vide en grognant des « honk ! honk ! honk ! » dignes d'un mâle-vérat. Sonné, le commandeur Audibert se leva de sa chaise et s'en alla d'un pas lourd vers la tonnellerie où il avait attaché son mulet. Des « Salope, tu vas arrêter de nous faire chier, à présent ! » fusèrent dans son dos. Pierre-Marie dut continuer lui-même la paye, ayant le plus grand mal à réprimer la cascade de fous rires qui se bousculaient dans sa gorge.

Il était, en effet, de notoriété publique que l'épouse du commandeur de la rhumerie s'esbaudissait avec Florius et Abélard, le garde du corps de l'administrateur. « Sans compter ceux qu'on ignore », ajoutait Esther, la blanchisseuse...

3

Ta mère ne fréquentait jamais l'église de Rivière-Salée le dimanche, ni pour la messe de six heures réservée aux vieilles femmes insomniaques et aux personnes particulièrement pieuses, ni celle de neuf heures où se pressait la marmaille, ni celle de onze heures fréquentée par les jeunes couples et les hommes, ces derniers demeurant plutôt sur le parvis à discuter de l'air du temps. Pourtant, elle était une vraie bondieuseuse qui ne laissait jamais passer une seule journée sans vous rassembler dans sa chambre afin de vous lire, de sa voix de tête, un passage de la Bible. Elle était définitivement brouillée avec les gens du bourg, en particulier les mulâtres qui, parce qu'ils s'adonnaient à des activités qui ne salissaient pas les mains, toisaient le reste de la population. Elle rangeait dans la même vindicte instituteurs, commerçants, employés de la Poste ou de la mairie, lesquels la lui rendaient bien puisque Antoinise lui rapportait, plus souvent que rarement, les ragots et autres propos cochonniers qu'ils propageaient sur son compte.

Tu ne parvins jamais à savoir si cette animosité réciproque datait de l'arrivée de ta mère dans la commune de Rivière-Salée, ni si elle était due au fait qu'elle était une étrangère. N'était-elle pas, en effet, natale de cette région de Basse-Pointe, à l'extrême-nord du pays, qu'on jugeait située juste derrière le dos du Bondieu ? Ici, au sud, on n'était pas très loin de la capitale, que la pétrolette *Babazane* reliait deux fois par jour, du lundi de beau matin au samedi en fin d'après-midi. On avait du goût, des manières. On savait s'habiller à la dernière mode de Paris. Peut-être, au contraire, les bourgadins lui en voulaient-ils d'être une *kalazaza,* c'est-à-dire quelqu'un qu'on avait du mal à classer sur l'échelle raciale et en présence de qui on se trouvait donc mal à l'aise. Quelle qu'en fût la raison, le seul habitant du bourg qui trouvait grâce à ses yeux était l'abbé Tanguy, un Breton venu en Martinique presque à la même époque que le docteur Molinard et qui de ce fait parlait créole mieux que n'importe qui. L'ecclésiastique lui rendait bien son affection car deux fois par mois, il faisait la messe dans la chapelle de Petit-Bourg, à deux pas de chez vous. Cette chapelle, une construction sommaire en bois de récupération, n'était plus guère utilisée que lors de la fête du hameau. Autrement, les fidèles préféraient se rendre au bourg, quitte à abattre plusieurs kilomètres à pied, pour pouvoir faire étalage de leurs beaux vêtements ou brocanter des nouvelles avec des amis d'autres quartiers de Rivière-Salée. La chapelle était donc quasiment déserte lorsque l'abbé Tanguy y officiait. A part ta mère, Antoinise, Hector votre jardinier et vous, la marmaille, il n'y avait que deux-trois vieilles femmes édentées de la rue Cases-Nègres.

— Voilà ce qui s'appelle une messe privée ! se moquait ton père, agnostique dans l'âme. Au moins, ça nous rappelle que les La Vigerie sont de noble extraction...

Ta mère, d'habitude si prompte à le chicaner, se contentait de faire la moue. Elle était bien plus préoccupée par la coiffure et la tenue des deux acolytes, Renaud et Moïse, qu'elle avait imposés à l'abbé Tanguy. Tes frères, à qui elle avait omis de demander leur avis, faisaient la tête, tandis qu'Antoinise les pomponnait pour la énième fois ou que ta mère leur faisait d'ultimes recommandations avant la cérémonie quant au rôle que chacun devrait y tenir. La plupart du temps, tout se passait bien. Ta mère écoutait, les yeux exaltés, le sermon de l'abbé qui trouvait toujours le moyen de tancer vertement tous ceux qui prenaient plaisir à médire d'autrui. Antoinise, une fois qu'elle avait reçu l'hostie, se sentait soulagée de ses péchés et t'autorisait à jouer aux billes après la messe avec les négrillons du quartier, pendant qu'un nouveau prétendant commençait à lui conter fleurette. Il n'y avait que tes frères, Renaud et Moïse, pour haïr cordialement ces cérémonies bimensuelles. D'abord parce qu'il leur fallait enfiler ces ridicules soutanes blanches à col rouge qui leur baillait l'aspect d'oiseaux-gangan ; ensuite, parce que Renaud devait s'assurer que les burettes étaient remplies de vin de messe et que Moïse devait se souvenir des instants précis où il lui faudrait agiter l'encensoir. Mais leur supplice ne s'arrêtait pas là : après la messe, l'abbé Tanguy les retenait une heure durant pour leur enseigner le catéchisme, n'hésitant pas à user de calottes lorsque les leçons précédentes avaient été oubliées.

A midi, l'ecclésiastique était reçu à dîner chez vous en grande pompe. Ton père se faisait excuser au motif qu'il y avait toujours quelque réparation urgente à effectuer sur le tracé de la voie ferrée. Antoinise disposant de ses dimanches, le service incombait à ton aînée, Marie-Louise, qui ne cachait pas non plus sa mauvaise humeur, non pas qu'elle trouvât cette tâche dégradante, mais parce que l'abbé Tanguy insistait à chacune de ses visites pour l'entendre en confession et détaillait ses péchés au grand jour, entre le dessert et le café.

Il n'y avait que ta mère pour faire fête à ce Breton replet et jovial qu'on soupçonnait d'être paillard puisqu'au dire d'Esther, il avait fait trois enfants dans les paroisses où il était passé avant celle de Rivière-Salée, et ici même, personne n'aurait mis la main au feu pour lui. Surtout depuis que Doriane, la mâle-femme, celle qui se comportait plus raide qu'un homme, buvait du rhum au goulot, injuriait la mère de tout le monde et n'avait pas peur de se gourmer à mains nues, depuis donc que cette bougresse-là avait évincé Sossionise, l'antique sacristine. Cette dernière avait été au service de pas moins de cinq abbés et aurait pu continuer encore longtemps à s'occuper du presbytère, vu qu'elle était vieille fille. Ne s'étant pas éreintée dans les champs de canne et n'ayant pas enfanté, cette créature sèche et maussade jouissait d'une excellente santé. On disait en forme de proverbe : « Je me porte à la Sossionise ce matin, oui ! »

La pulpeuse Doriane — celle qui devait détourner l'arpenteur de son travail lorsqu'il vint inspecter les propriétés de l'usine de Génipa — ne fit qu'une bouchée de la sacristine. Alors que la donneuse d'eau ne fréquentait qu'épisodiquement l'église, elle changea du tout au tout lorsque l'abbé Tanguy fut nommé dans la commune. Avant lui, les abbés passaient le plus clair de leur temps à traquer les infidélités et les naissances hors mariage, dénonçant les coupables en chaire le dimanche. Le Breton était plus indulgent. Il évoquait souvent le cas de Marie-Madeleine, insistant sur le fait que

Dieu lui-même avait accordé son pardon à la péripatéticienne. Cela dut bailler des idées à cette chère Doriane qui investit un beau jour le presbytère et se mit à le récurer de fond en comble, au grand dam de Sossionise et sous l'œil ahuri de monsieur l'abbé. Pour de bon, les murs du bâtiment étaient crasseux, les planchers couverts d'une sorte de poussière tenace qui vous faisait tousser, la cuisine, pour sa part, laissait à désirer avec ses fait-tout noirâtres et ses verres ébréchés, mais le pire était la chambre de l'abbé Tanguy. « Un véritable capharnaüm ! », comme le claironna Doriane à Esther, toute fière d'apprendre un mot savant, laquelle transmit la nouvelle à Antoinise, ta servante, qui à son tour la rapporta à ta mère. Livres pieux, soutanes sales, chaussures et boîtes de cirage, gamelles contenant des restes de repas, troncs en attente d'être vidés s'empilaient dans la pièce sans que cela dérangeât le moins du monde l'abbé Tanguy.

— Dans les Dix Commandements, Dieu ne dit pas : « Tu ne nettoieras point », que je sache ! s'imposa Doriane. Eh ben ! moi, je vais mettre de l'ordre dans ce méli-mélo, et tout de suite !

En deux jours, le presbytère redevint comme neuf. La mâle-femme convoqua même un de ses anciens amants pour l'aider à repeindre la façade principale. On accourait de partout pour voir ce miracle : mamzelle Doriane s'était transformée en cafard d'église. Incroyable ! Car après le presbytère, elle s'attaqua au lieu saint qu'elle fit briller à son tour comme une belle pièce de cinq francs. Sossionise ne tenta même pas de résister à cette furie qui bouleversait sa vie, cette vie si tranquille et tracée toute droite jusqu'à la tombe. Elle fit ses maigres paquets et descendit à Fort-de-France où elle fut recueillie à l'Ouvroir, un orphelinat tenu par des ma-sœurs à cornette et à toge grise au visage austère.

Ta mère ne montrait aucune réprobation à l'égard de l'étrange relation qu'entretenaient l'abbé Tanguy et Doriane. Elle ne posa jamais de question à l'ecclésiastique. Ce qui lui importait, c'était de recevoir à sa table le représentant de Dieu sur terre, cela deux fois par mois, et faire ainsi un pied-de-nez à cette mulâtraille du bourg qui ne cessait de la critiquer. Plus tard, tu finis par comprendre que cette dernière ne pardonnait pas à ta mère de se comporter comme une békée. Évidemment, l'abbé Tanguy profitait de la situation et en rajoutait. Renaud, qui ne se souvenait jamais du « Notre Père » et qui confondait Joseph avec Abraham, était devenu son souffre-douleur. Au mitan du repas, l'abbé se mettait à détailler les péchés que ton grand frère lui avait avoués le matin même en confession et, prenant ta mère à témoin, le sermonnait d'importance. Après le repas, Renaud était bon pour une fessée, ta mère ayant appris qu'avec la bande à Florius, il s'était permis de bombarder de caca-bœuf le linge blanc que les lavandières mettaient à sécher près du bassin de Château-L'Étang ou qu'il avait épié Antoinise lorsqu'elle faisait ses besoins.

Renaud décida donc de se venger de l'abbé Tanguy. Au lieu de mettre le seul vin de messe dans les burettes, il commença par y ajouter un peu de rhum blanc, s'enhardissant au fil des mois à privilégier dans son dosage la boisson créole. Apparemment, l'ecclésiastique n'y vit que du feu. Il félicita même ta mère pour la qualité du vin de messe qu'elle se procurait désormais, au grand étonnement de cette dernière qui ne se souvenait pas d'avoir changé de marque. Aussi extraordinaire que cela pût paraître, malgré moult décennies de présence en Martinique, l'abbé Tanguy ne s'était guère risqué, comme nombre de ses confrères, à s'accoutumer au rituel du punch. Il avait vu, disait-il, trop de vieux prêtres à l'esprit ravagé par l'abus de grappe blanche, tremblant sans cesse des mains parce qu'ils n'avaient pas su résister à l'appel d'un mabiage ou d'un petit folibar. A son insu, il ne tarda pourtant pas à rejoindre la confrérie des curés dévoyés puisqu'un jour Renaud abandonna le mélange vin de messe et rhum blanc pour du rhum vieux. Ce rhum-là avait, dans la pénombre de la chapelle, l'apparence d'un vin clair, mais il avait surtout le don de vous monter à la tête en six-quatre-deux et de vous faire déparler. La première fois, l'abbé Tanguy fut pris d'une grosse quinte de toux et l'office dut être interrompu pendant un bon quart d'heure. La seconde fois, un sourire béat se dessina sur ses lèvres. Ses gestes imitèrent ceux d'un chef d'orchestre en folie et les vieilles négresses s'enfuirent de la chapelle en s'écriant :

— *Djab-la pwan lèspri labé-a, Lasenn-Vyèj, pwotéjé nou!* (Le Diable s'est emparé de l'esprit de l'abbé, Sainte Vierge, protège-nous !)

Perplexe, ta mère, surmontant sa répugnance naturelle, fit appel aux services de Doriane. La nouvelle sacristine — la sacristine auto-proclamée plutôt ! — vivait aux côtés de l'ecclésiastique ; peut-être pouvait-elle éclaircir la situation, à tout le moins bailler une explication plausible à l'étrangeté de son comportement. Mais la mâle-femme détestait ma mère, abhorrait même tout ce qu'Edmée de La Vigerie pouvait représenter et lui fit savoir qu'à l'église de Rivière-Salée, l'abbé Tanguy était parfaitement normal. Elle insinua aussi que la chapelle du quartier Génipa devait être hantée, ou encore que des gens malsains vivaient à proximité.

Renaud profitait de la confusion pour augmenter les doses de rhum vieux, à la grande satisfaction de l'abbé Tanguy qui proposa même à ta mère de venir dire la messe une troisième fois dans le mois, ce que, par prudence, elle refusa. Malgré cela, un beau jour, ce qui devait arriver arriva. L'ecclésiastique devint fin saoul et se mit à danser la bamboula en plein office religieux. Il chantait d'une voix grave un bel-air que l'on entendait souvent au moment des grèves sur les plantations, et avec l'accent nègre, en plus ! Ta mère poussa un cri d'effroi. Elle était pour une fois complètement désemparée. Antoinise et Hector sauvèrent la situation : ils s'emparèrent de l'abbé et l'entraînèrent à l'arrière de la chapelle pour le plonger, tout habillé, dans un fût d'eau de pluie. Le bougre mit plusieurs heures à se remettre. Il prit congé de ta mère d'un simple signe de tête et ne revint plus jamais dire la messe dans votre quartier.

— Tous les cochons ont leur samedi ! conclut Renaud en vous faisant jurer, Moïse et toi, de ne jamais révéler la vérité à qui que ce fût.

Tu lui fus grandement reconnaissant de n'avoir plus à subir les ennuyeuses leçons de catéchisme que l'abbé Tanguy avait commencé à t'infliger depuis peu.

4

Je n'aurais jamais pu travailler en plein champ, comme Firmin Léandor ou Bélisaire. Non pas que l'ardeur du soleil m'importunât ni qu'il ne m'arrivât d'apprécier le frémissement du vent dans les premières cannes de décembre ou encore la procession des muletiers qui chantonnaient en chœur jusqu'au quai d'embarquement. Partie de mes attributions consistait à contrôler que tout roulait sans anicroche sur les différentes plantations appartenant à l'usine de Génipa et, de temps à autre, à m'assurer que les traverses de la voie ferrée étaient en bon état. Mais je n'étais pas aussi souvent à cheval que mon père, qui chérissait ce qu'il nommait « le grand dehors ». Il avait soif d'espace et profitait de la moindre éminence pour découvrir la mer par-delà la mangrove et, en certains endroits, le rocher du Diamant. Ses lettres me confirmèrent plus tard qu'il chérissait l'horizon pour l'intangible pureté de son tracé. Pour le mystère, aussi, qu'il recelait. En fait, il n'avait réussi qu'à me communiquer l'amour de l'usine, en particulier du quartier où l'on distillait le rhum, et c'est pourquoi j'appréhendais ces silences vertigineux qui s'abattaient sur les champs de canne au mitan de la matinée. Coupeurs et amarreuses, accablés par la chaleur, la sueur, la gratelle et la luminosité féroce du ciel, cessaient brusquement de s'interpeller d'une rangée à l'autre. Les plaisanteries et les chanters paillards s'éteignaient. Le temps semblait alors comme suspendu à travers la plaine. Belleté tragique de midi qui approchait à pas comptés tel un grand prédateur venant de cerner sa proie.

Le tintamarre de l'usine m'était indispensable. Il me rassurait, me contraignait à ne pas me perdre dans mes pensées, comme on m'en faisait le reproche. Rosalien, le contremaître de la sucrerie, qui était d'un naturel taquin, prenait un intense plaisir à me faire sursauter lorsqu'il découvrait que j'étais ailleurs. Il s'écriait, rigolard :

— Hé ! on ne rêve pas ici, non ! Patron, on a besoin de deux bougres à la chaudière !

Il m'arrivait moi-même de penser que je vivais trop dans le passé, que j'avançais vers l'avenir à reculons, comme si quelque sinistre présage me le rendait peu désirable, voire tout simplement haïssable. La présence de mon père, pourtant retraité depuis longtemps, me hantait. J'avais dès le départ éprouvé la désagréable sensation d'être la réincarnation de sa personne, phénomène dont se félicitaient les ouvriers, que sa bonté avait conquis. Ils me trouvaient la même intonation de voix que lui, la même façon de donner des ordres. Pis : ils se trompaient quelquefois et m'appelaient « maître Aubin », me mettant dans une fureur que je n'avais pas l'outrecuidance de laisser transparaître. Après tout, dans leur bouche, c'était plus qu'un compliment. Aubin de La Vigerie s'était complu à me façonner à son image et force était de reconnaître qu'il y avait réussi au-delà de ses propres espérances.

Mon frère Moïse, qui se bombait le torse d'avoir réussi du premier coup à l'examen de clerc de notaire, n'était venu qu'une fois à l'usine et s'était demandé, me jetant un regard de pitié, comment je pouvais supporter une atmosphère aussi assourdissante. C'est que lui, l'ignorant en la matière, le futur col blanc, ne percevait qu'un seul et même bruit. Comment aurait-il d'ailleurs pu distinguer la heurtée des pagalles contre le cuivre des chaudières du grincement des pelles activant la combustion de la bagasse dans les fourneaux ? La première résonnait comme un carillon, renforçant l'atmosphère de cathédrale de l'usine, tandis que le second faisait un « tchouf ! tchouf ! tchouf ! » assez similaire au gémissement d'une vache sur le point de mettre bas. A l'oreille, les yeux fermés, comme me l'avait enseigné mon père, j'étais capable d'identifier le ronflement des turbines, bruit de fond essentiel à la bonne marche de l'usine, qui ne couvrait pas les autres mais semblait les mettre en harmonie. Dès qu'un raté se produisait, il me fallait accourir aux nouvelles, héler le plus proche mécanicien pour nous mettre au chevet des machines. Patauger dans la graisse et l'huile, les yeux rougis par la vapeur. Car les turbines étaient des capricieuses, si capricieuses que nous avions fini par les affubler chacune d'un prénom féminin. Gisèle était la plus constante, la moins sujette à des sautes d'humeur. Charlotte et Angélique pouvaient, si nous avions trop abusé d'elles les jours précédents, faire montre d'indolence. Quant à Marie-Claire, pour nous, elle était une vraie chabine qui passait, d'un instant à l'autre et sans motif apparent, de l'allant généreux au crachotement rétif, ce qui nous obligeait à lui prodiguer nos soins les plus attentionnés. Le matin, ma première question était toujours :

— Et mamzelle Marie-Claire, elle ne va pas nous lâcher aujourd'hui, j'espère ?

— *Li sèl ki sav zafè'y, patwon !* (Elle est la seule à le savoir, patron !), rétorquait le préposé aux turbines, fataliste.

Lui et moi étions les seuls à pouvoir distinguer son vrombissement de celui des quatre autres et à brocanter un regard complice lorsque nous devinions qu'elle n'allait pas tarder à faire des siennes. Nous ne pouvions plus recourir aussi souvent qu'à l'époque de mon père aux services de Sosthène, le magicien en mécanique. Le bougre se faisait vieux et se montrait réticent à quitter sa commune du Diamant pour ce qu'il jugeait parfois être une peccadille. Il avait refusé de transmettre sa science aux jeunes mécaniciens, se targuant d'être le seul, l'unique, l'irremplaçable docteur ès tournevis de toute la Martinique.

— Après moi, on parlera encore de moi pendant des siècles de temps, messieurs et dames ! se vantait-il quand il lui arrivait de venir nous prêter main forte.

D'aucuns prétendaient qu'il avait pris le chagrin de mon père. Qu'il ne trouvait plus d'oreille complaisante — en dépit de toute la patience que je déployais — pour écouter son récit du sauvetage de la *Niña del Sur* au large de l'île de la Jamaïque, juste avant le plus formidable cyclone (« Je le jure ! », clamait-il) qui eût jamais frappé l'archipel des Antilles. En réalité, je soupçonnais qu'il avait perdu la main et qu'il redoutait de s'attaquer aux nouveaux appareils que nous avions reçus de France au lendemain de la fête du Tricentenaire. Le matériel américain dont nous disposions auparavant, moins sophistiqué mais réputé robuste, lui était plus familier.

Un seul de ces bruits m'était désagréable, sans que je sache trop bien pourquoi : le clapotement des ouvriers plongés à mi-corps dans les bacs à mélasse. Cette tâche était la plus rebutante de toute l'usine et l'une des plus dangereuses. Enfoncés dans la pâte visqueuse et sucrée, des gaillards qu'il fallait choisir costauds s'évertuaient à la battre à mains nues pour la rendre plus fluide, un peu comme les boulangers pour la pâte de farine-France, sauf que nos bacs étaient dix fois plus larges et que la mélasse vous soulevait bientôt le cœur. Je m'y étais essayé une fois et n'avais tenu qu'une vingtaine de minutes, secoué que je fus par d'affreux vomissements. Je mis plusieurs jours à m'en remettre et portai désormais une plus grande considération à ceux qui acceptaient d'exercer une si pénible activité, de tout temps réservée aux ouvriers qui n'étaient guère habiles de leurs dix doigts ou qui ne savaient pas lire les indications portées sur les cadrans des différentes machines. « Un travail de bouvard ! », jugeait Rosalien, le contremaître de la sucrerie, qui avait une haute idée et de sa personne et de ses fonctions. « Faut avoir injurié la mère du Bondieu pour se retrouver là ! », s'affligeait Anthénor qui, pourtant, était le premier à réclamer des augmentations pour les ouvriers travaillant à l'intérieur des bacs à mélasse.

J'avais embauché Florius, mon ancien chef de bande, après qu'il eut été chassé de presque toutes les plantations de la région, soit pour méconduite, soit à cause de ses manières je-m'en-fous-ben. Personne ne voulait de lui à l'usine, où un accident était vite arrivé, et les commandeurs de la rhumerie et de la voie ferrée avaient mis tout leur poids dans la balance pour que je ne l'intègre pas dans leurs équipes. Rosalien, qui se targuait de mater les nègres les plus majors, accepta le défi. Il s'occuperait, disait-il haut et fort, de scier les cornes de monsieur Florius. Il le ferait marcher droit en moins de temps que la culbute d'une puce. Bref, il transformerait le drivailleur, l'insatiable baguenaudier en un gentil garçon, obéissant et dévoué à la tâche, un bougre qui tomberait tellement amoureux du sucre qu'il en oublierait de ne pas se lever le matin pour se rendre à l'usine. Naturellement, dès le départ, Rosalien le mit à travailler dans les bacs à mélasse, endroit où il pouvait le mieux forger à sa guise le caractère des nègres récalcitrants. Il est vrai que Florius avait la carrure qu'il fallait car le bougre s'adonnait à la pratique du culturisme à la Maison du sport de Fort-de-France où il se rendait par la pétrolette au moins deux fois dans la semaine. Il s'était ainsi sculpté un corps tout en muscles, absolument magnifique, qui lui faisait bien des envieux et qui surtout lui attirait les faveurs de la gent féminine. Ses enfants-dehors ne se comptaient plus, bien que cette expression ne lui convînt pas tout à fait puisqu'il s'était bien gardé de faire des enfants-dedans, c'est-à-dire d'avoir un foyer. Il avait toujours préféré vagabonder de femme en femme, de négresse en chabine, de coulie en mulâtresse, de Syrienne (pauvre Wadi Mansour qui laissait si souvent, trop souvent, seule sa chère épouse !) en bâtard-Chinoise.

— Je n'ai pas encore de maison à moi, racontait-il à ses conquêtes, mais il te suffirait de m'accueillir chez toi pour que j'en aie une, oui !

Séduites par son physique d'Apollon, énamourées jusqu'au point de lui bailler de l'argent pour aller boire avec ses compères, elles se retrouvaient deux mois après, le cœur désarroyé et parfois le ventre enceinte-gros-boudin. Elles n'avaient pas fini d'accoucher que, dans un autre quartier de la commune, l'enjôleur de jeunes filles en fleur avait déjà semé les graines d'une nouvelle descendance, d'un petit Florius (inexplicablement, il ne faisait que des garçons) aussi déluré que son géniteur.

Le contremaître Rosalien, qui n'était pas manchot non plus en matière de dévergondation féminine, percevait Florius comme une menace potentielle pour son propre cheptel et c'est pourquoi il fut ravi de le mettre à brasser la mélasse. Là, dans la touffeur du sucre encore en pâte, au mitan des émanations de vapeur et des fumerolles, il était sûr et certain que Florius perdrait de sa virilité, ou, à tout le moins, qu'il serait bien trop fourbu le soir pour aller goûter de la croupière. Hélas pour lui, il n'en fut rien ! On eût dit que patauger dans l'écœurante mixture réveillait en lui des forces insoupçonnées car jamais il ne se plaignait comme ses compagnons d'infortune et jamais il ne flatta Rosalien pour que ce dernier le changeât de poste. Avec lui, la mélasse était fluidifiée en un battement d'yeux et il se permettait même d'amuser la galerie en déclamant des contes créoles auxquels il ajoutait des ingrédients de son cru dans le but de ridiculiser le contremaître sans en avoir l'air. Personne n'était dupe du manège de Florius, mais nul n'y pouvait rien, à commencer par Rosalien car le jeune homme possédait un art consommé de la parole qui me cloua sur place la première fois que je l'entendis. Dans notre enfance, je ne lui avais pas connu semblable talent, et je me demandais où et quand il avait pu apprendre ce défilé de contes qui sortait comme par enchantement de sa mémoire. Dès qu'il m'apercevait, il se dressait dans la mélasse, statue de pierre noire dans le fleuve grisâtre du sucre en train de se former, et s'écriait :

— Écoutez-écoutez, mesdames et messieurs de la compagnie, voici venir le plus grand distillateur de rhum du monde, celui qui est capable à l'odeur de pressentir quel arôme nous réservera la canne de chacune des habitations qui nous en fournit. Yé-é-é-Krik !... Celui qui gouverne l'esprit du rhum car dans le rhum se cache une âme, une divinité tutélaire, qui s'empare de nous quand nous le portons à nos lèvres. Yé-é-é-Krak !... O Grand et vénéré maître du rhum, honneur et respect sur ta tête, oui !...

Il n'y avait là aucune flatterie, simplement une démonstration d'amicalité. Florius me connaissait trop bien pour pouvoir espérer que je lui accorde la moindre faveur. Il savait que rien ne m'avait obligé à l'embaucher car la vie nous avait séparés dès l'instant où mon père m'avait envoyé faire mon apprentissage de la voie ferrée au nord du pays, sur l'habitation Petit-Pérou. Nos chemins avaient irrémédiablement divergé et nous ne nous voyions plus que de loin en loin. J'avais fini par succéder à mon père, tandis que lui, Florius, sorti de l'école sans même son certificat d'études, semblait voué à couper la canne à sucre jusqu'à la fin de sa vie. Il n'avait échappé à ce funeste destin que grâce à l'idée qui lui était venue — idée que tout le monde autour de lui avait jugée parfaitement saugrenue — de se mettre à l'haltérophilie. A quoi, en effet, cela pouvait-il bien servir d'avoir un corps aux muscles saillants et harmonieusement dessinés quand le plus maigre-zoquelette des coupeurs de canne atteignait sans difficultés son quota journalier de vingt-cinq piles ? A en couper trente ou trente-cinq, peut-être... Mais même dans ce cas-là, il était impossible d'envisager la moindre économie, la maigre solde du samedi suffisant tout juste à se nourrir et à se vêtir. On le crut donc habité de chimères jusqu'au jour où il se mit à coucher sur le dos tout ce que Rivière-Salée comptait de filles en âge de procréer. Aucune mère enragée, aucun mari encornaillé n'osa s'attaquer à Florius car l'étalage de ses muscles (il allait le plus souvent le buste nu) suffisait à dissuader d'éventuels belligérants.

Le contremaître Rosalien, pour sa part, refusait d'admettre que, pour une fois, il n'avait pas réussi à dompter un ouvrier de son équipe. Il maugréait sans arrêt :

— Je vais lui foutre un serrage de vis à celui-là, vous allez voir, hon !

Aussi se mit-il à chicaner Florius et à lui coller des retenues sur son salaire pour des peccadilles : dix minutes de retard à l'embauchée, un outil emprunté à l'usine sans autorisation ou un haussement d'épaules insolent quand il lui faisait une remarque. Chaque samedi, un drame manquait de péter à l'appel du nom de Florius, que son contremaître avait surnommé « Pneu Michelin » pour se moquer de sa musculature, ce qui déclenchait inévitablement des rires en cascade dans la file des travailleurs en attente de recevoir leur dû. A cet instant-là, Rosalien savourait sa revanche sur ce bougre qui, durant toute la semaine, n'avait fait que le narguer ou, pis, l'ignorer avec une superbe qui avait le don d'insupporter le contremaître. Mais ce n'était pas assez et, au malaxage de la mélasse, il ajouta le contrôle du vesou. J'évitais, quant à moi, de me mêler à ces conflits entre nègres. « Affaires de békés c'est affaires de békés, affaires de nègres c'est affaires de nègres », disait le proverbe. Je n'ignorais pourtant pas que, malin comme il l'était, Florius ne tarderait pas à clore le bec à son ennemi, voire à lui jouer un de ces tours pendables dont il avait le secret et qui nous avaient jadis enchantés, nous la marmaille de Petit-Bourg et des quartiers environnants. J'espérais simplement que cela n'aurait pas de conséquence trop négative sur la bonne marche de l'usine car trop souvent éclataient de violentes bagarres entre ouvriers, pour des motifs qui me demeuraient obscurs en dépit des explications que me baillaient les protagonistes. Des bagarres à coups de poing et de pied, de barre à mine, de marteau. Parfois même à coups de jambette Sheffield, sorte de couteau à double lame que tout homme qui se respectait se croyait obligé de porter dans la poche arrière de son short.

Aussi le contremaître Rosalien se tenait-il fréquemment à la sortie des gouttières à vesou pour contrôler le travail de l'haltérophile. Il se croyait tellement expert en fabrication de sucre que, d'un doigt, qu'il plongeait prestement dans le jus de canne frais et suçait les yeux fermés, il pouvait se permettre d'annoncer si le cru de l'année serait bon ou pas. C'est qu'il fallait observer la couleur du vesou, comme nous l'avait enseigné mon père. Il est parfois clair, presque blanchâtre ; d'autres fois, il est marron et visqueux ; plus rarement, il se fait épais, arbore une teinte noirâtre et dégage une odeur forte.

— Dans le premier cas, expliquait mon père, ça signifie quoi ? Eh ben ! que la canne n'était pas assez mûre. Faut toujours attendre le dernier moment pour bailler l'ordre de coupe. Faut savoir sentir quand la canne est prête. Une canne trop jeune, si en plus elle n'a pas reçu cette année-là son compte de soleil, eh ben ! elle peut vous fiche en l'air votre sucre.

Il râlait contre le géreur de l'habitation Thoraille qui avait pris la mauvaise habitude de démarrer la récolte dix jours avant les autres plantations tant il craignait de manquer de bras. Avec la qualité de canne qu'il livrait, on obtenait au mieux une espèce de cassonade, certes utile aux pâtissiers, mais difficilement exportable hors de la Martinique. Mais il ne fallait pas couper la canne trop tard non plus, sinon on obtenait ce vesou noirâtre et malodorant, difficile à dégraisser, duquel on ne tirait qu'un sucre grossier, rempli d'impuretés, qui ne trouvait preneur que dans les boutiques où il était vendu au détail aux plus pauvres.

— Le meilleur vesou, le vesou à point, nous enseignait mon père, c'est celui qui a une couleur marron. Quand on ne l'obtient pas, eh ben ! messieurs, y a pas trente-six solutions : faut le corriger à la cuisson et utiliser un certain nombre de réactifs. Évidemment, ça fait perdre un peu de temps et en plus, ça coûte cher !

En élève assidu, le commandeur Rosalien vénérait donc le vesou marron. Si ce dernier n'avait pas la couleur idoine, il se mettait à engueuler Florius, qui pourtant s'activait comme un beau diable au bord des gouttières, et cela alors même que ce dernier ne pouvait en rien être tenu responsable de la qualité du jus de canne. Tout ce qu'il avait à faire, c'était de le fluidifier en le touillant avec une sorte de pelle. Rien de plus. Si le vesou était trop pâle, Rosalien ôtait deux francs de la paye hebdomadaire de son souffre-douleur ; dans le cas inverse, trois francs. Florius était trop fier pour venir se plaindre à moi de cette injustice dont je ne pris connaissance que bien longtemps après qu'il se fut vengé du contremaître.

Un beau jour, en effet, le vesou se mit à couler à la perfection. Sa teinte, entre beige et marron, était du meilleur augure et Rosalien, qui, en tant que commandeur de la sucrerie, touchait une prime sur la qualité du sucre, s'en félicita tout en enrageant de ne pouvoir une fois de plus serrer la vis au sieur Florius ou plutôt lui « purger les graines », comme il disait. Ce dernier n'avait aucune part (le contremaître en était convaincu !) dans l'excellence du jus que l'on obtenait désormais. Elle ne pouvait être due qu'à la qualité de la canne qu'envoyaient à l'usine les plantations de La Jobadière, Féral et Bel-Évent. Là, on avait expérimenté une toute nouvelle variété, la Big Tana, dont les coupeurs se plaignaient à cause de la dureté de son écorce, mais qui, de toute évidence, ne tarderait pas à redorer le blason du sucre produit à Rivière-Salée.

Excité à l'idée des compliments que ne manquerait pas de lui faire l'administrateur et aux primes qu'il était sûr et certain d'obtenir en fin de récolte, Rosalien paradait dans la sucrerie, une timbale de vesou à la main, de ce beau vesou marron qu'enfin il avait réussi à fabriquer, et voulait à tout prix que chacun y goûtât. Les mécaniciens prétextaient être occupés à leurs machines ; les chaudronniers assuraient ne pas pouvoir abandonner leurs feux une seule seconde ; les ajusteurs avaient peur de perdre leurs mesures ; les cuiseurs ne voulaient pas être en nage et risquer d'attraper une mauvaise pleurésie. Bref, les ouvriers opposaient toutes qualités de prétextes au commandeur afin de n'avoir pas à tremper leurs lèvres dans ce qu'il qualifiait d'élixir, définition pompeuse qu'il avait recueillie de la bouche de l'ingénieur tourangeau, lequel fut bien le seul de toute l'usine à en avaler une gorgée. Mais les jours passant, les semaines filant, Rosalien se mit à calculer dans sa tête, à réfléchir à l'étrangeté de la situation, qui avait cessé de l'émerveiller pour finir par l'intriguer au plus haut point. Le matin, il se précipitait au pesage pour examiner les premiers chargements de canne apportés par la loco. Il s'emparait d'un tronçon qu'il se mettait à caresser, l'air rêveur, y plongeant parfois ses dents. Puis, il suivait la chaîne, depuis le monte-canne jusqu'aux bacs à mélasse, en passant par les trois moulins et les gouttières à vesou, sans rien noter d'anormal. Les ouvriers le saluaient d'un air obséquieux. Même Florius répondait maintenant à ses questions autrement que par ses éternels et désinvoltes « *Man pa sav* » (Je ne sais pas) et « *Man kwè* » (Je crois). L'haltérophile s'était comme métamorphosé. Il était devenu gentil, prévenant, disponible. Tout cela finit par mettre la puce à l'oreille du contremaître de la sucrerie, qui vint solliciter mon avis.

— Eh ben ! si le vesou est meilleur à présent, lui répondis-je pour me débarrasser de lui, c'est qu'enfin, tout le monde prend son travail au sérieux. C'est bon signe ! Ça signifie que les boutures de canne n'ont pas été replantées n'importe comment, qu'on n'a pas coupé la canne avant l'heure, qu'on n'a pas laissé traîner les piles deux jours durant sur les habitations et qu'ici même, à l'usine, les ouvriers se sont mis au fil à plomb !

Je comprenais qu'on pût me déranger lorsque survenait un vrai problème, lorsqu'une turbine — ah ! cette garce de Marie-Claire... — avait décidé de nous enquiquiner ou qu'un des moulins s'était arrêté sans raison. Mais dans le cas présent, je trouvais que Rosalien exagérait. Que voulait-il de plus ? Au lieu de se complaire en interrogations oiseuses, il aurait mieux fait de prier le Bondieu de toujours obtenir un vesou d'une si belle couleur. Comme il insistait, je finis, quinze jours après sa première interpellation, par prêter un certain intérêt à ce que les ouvriers qualifiaient déjà de miracle. De miracle répété, pensaient les esprits les plus crédules. Mon intuition me disait que ce diable de Florius ne pouvait pas y être tout à fait étranger. J'avais suffisamment admiré dans notre enfance l'astuce dont il faisait preuve dans les situations les plus inextricables où se fourrait notre bande de garnements pour ne pas le soupçonner de mystifier Rosalien.

Ce dernier n'eut pas besoin de mon aide pour découvrir le pot aux roses, en l'occurrence un pot de chambre d'Aubagne. En effet, l'usine disposait d'un cabinet où, en cas de besoin pressant, les ouvriers pouvaient se précipiter. Quand l'affaire pouvait attendre, on sortait tranquillement des ateliers, on marchait un peu dans la campagne, cigarette Mélia au bec, et on livrait à la nature le contenu de sa vessie ou de ses intestins. Les hommes d'âge mûr ne sont pas sujets à la honte, affirme un dicton créole. Si quelqu'un — amarreuse ou donneuse d'eau, enfant en vagabondage — vous surprenait, il détournait aussitôt les yeux et vous n'aviez pas à vous empresser pour redresser votre pantalon et reboutonner votre braguette. Parfois même, si l'intrus ne pouvait faire autrement et avait besoin d'une réponse urgente ou de quelque éclaircissement de votre part, il se tenait à vingt pas de vous, dos tourné, et vous parlait la voix empreinte de gêne.

Le cabinet de l'usine, où trônait un pot de chambre en émail d'un blanc éclatant, n'était donc guère utilisé que par les femmes, couseuses de sac de sucre ou balayeuses des ateliers. Un homme dont on aurait fini par remarquer qu'il fréquentait trop assidûment cet endroit eût été traité de vicieux, de nègre-maquereau ou au contraire de macommère. Le commandeur Rosalien épia Florius et découvrit que celui qu'il quolibettait sans arrêt se ruait dans le cabinet dès qu'une femme y avait fait ses besoins et, discrètement — horreur et malédiction ! —, versait le contenu du pot de chambre dans les gouttières à vesou. Le contremaître de la sucrerie reçut une telle calotte, fut en proie à un tel émotionnement que le haut-mal s'empara de lui. On accourut pour le soutenir tandis qu'il crachait, vomissait et que son front s'était couvert d'une sueur à l'aspect inquiétant.

— Qu'on aille au bourg chercher le docteur Molinard ! ordonnai-je à un manœuvre.

— Pas... pas la peine..., articula faiblement Rosalien.

— Comment ça ? Tu n'es pas malade ? Tu penses que ça ira mieux ?

— Oui... oui, maître Pierre-Marie... Dans un petit moment, je vais me sentir mieux. C'est pas trop méchant...

Lorsque le fin fond de l'affaire me fut révélé, je partis d'un grand éclat de rire qui contamina le reste de l'usine et rabaissa la morgue du commandeur Rosalien pour toujours. J'ôtai tout de même à Florius la responsabilité des gouttières à vesou et des bacs à mélasse et le plaçai dans la salle des chais où il fut vite heureux de l'odeur entêtante du rhum qui vieillissait, de la fraîcheur qui semblait émaner des énormes fûts en chêne du Limousin.

— On peut lâcher n'importe quoi dans le vesou, même au pire, hein ?... au pire le cadavre d'un homme, eh ben ! ça n'a aucune influence ni sur la mélasse, ni sur le sucre ni sur le rhum ! déclarai-je aux ouvriers rassemblés. Mon père disait que seule la mauvaise canne, la canne mal plantée, celle qu'on n'a pas épaillée pendant l'hivernage, gâte le vesou, et vous savez tous que c'est vrai, Bondieu de bon sang ! Si la pâte du boulanger est bonne, eh ben il peut se permettre d'éternuer là-dedans, y cracher, des mouches peuvent s'y noyer, et vous, l'acheteur, vous n'y verrez que du feu le lendemain matin. Quel bon pain ! Voici tout ce que vous ferez en guise de commentaire.

Chacun décrypta la parabole et personne ne chercha noise à Florius, même le contremaître Rosalien qui cessa dès lors de s'imaginer que la vie était aussi facile à boire qu'un bol de toloman matinal.

5

— Il y a certaines nuits qui valent une centaine de nos petites vies, répétait souvent Aubin de La Vigerie.

Tu en fis l'expérience le Mardi gras de l'an 1938, dans la fleur de l'âge, lorsque tu crus frôler la mort, toi qui jusque là ne l'avais côtoyée qu'une seule et unique fois. Le souvenir de la fin atroce de Chabin Rouillé venait parfois hanter certains de tes mauvais rêves, de ceux qui, récurrents et incongrus, surgissaient dans ce demi-sommeil qui précède le lever du jour. Quant à ton père, qui avait rendu l'âme dans tes bras, pourtant sans souffrance apparente, son visage s'était comme imprimé sur le tien et certains jours, lorsque tu riais ou quand tu mâchais quelque chose, tu avais l'obscur sentiment de te dédoubler et d'être la réincarnation de cet homme autoritaire. Un tremblé dans ta voix, un geste impatient de la main, une mimique moqueuse s'imposaient à toi malgré tous les efforts que tu déployais pour être toi-même. Alors ton entourage de s'extasier, à ton grand agacement :

— Monsieur Pierre-Marie, fiche que tu ressembles à ton papa !

Et quand tu remontais plus loin encore dans ta

mémoire, tu retrouvais le corps calciné de Léon, le nègre rebelle, ce fameux Mississippi que l'incendie provoqué par les mangoustes enflammées avait cerné dans sa case. Sa veillée mortuaire avait été l'une des plus mémorables de Rivière-Salée. Des conteurs au verbe réputé s'y étaient donné rendez-vous et tu avais été tout bonnement subjugué par les rafales de paroles qui semblaient jaillir non pas seulement de leur bouche ni même de leur gorge, mais bien de leur corps tout entier. Leurs yeux tissaient des myriades de mots obscurs et beaux, leurs bras et leurs jambes dessinaient des plaidoiries intenses à la manière d'un théâtre d'ombres.

De toutes ces expériences de la mort, tu avais retiré une profonde méfiance des réjouissances collectives — et donc du carnaval —, comme si trop d'allégresse avait le don d'attirer les foudres du malheur. Ce sentiment qui t'habitait de plus en plus, surtout quand tu devins maître distillateur à l'usine, n'entretenait aucun rapport avec une quelconque superstition créole. Il s'agissait là d'une croyance que tu t'étais forgée toi-même, à l'insu d'autrui, et qui te poussait à fuir la moindre bamboche. Ton état de célibataire, à un âge où la plupart des hommes avaient déjà trois ou quatre enfants, t'éloignait davantage encore du monde — ce monde dans lequel tu ne t'étais au fond jamais senti à l'aise. Les békés t'ignoraient depuis que tu avais fait savoir que tu n'épouserais jamais une de ces vieilles filles rancies que leur père cherchait à placer, voyant arriver avec terreur le moment où elles ne seraient plus capables de leur assurer une descendance. Au bourg de Rivière-Salée, tu étais tenu à l'écart par la mulâtraille parce que tu ne disposais d'aucun pouvoir qui leur aurait permis d'espérer qu'un jour où l'autre, tu pourrais être utile à l'avancement de leurs affaires. Il n'y a qu'avec les nègres que tu te sentais en plein accord, même si ta position t'interdisait d'aller trop avant dans la familiarité, et cette situation te procurait une gêne permanente dont tu ne parvenais à te débarrasser que lorsque tu étais à la tâche avec eux, à l'usine. Dans la fumée des chaudières et le grincement des moulins-broyeurs, dans les sifflements intermittents de la colonne de distillation, il n'y avait nulle place pour les préventions ou une quelconque arrogance. Mais, en dehors de ce moment privilégié, tu te sentais seul, comme étranger à leur éternelle jovialité, et avais refusé d'être le parrain de plusieurs enfants nègres.

Dès le Samedi gras, des masques semaient les graines de la folie du carnaval un peu partout sur les habitations de la région. A l'heure de la paye, plusieurs ouvriers arboraient des déguisements, certains grotesques, d'autres magnifiques, qui transformaient cette cérémonie dérisoire en un enchantement. Tu notais, songeur, les noms des rares coupeurs de canne et amarreuses qui acceptaient de travailler durant la période carnavalière, souvent des gens âgés, usés avant l'heure plutôt, ou des mères d'enfants abandonnées par leur concubin et qui ne pouvaient compter sur la bénévolence de leurs voisins.

Tu te retirais chez toi, te félicitant à l'avance du calme extraordinaire qui régnerait dans le quartier, pour lire ces chroniques des premiers temps de la colonisation des Antilles dont raffolait ton père. Sans doute te résoudrais-tu enfin à couper la cordelette qui retenait la demi-douzaine de cahiers intimes qu'Aubin de La Vigerie avait griffonnés une vie durant. Une sorte de révérence paralysante t'en avait empêché jusque-là. Seule ta vieille mère, presque impotente à présent, te dérangeait de temps à autre pour que tu lui ouvres toutes grandes portes et fenêtres le matin. Elle ne souffrait pas que la maladie l'empêchât de commander à sa valetaille, de porter à manger aux chevaux dans les écuries ou simplement d'aller remplir une dame-jeanne d'eau à la source toute proche. Elle ne supportait plus sa vie, et ses beaux yeux gris, signe, disait-on, de longévité, s'embrasaient de sourdes et inutiles colères. Les veines de son cou se raidissaient et tu devais poser une main apaisante sur ses tempes pour qu'elle retrouve un peu de calme intérieur.

Si les carnavaliers parcouraient les campagnes afin de rameuter les retardataires, les festivités elles-mêmes ne se déroulaient que dans les trois rues dignes de ce nom que comptait le bourg de Rivière-Salée. Seul l'écho étouffé des vidés et des courses-courir, les coups de klaxon des camions à benne transformés en chars parviendraient, portés par le vent, jusqu'à Génipa. C'est pourquoi tu fus fort étonné de buter sur une Marianne-peau-de-figue dans la trace sinueuse qui reliait ta maison à la route communale. La créature, entièrement couverte de feuilles de bananier sèches, sautillait, virevoltait, faisait des bonds tout en lâchant un « Chhh-chhh-chhh ! » étrange. Elle ne s'était pas aperçue que le propriétaire des lieux venait d'arriver. On aurait juré qu'elle s'adonnait à un rituel religieux sans aucun rapport avec le carnaval, à l'une de ces magies d'Afrique dont tu avais eu, enfant, un aperçu avec les nègres-Congo.

Pétrifié, tu observais la Marianne-peau-de-figue se livrer à ses danses tournoyantes et se rapprocher peu à peu du perron de ta maison. Soudain, reprenant ton quant-à-soi, tu compris que le masque ne désirait qu'une petite monnaie avant de disparaître.

Dans le temps, tes parents, qui interdisaient à la marmaille d'assister à ce qu'Edmée de La Vigerie appelait non pas « carnaval » mais « bacchanale », s'amusaient à lancer des piécettes aux nègres-gros-sirop, aux carolines, aux mariés burlesques et aux diables rouges en chemin vers le bourg. Tant qu'Aubin n'avait pas vidé sa bourse, ils refusaient de déguerpir, se moquant des imprécations de son épouse qui trouvait que les nègres étaient toujours enclins à exagérer.

— *Mi ba'w!* (Tiens, prend ça !), t'exclamas-tu en voltigeant quelques sous blancs aux pieds de la Marianne-peau-de-figue.

Mais la créature ne se précipita pas pour ramasser le butin, comme les masques le faisaient d'ordinaire. Elle continuait au contraire à se mouvoir, se déhanchant de manière lascive lorsque tu arrivas à sa hauteur. Le déguisement ne permettait pas de deviner qui se cachait derrière, mais, à la finesse des orteils, au vernis-cutex rose qui en décorait les ongles, tu devinas qu'il s'agissait d'une femme. Interloqué, tu regardas tout autour de toi, sans voir aucun autre masque.

— *Sa ou lé ?* (Qu'est-ce que tu veux ?), balbutias-tu.

La Marianne émit un petit rire coquin qui te fit tressaillir. Il te semblait reconnaître cette façon de se gausser, cette frivolité teintée de gentillesse. Elle te rappelait quelqu'un sur lequel tu ne parvenais pas encore à mettre un nom. Les visages des amarreuses, des donneuses d'eau, des couseuses de sacs de sucre, des balayeuses de l'usine défilèrent dans ton esprit sans que tu puisses t'arrêter sur l'un d'eux. Tu ne les connaissais certes pas toutes très bien, mais tu avais au moins déjà vu le visage de chacune lors de la paye du samedi. Les timides, les mangoustes ou les farouches ne retenaient guère ton attention. Jamais elles ne discutaillaient à cause de la maigreur de leur paye ni ne contestaient telle amende infligée par leur commandeur. Presque comme des voleuses, elles ramassaient vitement-pressé le petit amas de pièces qui leur était dû, le serraient dans ce pli de côté de leur robe qu'on appelait *matjoukann* et s'enfuyaient sans demander leur reste. Parfois, elles te faisaient pitié. Mais le monde était ainsi fait. Sur la plantation, seules les négresses-majorines, les fortes têtes parvenaient à échapper à la plus extrême misère. Elles se battaient pour survivre et pour nourrir leurs tralées de marmaille sans père.

Esther, la marchande de ragots, était l'une d'entre elles. Amarreuse de cannes le matin à l'habitation Bel-Évent, blanchisseuse deux fois par semaine l'après-midi chez les La Vigerie et à Château-L'Étang, elle trouvait encore le moyen, le samedi et le dimanche, de s'employer comme serveuse à la buvette de Tantine. La mégère la rudoyait comme un chien, refusait de la payer lorsque par mégarde elle cassait un verre ou se trompait dans le calcul des consommations, menaçait régulièrement de la foutre dehors, traitait ses arrière-grands-parents, ses grands-parents, ses parents, elle-même et ses enfants de nègres-à-pian, de crapauds-ladres, de sale-race-de-Moudongues. Ester courbait l'échine sous cette volée de bois vert, mais ne pliait pas. Elle avait besoin des deux francs qu'elle gagnait à la buvette pour envoyer ses rejetons à l'école. Mais le plus extraordinaire était qu'Ester était toujours d'humeur égale, qu'elle était souvent habitée par une allégresse contagieuse et qu'elle n'avait de cesse qu'elle collectât les histoires les plus secrètes sur la plupart des habitants de Rivière-Salée. Si le muletier Théodore s'était mis subitement à déparler, ce n'était pas seulement, vous assurait-elle, parce qu'il abusait du tafia et du rhum coco-merlo, mais à cause d'un jaloux qui lui avait jeté un mauvais sort. Quant au bébé qui poussait dans le ventre de la plus jeune des filles de la balayeuse Antoinette, il n'y avait aucun doute : seul un brigand comme Florius pouvait lui avoir grimpé sur le ventre. Inutile de chercher querelle à ce petit jeune homme de Julien qui la courtisait depuis des années car le bougre remplaçait le bedeau lorsque ce dernier était mal portant et se confessait régulièrement.

— *Estè, sé wou ki la ? Sispann djendjen'w la, souplé èk ba mwen lè !* (Esther, c'est toi ? Arrête ton cinéma et laisse-moi passer, s'il te plaît !), fis-tu d'un ton qui se voulait bonhomme.

La Marianne stoppa net son gigotement. Elle semblait avoir perdu sa superbe, comme désemparée. Son ridicule harnachement de feuilles lui donnait l'air d'une de ces meules de foin qui t'avaient toujours intrigué lorsque tu révisais tes leçons de géographie de la France, et que tu avais vainement tenté d'apercevoir lorsque tu avais accompagné tes parents à l'Exposition Coloniale Internationale de Vincennes, en 1931.

— Allons, je sais que c'est toi, Esther. Qu'est-ce que tu veux ? insistas-tu en tentant de la repousser pour accéder au perron de ta maison.

Le masque ne bougea pas. Une immobilité surprenante l'avait saisi. Un instant, tu crus avoir affaire à une revanche et frémis à l'idée du coutelas aiguisé qui se préparait sans doute à te chiquetailler. Peut-être s'agissait-il de ce bougre vindicatif d'Esternome, un arrimeur qu'il avait fallu renvoyer deux mois plus tôt parce qu'il fainéantait dans le wagon où il avait pour tâche de ranger les paquets de canne que lui hissaient les muletiers. Alors que ses compères en remplissaient quatre ou cinq en une journée, Esternome, grognon dans l'âme, passait le plus clair de son temps à pester contre la déveine qui, à l'entendre, le poursuivait depuis sa naissance, et contre la difficulté de son djob.

— C'est forçant, messieurs-dames ! Forçant comme c'est pas permis ! s'exclamait-il lorsque les muletiers lui demandaient de presser le rythme.

Le commandeur Firmin Léandor ne joua pas avec lui lorsqu'il s'aperçut qu'Esternome remplissait bien difficilement deux wagons par jour. Il te l'envoya, t'invitant à lui trouver une place de manœuvre à l'usine. Esternome était dans tous ses états ce jour-là. Il traitait Léandor de sale mulâtre, de valet des békés.

— Qui va bailler le boire et le manger à ma marmaille, à présent ? hurlait-il, prenant les ouvriers à témoin.

Anthénor, le syndicaliste, intervint alors en sa faveur et tu décidas de le placer au monte-cannes, où il devait démêler les tronçons à l'aide d'un long bâton terminé par un crochet, travail qui ressemblait peu ou prou à celui d'arrimeur. Au bout d'une semaine, même Anthénor dut admettre qu'Esternome n'était qu'un parasite. L'ouvrier placé au premier moulin-broyeur se plaignait que l'ancien arrimeur mettait ses bras en danger car les tronçons qu'il recevait et devait glisser entre les rolls du moulin, lesquels tournaient à vitesse folle, n'avaient pas été correctement désamarrés. Un accident est si vite arrivé ! Quand tu convoquas Esternome, ce dernier se mit à jurer tous les dieux que le préposé au moulin était jaloux de sa personne, qu'il mentait comme on boit un verre d'eau, que ceci que cela.

Sa mauvaise foi était écœurante à voir. Il te revenait à toi, le régisseur du rhum, de lui remettre son billet-c'est-plus-la-peine, et cela sans aucun remords.

— *Man kay ranjé tjou'w ba'w, sakré kalazaza ki ou yé!* (Je vais te régler ton compte, espèce de faux Blanc !), te lança Esternome au visage avant de s'en aller.

On t'avait mis en garde. Le bougre était un revanchard qui, tôt ou tard, s'arrangerait pour te mettre les bâtons dans les roues. N'avait-il pas été, à maintes reprises, arrêté par les gendarmes et condamné à la prison ferme pour coups et blessures ? Son passe-temps favori consistait d'ailleurs à se saouler à mort et à chercher la bagarre au premier venu.

Devant l'insistance de la Marianne à t'empêcher d'accéder au perron de ta maison, tu reculas d'un bond et fonças en direction de la case à outils pour chercher ton fusil. Le carnaval était la période rêvée pour se venger de ses ennemis. A l'abri de son masque, on avait tout le loisir de le piquer avec un fleuret ou de lui lancer une fiole d'acide dans le grain des yeux. Ou encore de le larder de coups de coutelas, comme s'apprêtait à le faire Esternome. Le cutex rose qu'il arborait aux ongles des orteils ne te trompait plus. Il s'agissait bel et bien d'Esternome ! En période de carnaval, il était naturel que les hommes se griment en femme, et inversement.

— Mon... monsieur Pierre-Marie ! s'écria soudain, d'une voix fluette, la Marianne. C'est moi ! Je n'ai pas l'intention de te faire du mal, non...

— Moi qui ? demandas-tu, toujours sur tes gardes.

— Laeti... Laetitia, oui...

Et la négresse de se débarrasser de son déguisement et d'apparaître dans une nudité presque totale.

Une nudité sublime. Elle n'avait gardé, sans doute à cause de la chaleur, qu'une culotte sans grâce, délavée même, qui lui baillait un air étonnamment vulnérable. Tu ris de ta frayeur.

— Je... suis trop laide? se méprit Laetitia. Je suis trop noire pour toi, hein?

Tu songeas à cet instant-là que seule l'expression, contradictoire tu en convenais, de « noirceur nacrée » pouvait convenir à l'espèce de velours sombre qu'était la peau de la jeune femme. La première vision que tu avais eu d'elle, à l'usine, en train de coudre la gueule des sacs de sucre, lorsque ton père t'y avait conduit pour la seconde fois, le coup de foudre qui t'avait alors frappé, tout cela reflua d'un seul coup à ta mémoire. Tu l'avais un peu perdue de vue à ton retour du nord du pays, ne l'apercevant que de loin en loin dans les ateliers de la sucrerie, tant elle était la discrétion faite femme. Rarement, tu l'avais croisée sur la route communale, toujours entourée d'une nuée d'enfants, si bien que tu ne t'étais jamais trouvé seul à seul avec elle.

Tu pris conscience, en ce jour de Mardi gras, que tu n'avais pas cessé de l'aimer et qu'à ton insu, l'éblouissement qui t'avait frappé la toute première fois n'avait cessé de cheminer en ton for intérieur, te préparant à la présente rencontre, te rendant disponible pour le grand amour qu'elle était sur le point de t'offrir. Cette seule nuit du Mardi gras, nuit de passion éperdue, te sembla équivaloir toutes celles que tu avais déjà vécues dans ta vie. Aucune des femmes que tu avais eu l'occasion de fréquenter n'avait laissé une empreinte suffisamment durable dans ton esprit pour que tu envisageasses une seule seconde de la demander en mariage. La plupart étant d'ailleurs des négresses, une telle idée n'aurait pu germer en toi sans que tu ne l'écartasses comme une mouche importune. Un Blanc-pays, surtout dépourvu de biens comme tu l'étais, ne saurait tomber encore plus bas en s'alliant avec une travailleuse des champs, noire comme hier soir de surcroît.

Pourtant, moins de trois mois après ce carnaval de l'an 1938, toi, Pierre-Marie de La Vigerie, maître distillateur à l'usine de Génipa, en la commune de Rivière-Salée, dans le sud de la Martinique, fis publier les bans de ton mariage avec la négresse Laetitia Bérénice, déclenchant un tollé invraisemblable (« un tonnerre de Dieu », dans la parlure de céans) dans toutes les couches de la société surtout celle des Blancs. L'un d'entre eux, qui avait des visées sur la jeune femme, estimant qu'elle ne pouvait pas ne pas figurer sur la liste (pourtant passablement fournie) de ses maîtresses, te mit, toi, Pierre-Marie, en joue, sur la route de Petit-Morne, et te tira froidement dessus, au vu et au su de tout le monde. Fort heureusement, tu n'eus que l'épaule droite fracassée. La maréchaussée n'eut même pas à intervenir car tu ne jugeas pas nécessaire de déposer plainte.

Seule ta sœur aînée, Marie-Louise, démariée de son notaire à ce moment-là, daigna assister à la cérémonie...

TEMPS DES MAINS SUR LA TÊTE ET DE LA DÉTRESSE

« Mais à l'heure où ne passe plus le rêve, où le dur métal pénètre la paupière, où le cercle se clôt, tu voudrais dire haut ce que tu aurais voulu faire ou si possible chanter. »

Henri Corbin, *Lieux d'ombre*.

1

Terrible fut ce jour de mai où l'administrateur vint me trouver et, l'air gêné, m'ordonna de suspendre la distillation. Désormais, toutes les cannes que nous recevrions iraient à la fabrication du sucre, y compris celles de Val-d'Or, l'habitation dont feu mon père, Aubin de La Vigerie, avait si amoureusement pris soin durant deux décennies, tout à l'orée du siècle, avant de passer maître rhumier à l'usine de Génipa. Même lorsqu'il fut installé dans ses nouvelles fonctions, il ne cessa jamais de s'inquiéter de la bonne marche de cette plantation qui était réputée posséder les terres parmi les plus fertiles de la région de Rivière-Salée, Trou-au-Chat et Trois-Îlets (en dépit de ce qu'affirmait Firmin Léandor, ce mulâtre faraud qui commandait d'une main de fer l'habitation Bel-Évent). Dès la plantée des cannes, en septembre-octobre, alors que l'usine sommeillait, paisible, ouverte au regard du monde — puisque, à cette époque, on finissait de remonter les dernières machines et que le mécanicien Sosthène, sûr de sa savantise et de son infaillibilité, donnait des opéras de sa voix de contralto qui faisait frissonner le cœur des femmes —, mon père sellait son cheval et m'emmenait avec lui à Val-d'Or. Il bouillonnait d'une joie qui agaçait ma mère, la pressant de lui servir son bol de toloman, houspillant Antoinise pour qu'elle finisse de lui cirer ses bottes cloutées qui lui baillaient l'air d'un cow-boy.

— *Ti bolonm, jôdi-a, nou an kann!* (Petit garçon, aujourd'hui, la canne est à nous!), me lançait-il en me gratifiant de clins d'œil complices, sachant parfaitement que l'usage du créole devant un enfant ne ferait qu'augmenter l'irritation de son épouse.

Cette dernière le suspectait, à tort, de profiter de ces escapades pour aller chauffer sa câpresse de Grand-Bassin. On racontait, la bouche sous le bras, que mon père lui avait fait deux beaux enfants auxquels il fournissait vêtements et ouvrages scolaires. Quand ma mère, tenaillée par la jalouseté, le tisonnait sur cette question, il se renfermait dans un mutisme joueur. Certaines fois, il se saisissait de ma personne, me lançait dans les airs, me rattrapant à-quoi-dire une balle avant de s'écrier :

— Voici mon fils, oui ! Ah ! ce Pierre-Marie, il est né pour être mon héritier. Il sera un grand chef en distillation, ça, je le sais !

A ce moment-là, Simon Duplan de Montaubert n'avait plus sa superbe d'antan. Son corps ne le portait plus et il s'en plaignait. Il se faisait d'ailleurs accompagner par son neveu, Lepelletier-Dumont, qui était destiné à lui succéder en tant qu'administrateur du groupe La Palun, parce que l'ancien « Terrible » n'y voyait plus guère et qu'il était sujet à des trous de mémoire qui faisaient la joie des nègres contre lesquels il était amené à prendre des sanctions.

— Le rhum ne se vend plus en France... C'est plus la peine. Plus la peine du tout ! maugréait-il.

Ces propos me firent resonger à ce jour funeste où le gouvernement annonça le contingentement des alcools coloniaux sur le marché métropolitain. Cela s'était passé le 31 décembre de l'an 1922. Impossible d'oublier cette date car j'attendais avec impatience le cadeau du nouvel an que m'avait promis ma mère : une bicyclette. Mon père rentra catastrophé, bien avant quatre heures de l'après-midi, heure à laquelle l'usine fermait ses portes et qui voyait les ouvriers se presser à la buvette de la plantation, chez cette mégère de Tantine.

— Monsieur Sosthène a vécu la catastrophe de la Jamaïque, s'efforça-t-il de plaisanter. Nous, nous vivrons bientôt la catastrophe du Palais-Bourbon.

La nouvelle s'était répandue à travers tous les quartiers de la commune de Rivière-Salée et des environs et, déjà, des grappes de travailleurs inquiets venaient demander à mon père de quoi il retournait exactement. Il était le seul à posséder un poste de T.S.F., du moins le seul qui autorisât la négraille à venir l'écouter. Certains dimanches après-midi, dans notre cour de terre battue soigneusement nettoyée des feuilles mortes des manguiers qui la bordaient, on voyait débarquer des coupeurs de canne et des muletiers revêtus de leurs plus belles hardes en kaki. Les ouvriers de l'usine, eux, préféraient les chemises colorées que vendait le colporteur syrien. Tout ce monde-là s'asseyait en silence sur des caisses de morue séchée ou des barriques qui ne servaient plus, attendant que mon père, qui sortait brièvement les saluer, augmentât le son. Ma mère, qui détestait ces rassemblements, s'en allait en visite avec Marie-Louise et Ismène.

— Ils sont bouchés à l'émeri, ces gens-là ! ronchonnait-elle en grimpant à bord du tilbury qu'elle conduisait elle-même, Hector ayant libre disposition de ses dimanches.

En fait, ce n'était pas tant la langue qui leur était opaque que l'accent du speaker, nasillard et pointu à souhait, et surtout son débit de mitraillette qui me désarçonnait parfois. Admiratifs, les nègres s'écriaient de temps à autre :

— *Woy-woy-woy, joy bèl fwansé ki la!* (Sacrebleu, quel beau français il cause là !)

Le lendemain, à la reprise du travail, ils profitaient de la pause de dix heures pour harceler mon père de questions à partir des bribes qu'ils avaient pu saisir. Leur visite soudaine à la veille du Nouvel An affola ma mère. Elle crut à un mouvement de révolte et s'empressa de clore portes et fenêtres, mais mon père la rassura. Il semblait cassé. Vieilli de dix ans. S'accoudant à l'une des fenêtres qui donnaient sur la cour, il salua un à un les travailleurs qui arrivaient.

— *Jilyen, sa ou fè? Wôzmon, ou ka tjenbé?* (Julien, comment vas-tu? Et toi, Rosemond, ça tient?)

Mais au fébrile de sa voix, nous devinâmes, nous les enfants, que quelque chose de grave se déroulait. Du poste de T.S.F. s'élevait la voix fluette de Tino Rossi, chanteur qu'appréciaient fort ma mère ainsi que Marie-Louise, mais ce chanter sembla si incongru en un tel instant que la première éteignit elle-même l'appareil. Mon père s'avança alors sur la véranda, tout de blanc vêtu comme il aimait à se parer après une rude journée de travail, et fit un geste fataliste de la main. Il avait pourtant l'air d'un prophète que ses fidèles étaient sur le point d'implorer.

— Mes amis, le gouvernement vient de nous étrangler. Il a voté aujourd'hui même une loi pour contingenter notre rhum...

— Ça veut dire quoi? intervint un ajusteur.

— Eh ben... jusqu'à hier, nous pouvions expédier en France autant d'hectolitres de rhum que nous voulions. Vous l'ignorez peut-être, mais la Martinique est le territoire de l'Empire qui produit le plus de rhum. Plus que la Guadeloupe ! Plus que la Réunion ! Quand on prononce le mot « rhum » en France, c'est le mot « Martinique » qui vient tout de suite à l'esprit... Nulle part ailleurs on ne trouve une qualité telle que la nôtre. C'est notre fierté !

Nous seuls, les La Vigerie, savions qu'il embellissait quelque peu la réalité. En effet, il nous avait maintes fois expliqué que ce que l'on consommait en Europe sous le nom de rhum n'avait de cette boisson que l'étiquette. Son arôme subtil, sa verdeur sur le palais, l'éblouissement qu'il produisait au fond de la gorge, tout cela, les Blancs-France l'ignoraient. La cause ? Elle était simple à comprendre : aux XVIIe et XVIIIe siècles, au temps de la marine à voile, quand les voyages entre les Antilles et l'Europe duraient entre deux et trois mois, l'alcool de canne à sucre était transporté dans d'énormes outres en cuir dont, à l'arrivée, il s'était durablement imprégné, formant ainsi au fil du temps le goût du consommateur métropolitain. Lorsque, au XIXe siècle, le voyage se raccourcit des trois quarts grâce au moteur à vapeur, on transporta le rhum en barriques, ce qui produisit un véritable tollé en Europe. Les amateurs ne reconnaissaient plus leur boisson favorite. Elle était devenue âcre, amère parfois, et leur brûlait la langue. Affolés, les importateurs entreprirent d'y faire tremper des lamelles de cuir avant de le distribuer et tout rentra dans l'ordre. Ce que les Blancs-France appréciaient donc sous le nom de « rhum de la Martinique », n'était en réalité qu'un breuvage équivoque qu'aurait aussitôt recraché le gosier créole le moins averti.

— Notre rhum ne trouve plus preneur, continua mon père, retrouvant peu à peu la maîtrise de lui-même et donc son ton professoral habituel. Il ne se vend plus. Voilà !... A cela, il y a des tas et des tas de raisons, foutre ! D'abord, il coûte trop cher, beaucoup trop cher, et les gens s'en détournent au profit de l'armagnac ou du calvados. C'est des boissons de là-bas. Moi-même, j'en ai jamais goûté... Et puis, certains pays comme Madagascar le vendent au-dessous de son prix réel pour prendre la place du rhum martiniquais. Pire : on importe même du rhum de Cuba, un pays qui n'est même pas colonie française.

— Pourquoi ils nous font ça ? demanda timidement quelqu'un en créole.

Mon père fit allumer des flambeaux car la nuit était sur le point de tomber. En décembre, elle n'attendait même pas que le soleil se couchât tout à fait pour envelopper la terre. La tristesse de ce dernier jour de l'année n'en fut qu'accentuée. Pourtant, sur notre véranda, étaient empilées les victuailles que ma mère avait commandées en ville pour le réveillon, et nous, les enfants, savions que nos cadeaux étaient cachés quelque part au galetas ou dans la case à outils.

— Ils n'ont pas le droit d'acheter du rhum étranger, reprit la même voix.

— Certes ! Certes ! répondit mon père, embarrassé. Certes ! Mais la France a aussi besoin de vendre ses produits à l'étranger. Faut comprendre ça ! D'après ce que je sais, Cuba a ouvert ses portes aux eaux-de-vie des Charentes. Alors... Mais la vraie raison, selon moi, c'est que les fabricants d'alcool métropolitains trouvent que le rhum concurrence trop leur vin, leur kirsch ou leur cognac. Pendant la guerre de 14, notre rhum les avait tous balayés, oui !

Cette veille du nouvel an 1922 fut tout bonnement sinistre. Malgré la colère de ma mère, mon père décida de ne pas réveillonner et distribua une partie de nos victuailles aux travailleurs les plus nécessiteux. Un à un, ces derniers repartirent, marmonnant ce mot étrange de « contingentement » dont ils savaient qu'il ne tarderait pas à malmener leur existence déjà bien précaire. Nous soupâmes maigre, comme s'il s'était agi d'un jour ordinaire, et mon père n'entonna point l'un de ces chants un peu grivois qui faisaient froncer les sourcils à ma mère. La distribution des cadeaux se fit à la va-vite et avant minuit nous étions au lit, puisqu'il était de toutes façons inutile de se souhaiter une bonne année. La rue Cases-Nègres, elle aussi, était anormalement calme et nous n'entendîmes pas ronfler les tambours-bel-air qui d'ordinaire faisaient se trémousser les travailleurs jusqu'au devant-jour.

Au matin, une sorte de conseil de guerre se tint à l'usine entre les grands propriétaires terriens, les distillateurs et les usiniers de tout le sud de la Martinique. Mon père rentra déjeuner, ce qu'il faisait rarement. Il lâcha un « bonne année » sans conviction et nous embrassa chacun d'un air distrait. A ma mère, il déclara :

— La situation est encore plus mêlée que je ne le croyais... Le gouvernement ne nous autorise plus à exporter que cent mille hectolitres par an. Tu te rends compte ? On est passé de deux cent mille à moitié moins ! Je ne vois pas comment on va s'en sortir. Les distilleries vont fermer les unes après les autres. Les nègres vont tomber en chômage. On aura des grèves sur les bras, ça va péter...

A nous, la marmaille :

— Le gaspillage est fini, désormais ! Fini-fini-fini ! Vous m'entendez ? Mussieu Moïse, tu te connais, tu sais qu'une paire de souliers ne te fait pas quatre mois, hein ?... Quant à toi, Ismène, tu vas arrêter d'embêter ta mère pour qu'elle t'achète des robes neuves. Ton armoire est assez fournie comme ça !

La manifestation la plus spectaculaire de cette situation de restriction fut l'usage généralisé de la monnaie-caïdon, sur ordre de l'administrateur. D'ordinaire, ces pièces en métal grossier, fabriquées à sa guise par chaque planteur ou usinier, servaient de simple complément de salaire. Il arrivait en effet que la Banque de la Martinique ne fût pas en mesure de fournir la totalité des sommes qui servaient à la paye du samedi. Alors, le béké battait sa propre monnaie, laquelle n'était valable que dans la boutique de sa plantation, pour acheter la musse d'huile, le demi-quart de beurre ou la livre de pois rouges. Les travailleurs de Rivière-Salée n'aimaient guère cette pratique qui, si elle faisait le bonheur de leur maisonnée (au moins, on avait de quoi manger !), les plongeait, eux, dans des colères froides. Au gallodrome de Fonds-Coulisses, le caïdon n'avait évidemment pas cours et donc, impossible de faire des paris ! Dans les estaminets du bourg, on regardait avec dédain ceux qui voulaient payer avec leur « petit rond de métal » et on refusait parfois de les servir ! Quant aux bougresses dont on désirait ramollir les préventions, il était parfaitement inutile de faire miroiter devant elles des pièces de caïdon. « Caïdon égale jambes fermées ! », proclamaient même certaines effrontées. Wadi Mansour, le colporteur syrien, n'acceptait pas de leur faire crédit lorsqu'ils recevaient le premier versement de leur traite en monnaie-caïdon. Dans ces cas-là, il exigeait d'être payé en totalité et c'est pourquoi il trimballait toujours une énorme bourse attachée à son ceinturon, dans laquelle les caïdons faisaient, à chaque pas, un bruit de ferraille pour le moins désagréable.

— C'est pas comme ça que tu deviendras riche, La Syrie ! se moquait-on au passage.

Le Levantin n'en avait cure. Sa tournée achevée, il se rendait chez Tantine, déversait sur le comptoir les ronds en métal qu'il avait glanés ici et là et lui lançait :

— J'ai trois mois de morue séchée chez toi, deux mois de pots de farine-manioc, deux mois de riz aussi, quinze jours de rhum...

Mais, à part Wadi Mansour, personne n'avait jamais eu entre les mains plus qu'une dizaine de pièces de caïdon. Ce n'était qu'un complément de salaire que beaucoup offraient à ceux d'entre leurs rejetons qui s'étaient montrés sages durant la semaine, lesquels rejetons se précipitaient pour les brocanter contre des bonbons ou des sodas. Si bien que, lorsque l'administrateur prit la décision, en cette année du Contingentement, de payer dorénavant la moitié des salaires en caïdon, les nègres se lamentèrent :

— On nous réduit à l'état de petite marmaille, oui ! Foutre que le gouvernement est scélérat !

Au fil des mois, une certaine confiance revint. Pas celle d'avant, teintée de fierté, voire d'arrogance insulaire, mais une sorte d'impassibilité qui se manifestait par des haussements d'épaules ou des « Hon ! » lorsque, de là-bas, parvenaient d'autres mauvaises nouvelles. Aucun distillateur n'avait vraiment réduit sa production de rhum, simplement, tout ce qui dépassait la barre des cent mille hectolitres fixée par le contingentement était vendu en France avec une surtaxe égale à celle qui pesait sur les alcools étrangers. Aubin de La Vigerie faisait contre mauvaise fortune bon cœur :

— A présent, y a deux catégories de rhum dans ce pays-là, foutre ! Y a Monsieur Rhum, chapeau bas devant lui s'il vous plaît, car il est accueilli en grand seigneur en France, et puis y a Caca Rhum, celui-là, c'est un paria, pourtant il est le frère jumeau du premier ! Aucune différence d'arôme, de saveur ou de couleur entre eux. AU-CU-NE !

A dater de cette loi infâme du contingentement, l'insouciance moqueuse du nègre envers la vie se mua en un sourcillement permanent qui lui gâchait ses moindres petits plaisirs. La hautaineté des Blancs s'effrita quelque peu et ils cessèrent de donner des banquets au moindre prétexte. Tout le monde avait conscience que le pays venait de descendre une marche supplémentaire vers la décadence et qu'un beau jour, assurément et pas peut-être, il se retrouverait les quatre fers en l'air.

2

— Fouiller la mémoire des ancêtres, remonter dans ses replis à l'envers et à l'endroit nous aide à supporter le fardeau de chaque jour, ressassait Léon, le nègre rebelle, à Pierre-Marie.

Son langage était énigmatique. Il peaufinait des phrases qui demeuraient dans l'esprit du gamin comme si une force invisible les y avait imprimées. Sa voix n'était pourtant pas martèlement, mais plutôt une manière de ciselage des mots. Parfois, quand la colère contenue menaçait de lui faire perdre la raison, il les aiguisait à-quoi-dire des coutelas sur la meule du temps. Car Mississippi ne comptait ni en semaines, ni en mois ni en années. Ses cinq doigts lui servaient d'unité de mesure et, quand Pierre-Marie l'interrogeait sur son âge, il ouvrait et fermait sa main droite un nombre incalculable de fois avant de péter un rire secoué de quintes de toux.

Aujourd'hui encore, presque trente ans après, son image hantait Pierre-Marie. Quel âge le bougre pouvait-il avoir ? Était-il quasi centenaire, comme l'affirmait Antoinise ? Il était, en effet, de notoriété publique que sa mère ne l'avait déclaré à l'état civil qu'à l'âge où il avait commencé à travailler dans les « petites bandes » sur l'habitation La Trénelle. Le nègre-marron portait donc sur les épaules une quantité d'années-savane au cours desquelles il avait déjà échappé — oui, déjà ! — à la loi des Blancs. Quand il se targuait d'être né libre, il ne fallait pas y voir une quelconque gloriole, mais l'expression d'une vérité toute simple. Pierre-Marie le comprenait à présent.

— J'ai un nom secret, avait-il révélé à ce dernier. C'est lui que j'ai porté jusqu'à ce qu'à la mairie, ces couillons-là décident de me déguiser en Léon. D'ailleurs, tu vois, il n'y a que les békés pour m'appeler comme ça. Les nègres, eux, ils préfèrent me crier Mississippi.

Il n'avait pas, assurait-il, le droit de dévoiler son véritable nom car en lui se cachait sa force, la force de rébellion qui lui avait permis de supporter jusque là les avanies de cette existence où tout semblait arrangé pour le bien-être du Blanc et rien pour l'heureuseté du nègre.

— Rien pour l'heureuseté du nègre, foutre ! grommelait-il en jouant avec une bûchette de feuille-coco entre les cendres de son foyer.

Ces trois grosses pierres au mitan desquelles bruissaient nuit et jour des brandons étaient son lieu de méditation favori. Il y faisait réchauffer des thé-pays, des remèdes-halliers pour ses rhumatismes, son manger (toujours du fruit-à-pain et une aile de morue séchée) ou celui de ses cochons (la peau de fruit-à-pain). C'est à cet endroit-là qu'il trouvait le mieux ses mots et qu'il les enfilait dans une sorte de collier invisible qui fascinait Pierre-Marie. Il évoquait des paysages inouïs qu'il affirmait être ceux de l'Afrique que son père lui avait appris à visiter la nuit, dans ses rêves.

— Si tu me vois si fatigué ce matin, lançait-il à

Pierre-Marie d'un ton enjoué, c'est que hier soir, j'ai beaucoup-beaucoup marché ! J'avançais dans une forêt immense où les arbres avaient des troncs gros comme quatre fois ceux des fromagers d'ici. Leurs branches partaient vers le ciel et certaines même le caressaient, oui. Des animaux m'accompagnaient dans un cafouillis de grognements, de barrissements, de honk ! honk ! honk !, de sifflements. Une trace s'ouvrait devant mes pas pour se refermer tout de suite après, m'interdisant de retrouver mon point de départ. Mais tant pis, foutre ! puisque j'étais heureux. Une douceur irradiait chaque parcelle de mon corps qui n'était plus ni jeune ni vieux, ni beau ni laid. Plus j'avançais, plus la forêt devenait sombre, mais je voyais quand même devant moi comme si c'était le plein jour. On m'attendait au loin. On avait annoncé ma venue. Ah ! je ne suis pas encore arrivé au bout de mon voyage... Il me reste des années encore à marcher-marcher-marcher dans mon rêve, oui.

L'incendie de la plaine de Rivière-Salée avait définitivement interrompu le voyage de Léon. Il ne trouverait pas la source d'eau miraculeuse qu'il promettait à ceux qui venaient le consulter, le croyant doué de pouvoirs surnaturels. Il ne s'installerait pas dans le royaume d'Afrique-Guinée, parmi les siens, comme l'envie l'en démangeait, et aucun roi ne l'accueillerait comme l'un de ses sujets. Des années après, Pierre-Marie était encore dévoré par le remords. La bande à Florius s'était bien cousu la bouche : nul n'avait deviné la cause réelle du sinistre. On avait avancé moult hypothèses — la plus cruellement absurde étant celle qui faisait de Léon l'incendiaire par vengeance contre les Blancs — mais personne n'avait soupçonné la marmaille. D'ailleurs, Florius avait décidé de ne plus brûler les mangoustes dans un tonneau, mais de les noyer comme avant, même si c'était moins amusant.

Le fantôme du nègre rebelle resurgissait à n'importe quel moment dans l'esprit de Pierre-Marie, surtout lorsque ce dernier croyait avoir l'esprit tranquille, tout s'étant déroulé comme il le voulait à l'usine. Ainsi avait-il repensé à lui lorsque le deuxième bras de Marceau fut happé par le moulin-broyeur. Pourtant, les deux événements n'avaient aucune similitude entre eux. Marceau s'était avancé lui-même dans le désastre, sans que personne ne l'y obligeât, puisque Aubin de La Vigerie, apprit-on plus tard, lui avait bel et bien promis un poste de gardien de bétail sur l'habitation Féral. Soit le bougre était trop pressé de gagner de nouveau de l'argent pour se saouler à la buvette de Tantine, soit sa fierté d'ouvrier d'usine lui interdisait d'accepter un djob de nègre des champs. N'ayant plus qu'un seul bras, ce qui en faisait la cible des gamins railleurs et le rendait transparent aux yeux des femmes, il ne pouvait pas déchoir une nouvelle fois en quittant les ateliers pour les parcs-à-bœufs. Il lui fallait retravailler coûte que coûte et si possible au même poste, à l'endroit même où il était devenu manchot. Sinon, il perdrait la face. Sinon, le monde entier le traiterait de zéro devant un chiffre.

Taraudé par la culpabilité, il arrivait à Pierre-Marie de revenir sur les lieux de l'incendie de ce qu'en son for intérieur il ne pouvait s'empêcher de qualifier de crime. Après deux décennies, l'endroit était devenu presque méconnaissable. Sur cette partie de la plaine de Rivière-Salée, qui avait été soustraite à la culture de la canne, on avait installé des poteaux électriques. Certains habitants du bourg, très fiers des trois ou quatre lampadaires qui éclairaient désormais leur rue principale dès six heures du soir, se gaussaient :

— Ceux de la campagne, non seulement ils travaillent les pieds dans la boue, mais en plus, ils continuent à combattre l'obscurité avec des lampes à pétrole. Pauvres bougres !

« Je ne suis pas coupable », se murmurait Pierre-Marie, s'arrêtant à l'endroit exact — du moins le supposait-il — où se trouvait jadis le foyer à trois roches de Léon. « Je ne suis pas le seul coupable ! » Florius, en tant que maître-de-camp, chef de bande et tous les titres peu flatteurs que lui baillaient les adultes, pouvait tout autant être tenu pour responsable du renversement du tonneau dans lequel gigotaient les mangoustes au pelage enflammé par la paille de canne. Ne s'était-il pas brusquement désintéressé du supplice infligé aux dérobeurs de volaille pour inciter les autres à jouer à Ti Pilon-magoton ? Florius s'était arrogé le rôle de Ti Pilon sans consulter la bande, se jugeant sans doute le plus débrouillard. Il avait ensuite décrété que Pierre-Marie jouerait celui du berger, le reste des négrillons figurant le troupeau de moutons. Aussitôt, le chef de bande avait cassé une branche de tamarinier des Indes pour se fabriquer une canne et s'était mis à avancer en claudiquant. D'un ton nasillard et plaintif, il avait lancé en créole :

— Ti Pilon-magoton, ma jambe est cassée !

— Tant pis pour toi ! s'était écriée la marmaille. Tant pis pour toi, nègre bosco !

— Ti Pilon-magoton, j'ai cogné la chique qui vit entre mes orteils !

— Tant pis pour tes orteils !

Arrivé devant Pierre-Marie qui, en bon berger, faisait mine de protéger ses moutons, il le considéra d'un air ahuri, puis déclara :

— Bonjour, carotte !

— Bonjour, navet ! fit le berger.

A cet instant-là, se souvenait parfaitement Pierre-Marie qui, aujourd'hui, trouvait ce jeu d'une stupidité effroyable, un raclement se fit entendre dans le tonneau. Cela l'avait surpris : d'ordinaire les mangoustes couinaient faute de pouvoir escalader les parois que la bande avait enduites au préalable de vinasse. Un énorme raclement, oui ! Mais il était impossible à Pierre-Marie d'abandonner son rôle de berger, ce qui l'aurait brouillé tout net avec ses compagnons. Avaient-ils eux aussi entendu ce raclement inhabituel ? Il se le demandait encore, vingt ans après. Il avait immédiatement fait le rapprochement entre ce bruit et le renversement du tonneau, mais jamais il n'avait pu l'identifier. Cela continuait à l'intriguer et il en cherchait la cause chaque fois qu'il se rendait sur les lieux. Mais tout avait changé. La canne avait été repoussée cinquante mètres plus loin et les halliers avaient été taillés avec soin. La trace de terre battue qui conduisait à la case de Léon avait même été partiellement cimentée pour permettre d'accéder plus aisément aux poteaux électriques. Est-ce qu'un chien vagabond avait pu s'approcher du tonneau à leur insu ? Il y en avait toute une tralée — des faméliques, des galeux — qui rôdaient aux abords des habitations, à la recherche d'un peu de nourriture. Les négrillons les poursuivaient avec un acharnement appliqué, méthodique. Ils les bombardaient de roches sous le regard approbateur, voire les encouragements, des adultes.

Le jeu de Ti Pilon-magoton avait donc continué comme si de rien n'était. Florius, alias Ti Pilon, s'était écrié :

— Mon maître m'a envoyé chercher un mouton. Il prépare un festin, oui !

— Prends donc un mouton ! avait répondu Pierre-Marie, le berger.

Et le troupeau de pousser des « Bèè ! Bèè ! Bèè ! » d'effroi simulé, chose qui n'empêchait pas Ti Pilon de saisir sa proie, de déposer sa victime dans un coin et de revenir à la charge, brocantant les mêmes paroles avec le berger, jusqu'à ce qu'il eût décimé la totalité des innocentes bêtes.

— Monsieur mon maître a le grand honneur de vous inviter à son banquet, faisait Ti Pilon.

— Que votre maître en soit remercié ! Je vous suis, cher monsieur, répondait le berger.

Mais en chemin, les moutons capturés se métamorphosaient en chiens sauvages qui, aboyant à la mort, fondaient sur le berger et le dévoraient. Quelle pouvait bien être la signification de ce jeu qu'il avait cent fois pratiqué lorsqu'il était enfant ? Il repensait au vieux Léon, qui affirmait que la mémoire du temps de l'antan avait été volontairement effacée. Les nègres avaient voulu se détourner d'une époque où ils n'avançaient que les chaînes aux pieds, contraints à travailler sous la menace du fouet.

— Personne ne parle de l'esclavage, comme s'il n'avait jamais existé ! s'indignait le vieux rebelle, mais moi, j'en reconnais partout les traces. Mon grand-papa a vécu toute sa vie dans les fers, mon père, lorsqu'il était jeune homme, a connu ce que les Blancs appellent l'Abolition — une sacrée macaquerie oui ! —, et à moi, ils ont transmis le souvenir de cette époque maudite. Même si je suis le seul, même si je suis le dernier, je continuerai à en perpétuer le souvenir.

— Léon est fou ! s'exclamait souvent Antoinise. Ses histoires d'esclavage, c'est des inventions, des contes à dormir debout. N'écoute pas ses couillonnades, Pierre-Marie !

— De toute façon, moi, je descends des Caraïbes, pas des Africains ! ajoutait Hector, le jardinier, en tapotant fièrement ses cheveux bouclés de câpre.

Les Blancs aussi avaient cherché à oublier l'époque des chaînes et du fouet.

— Par honte pour la plupart, expliquait Léon. Par scélératesse innée pour certains. Mais monsieur Simon, celui que vous appelez le Terrible, il est à l'image exacte des maîtres esclavagistes du temps passé. S'il en avait le droit, il m'aurait fait jeter au cachot parce que je refuse d'esquinter ma vie dans ses champs de canne maudits !

Des années et des années plus tard, revenu sur les lieux où la case de Léon avait été cernée par les flammes, Pierre-Marie songeait que la canne avait fini par rattraper le rebelle. Elle n'avait pas usé sa vie avec cette patience implacable qui transformait les anciens travailleurs des plantations en loques humaines, mais l'avait brutalement éliminé. Comme une mauvaise herbe.

— Maudite, la canne ! ressassait-il aux enfants. Souillée à jamais, étampée par le sceau infamant de l'esclavage.

Un sentiment contradictoire habitait Pierre-Marie. Comment pouvaient-ils, lui et tous les habitants de Rivière-Salée, de ce pays tout entier, qu'ils fussent descendants d'esclaves ou héritiers des maîtres, à la fois haïr et aimer d'amour fou cette canne à sucre — et donc ce sucre et ce rhum — qui était la chair et le sang de chaque jour ? La plantation (et son usine), dont tout un chacun trouvait toujours motif à se plaindre, n'était-elle pas la matrice au sein de laquelle s'était forgée, dans le déni de justice et la douleur certes, cette culture créole qui n'était ni tout à fait blanche, ni tout à fait noire, mais participait des deux mondes à la fois, sans oublier l'apport des Indiens-coulis, des Chinois-pays et des Syriens ? Celle des premiers habitants d'avant Christophe Colomb aussi, ces Caraïbes dont les poteries brisées parsemaient les champs et que le docteur Molinard collectionnait. Cette réflexion lui était venue après qu'il eut découvert la lettre suivante dans les cahiers intimes que tenait son père, bien longtemps après la mort de ce dernier :

Lettre à l'Élue

Nous avons marché dans la nuit. Nos tâtons, nos chutes répétées, nos cris d'effroi, nos étreintes éperdues, nos rires et nos pleurers, tout ce mélange nous a fait durer. Nous persistons dans le tiraillement de chaque jour, dans l'écartèlement, entre la détresse des mains qui piochent, qui bêchent, qui coupent la canne, qui fouillent nos désespoirs et la tendresse — ô miracle sous ma langue de la prune d'Espagne ! — de toutes ces voix accumulées, de ces tambours qui hèlent le bel-air du monde.

Tu avances entre l'envol des cannes dans la plaine et le tournervirer sur place du moulin-à-manioc. Entre la meule où l'on aiguise les coutelas au petit matin, juste après le décollage, et les vérandas, faiseuses d'ombres et d'intrigues, qu'arpentent des créatures dépeignées quoique belles.

Toi, l'Élue, la langue neuve te parle, elle trace en toi l'ignoble et l'inouï, elle trace l'habitation, creuset de nous-mêmes, du Blanc et du nègre, puis de l'Indien, elle cisèle peu à peu un monde nouveau que rien ni personne n'empêchera d'advenir.

Nous naîtrons à nous-mêmes et je t'en remercie. Amour-Amitié.

Aubin.

Edmée de La Vigerie ne s'était pas trompée : si son mari n'avait pas eu, sa vie durant, l'usine et ses plantations de canne à sucre pour seul et unique univers, sans doute serait-il devenu un grand écrivain à l'instar de Lamartine, qu'il admirait tant.

3

— Deux petites marmailles se sont noyées à l'embouchure ! *Sé yich ki moun ?* (Ce sont les enfants de qui ?)

La voix qui hurlait au-dehors était celle d'une femme. Une femme qui avait perdu le contrôle d'elle-même. Voix éplorée, rageuse, entrecoupée de quintes de toux et de crachats. On était à la mi-septembre et l'usine était au repos, démontée pièce par pièce pour remplacer celles qui s'étaient usées au cours des six mois précédents. Ces pièces, les ajusteurs et les forgerons les fabriquaient sur place, année après année, avec un doigté qui forçait l'admiration de tous, y compris de l'administrateur, même s'il se gardait bien de le montrer pour ne pas « bailler aux nègres l'occasion d'avoir un pied sur sa gorge » selon une expression qu'il traduisait littéralement du créole.

— Si le nègre a un pied sur votre gorge, te disait-il en aparté, il n'hésitera pas une seule seconde à vous l'écraser. Ces bougres-là font semblant d'être dociles comme des agneaux, mais vous n'avez qu'à observer leur comportement pendant les grèves. Des chiens enragés, oui !

— *Yich ki moun?* (Les enfants de qui ?), suppliait la voix dans la cour de l'usine.

C'était Antoinise, ta servante, qui, depuis la mort de ton père et le départ de tes frères et sœurs, ne travaillait plus chez vous que trois matinées par semaine. Ta mère, encore active pour son âge et surtout pingre dans l'âme, prétendait pouvoir s'occuper seule de son ménage le reste du temps. Elle en voulait aussi à Antoinise d'avoir rempli la tête de Marie-Louise, à l'époque de ses fiançailles, de tous les ragots qui couraient sur la conduite débauchée de Sylvère de Cassagnac et sa prétendue liaison avec une bâtard-Chinoise du quartier Sainte-Thérèse, à Fort-de-France. Elle la tenait pour responsable de l'échec du mariage de sa fille aînée. Heureusement qu'elle avait toujours ignoré le fameux test de l'aiguille dorée auquel cette dernière avait soumis son gandin d'époux !

Tu t'étonnas qu'Antoinise fût venue à l'usine pour annoncer sa terrible nouvelle. Ici, en cette période, aucune femme ne travaillait, seulement des hommes qui, le plus souvent, ne vivaient pas avec la mère de leurs enfants. Certains, comme Florius, étaient tellement papillonneurs qu'ils juraient ignorer le nombre exact de leurs rejetons, chose dont ils n'avaient pas crainte de se vanter. Les foudres du Seigneur dont les menaçait l'abbé Tanguy dans ses prêches enflammés ne leur faisaient ni chaud ni froid.

— Les Dix Commandements, c'est bon pour les femmes et la marmaille, rigolait Florius. Un homme doit commander son corps lui-même, foutre !

— Monsieur Pierre-Marie... Monsieur Pierre-Marie, c'est la vinasse qui a charroyé-allé les deux enfants, oui ! te fit-elle en s'agrippant à ton bras.

La vinasse ! Elle se trompait, Antoinise. Quelle idée ! Même si la pluie était tombée raide, la rivière Salée n'était pas en crue et personne n'aurait eu l'idée saugrenue d'y déverser le contenu des fosses. D'ailleurs, cette décision ne se prenait pas au jugé, simplement en scrutant les nuages de mauvais temps ou en jaugeant la force des vents. L'administrateur devait procéder à une demande de rejet de la vinasse auprès de la gendarmerie, laquelle était tenue de vérifier si effectivement il y avait une montée des eaux. L'affaire pouvait parfois prendre deux jours, voire trois si les estimations des gendarmes ne correspondaient pas aux siennes. Lepelletier-Dumont, qui ne perdait jamais une occasion de pester contre les « Européens » (lui se prétendait « américain »), n'avait guère confiance dans l'aptitude de la maréchaussée à pressentir quel temps il ferait ni à quel moment la rivière entrerait en crue. En fait, ces Blancs-France, dont certains se liaient d'amicalité avec la population de couleur, l'exaspéraient au plus haut point. Il lui arrivait de demander au gouverneur le déplacement de tel gendarme qui causait trop souvent à son gré avec Anthénor, le syndicaliste, ou de tel autre qui avait eu le culot de fretinfretailler avec une négresse et qui l'avait engrossée. Tu t'étonnais de la célérité avec laquelle le gouverneur accédait aux desiderata de l'administrateur. Celui-ci ne faisait même pas procéder à une quelconque enquête : il croyait Lepelletier-Dumont sur parole. L'administrateur avait l'art, il est vrai, de doser ses aigreurs. Il te demandait, en février, de livrer deux dames-jeannes de rhum au capitaine de la gendarmerie, qu'il invitait parfois à sa table quand les vols d'outils ou de canne se multipliaient sur les propriétés. Il faisait régulièrement tenir à l'épouse du gradé fruits de saison et légumes-pays.

Leur unique point de discorde avait précisément trait au rejet de la vinasse dans la rivière Salée. Seule comptait l'échelle des crues que l'inspecteur Debretagne avait fait installer non loin du quai d'embarquement de la pétrolette. Deux niveaux, un bleu (niveau d'alerte) et un rouge (arrivée imminente de la crue), indiquaient sans discussion possible la conduite à tenir. Régulièrement, l'administrateur envoyait un nègre les vérifier lorsque le ciel s'assombrissait. C'est qu'il ne fallait pas attendre que la plaine fût noyée sous un déluge pour procéder à l'évacuation des fosses à vinasse car là-haut, à l'endroit où la rivière prenait sa source, dans les mornes boisés de Saint-Esprit, l'eau commençait déjà à enfler et soudain, sans crier gare, elle déboulerait à Petit-Bourg, envahirait les champs, submergerait les chemins, rendant tout déplacement risqué. Souvent, la crue se produisait au beau mitan de la nuit et, au matin, la rivière était redescendue à un niveau si bas qu'on ne pouvait pas décemment y rejeter la vinasse. Ces variations extrêmes désespéraient l'ingénieur tourangeau, qui n'avait jamais pu se faire à la pusillanimité des cours d'eau sous les tropiques. Quand il disait pressentir quelque crue, le cours de la rivière Salée demeurait désespérément en dessous du niveau rouge ; quand il ne s'inquiétait pas outre mesure, l'eau avait déjà envahi les basses terres et menaçait les plantations qui les bordaient.

— L'échelle des crues, je m'en occupe ! avait fini par décider Aymard Lepelletier-Dumont, et si je suis empêché ou absent, tournez-vous vers monsieur Pierre-Marie.

Trois ans après l'installation des fosses à vinasse et donc de cette fameuse échelle des crues, nul n'y trouvait plus rien à redire. A la longue, tu pris même l'affaire en main et le déversement des déchets de l'usine dans la rivière devint une manière de routine, une tâche supplémentaire dans la ribambelle de celles qui t'incombaient déjà. Aussi l'annonce de la noyade de ces deux gamins te mit-elle en émoi. Lepelletier-Dumont était en voyage à Saint-Domingue pour visiter des plantations où l'on expérimentait une nouvelle variété de canne à sucre réputée insensible à la fois aux insectes tels que le *borer* et aux parasites végétaux. Il n'était pas un homme viscéralement attaché à la tradition comme son prédécesseur Simon le Terrible et, dès qu'il avait bruit de quelque innovation dans les Antilles ou sur le continent américain, il lâchait tout, te remettait les rênes de l'usine et de ses champs, tout excité à l'idée de découvrir enfin ce qu'il appelait son Graal. Si donc l'administrateur était absent, il n'y avait que toi, et toi seul, Pierre-Marie de La Vigerie, à disposer du droit de faire ouvrir les vannes des fosses à vinasse. Cela, tout un chacun ici le savait et tu ne voyais pas qui aurait osé dérespecter ta personne. Anthénor ? Tout syndicaliste communiste qu'il était, ennemi de la caste des Blancs et de la propriété privée, tout provocateur qu'il se montrait en clouant le portrait de Staline à l'entrée de sa case, le bougre était sérieux comme une tête de pain rassis. Il n'agissait jamais sur un coup de tête. Ses actes étaient toujours soigneusement calculés et en général imparables. Florius ? Au nom de votre très ancienne complicité qui remontait à l'époque où il était ton chef de bande, il ne pouvait pas t'avoir fait ça. Impossible ! Audibert, le commandeur de la rhumerie ? Tu ne mettrais pas la main au feu pour ce chabin taciturne qui supportait de plus en plus mal les cornes que lui baillait son épouse, même s'il se montrait moins strict envers les ouvriers que ses collègues Sonson et Rosalien. Le premier d'entre ces deux-là était hors de cause puisqu'il avait la responsabilité de la voie ferrée et ne s'occupait guère des affaires de l'usine. Le second, commandeur de la sucrerie, était aussi peu fiable que son compère de la rhumerie, mais, là encore, tu étais réticent à croire qu'il aurait pu outrepasser ses fonctions et prendre une décision aussi grave que celle de faire rejeter les déchets de l'usine dans la rivière. Qui alors ? Quel était le scélérat, le bourreau qui avait commis ce qui n'était désormais plus une infraction à la législation, mais bien un assassinat d'enfants, comme le qualifiait Antoinise dans son français maladroit ?

Tu te rendis à l'embouchure où les cadavres des deux garçons avaient été ramenés sur la berge. Un grand concours de gens les entouraient, silencieux, tandis qu'une négresse qui devait être la mère des noyés se roulait par terre de désespoir, poussant des hurlements tout bonnement terrifiants. Quand on s'aperçut de ta présence, des regards lourds de haine s'appesantirent sur toi. Abélard, le fier-à-bras et garde du corps de l'administrateur — dont tu apprenais là, à cet instant, qu'il était le géniteur des petits noyés — fonça sur toi et te flanqua une égorgette à assommer un bœuf.

— *Isalôp ki ou yé! An plis di pijé nèg tout lasent-jounen, zôt ka touvé mwayen tjwé timanmay yo!* (Salopard que tu es ! En plus d'exploiter les gens, vous trouvez le moyen de tuer leurs enfants !), s'écria-t-il, hors de lui.

Par chance pour toi, un costaud le maîtrisa non sans qu'il eût le temps de te cracher à la figure. Les deux petits cadavres avaient déjà commencé à gonfler. Sans doute le rejet de la vinasse s'était-il produit tôt ce matin-là, au moment où, effectivement, une forte pluie s'était abattue sur la région de Rivière-Salée. La puanteur naturelle des cadavres en voie de décomposition et celle, pestilentielle, de la vinasse se migannaient pour former une émanation absolument insupportable. Les femmes avaient ôté leurs madras, avec lesquels elles se bouchaient les narines, sans paraître moins incommodées pour autant que les hommes, qui ne disposaient que de leurs mains. L'ingénieur, arrivé sur les lieux peu avant toi, arborait un air narquois. Ayant été déchargé du rejet de la vinasse, il ne pouvait en aucun cas être tenu pour responsable de ce drame.

— Les tropiques, mon cher Pierre-Marie, ne cesseront de m'étonner, te fit-il. Chez nous, en Europe, hormis l'été, un cadavre commence à se détériorer au bout de quatre ou cinq jours. Ici, il suffit de trois heures.

Au début de son installation à la Martinique, il avait été surpris par la hâte avec laquelle Blancs et nègres créoles enterraient leurs morts. Qu'un seigneur du sucre et du rhum tel que Simon le Terrible fût mis en terre le lendemain matin même de sa disparition l'avait laissé pantois. Il répéta durant des semaines :

— Ici, tout pousse très vite, mais tout disparaît également très vite. C'est à peine croyable !

Surmontant l'horreur qui t'étreignait, tu t'avanças vers les deux cadavres. La vinasse les avait barbouillés de sa vilaine teinte marron foncé. Elle avait transformé leurs cheveux en une sorte de fil de fer qui baillait un air encore plus démoniaque à leurs yeux demeurés grands ouverts, mais dont seul le blanc était visible. Ils avaient dû être occupés à relever ou à poser des ratières à l'embouchure pour capturer des crabes-mantou et avaient vu, sans doute terrifiés, la trombe visqueuse et malodorante foncer sur eux avant de les engloutir. C'était la raison pour laquelle leurs yeux avaient tourné à l'envers, comme l'expliqua quelqu'un.

— Ce n'est pas moi qui ai baillé l'ordre d'ouvrir les vannes des fosses à vinasse... Croyez-moi ! déclaras-tu d'une voix étranglée.

— Si c'est pas toi, c'est qui alors ? explosa une femme.

— Je voudrais bien le savoir...

— Vous avez intérêt à trouver le responsable, oui, clamait Abélard toujours retenu par ses amis, car moi, je vais le chercher et je vous garantis que je lui coupe les graines !

L'après-midi, tu fis arrêter l'usine pendant deux heures et passas au peigne fin les alibis de tous les ouvriers. Tu te rendis près des fosses dans l'espoir de découvrir quelque indice, mais ce fut en vain. Le capitaine de la gendarmerie de Rivière-Salée et deux subrécargues menaient déjà leur propre enquête. Ils te crurent sur parole, mais tu sentis bien qu'ils n'étaient pas tout à fait convaincus par tes dénégations. Si tu n'avais pas été un béké, ils t'auraient passé les menottes depuis belle lurette.

Et Lucien, le nègre chargé de surveiller l'échelle des crues, vint. Après avoir, aux approchants de trois heures du matin, constaté que la montée des eaux avait atteint, puis dépassé le niveau rouge, il s'était précipité à l'usine et avait lui-même actionné les vannes.

— Je n'ai pas voulu te réveiller dans ton lit, patron..., fit-il. Il était très tôt et en plus, la pluie tombait raide.

Sa bonne action accomplie — s'imaginait-il —, il était parti à dos de mulet à Paquemar, dans la commune du Vauclin, pour rapporter à un béké de l'endroit des coqs de combat que celui-ci lui avait demandé de soigner. La renommée de guérisseur d'animaux de Lucien s'étendait à travers tout le Sud. En réalité, sa mission de surveillance de l'échelle des crues était des plus épisodiques, son véritable travail consistant à garder en bon état les mulets des plantations de Génipa ainsi que le bétail de Simon le Terrible, bétail légué à présent à Aymard Lepelletier-Dumont. Lucien était, à l'évidence, de bonne foi, mais il y avait un hic : si les deux enfants traînaient à l'embouchure — et ça ne pouvait pas être à trois heures du matin, mais bien plus tard —, c'était que la rivière n'était pas en crue. C'est qu'elle n'avait jamais été en crue, appuya le capitaine de la gendarmerie, trop heureux de coffrer un coupable.

— Est-ce que votre homme boit ? te demanda-t-il.

— Pas à ma connaissance, non...

— Vous croyez qu'il a pu se tromper et confondre par exemple le niveau bleu et le niveau rouge ?

— Non... je ne pense pas... Avec un flambeau, on peut examiner l'échelle des crues comme en plein jour. Enfin presque, fis-tu, perplexe.

Le capitaine se rengorgea avant de déclarer :

— De toute façon, votre Lucien a avoué être l'auteur de ce...

— Il n'a fait que son travail.

— Certes, mais il a bien ouvert les vannes des fosses à vinasse et deux enfants se sont noyés. Le résultat est là, monsieur de La Vigerie !

Lucien, très affecté par le drame, se laissa emmener sans protestation, sous les huées et les menaces de mort des nègres. Pour ta part, tu ne pouvais considérer l'affaire comme résolue. Il y avait quelque chose qui clochait quelque part et tu te devais de trouver quoi. Adolescent, tu avais souvent examiné l'échelle des crues, tout comme les autres membres de la bande à Florius, car elle se trouvait non loin de l'emprise du quai d'embarquement de Petit-Bourg où vous aviez installé votre refuge. Tu la connaissais bien. Trois semaines après la noyade des deux petits chercheurs de crabes, une subite inspiration te fit quitter la sucrerie et galoper jusqu'au quai. On n'était pas loin de midi et, depuis plusieurs jours, il avait beaucoup plu. Tu descendis la berge et là, ô extraordinaire ! tu découvris que la rivière atteignait presque la cote d'alerte, c'est-à-dire le niveau bleu. Pourtant, la profondeur de l'eau, que tu mesuras à l'aide d'une branche de glisséria, n'était que d'environ un mètre cinquante. Peut-être moins. Tu attendis une bonne demi-heure et vis avec stupéfaction l'eau frôler le niveau rouge alors que la pluie, si elle n'avait pas cessé, était loin d'avoir redoublé de violence. Tu t'approchas alors de l'échelle des crues et te mis à la tâter. Elle n'était pas en bois de goyavier taillé ! Ce n'était pas la même, ce n'était pas celle qu'avait fait installer l'inspecteur Debretagne ! Cette nouvelle échelle était en gommier rouge, un arbre qui ne poussait pas dans la région, mais que tu avais eu l'occasion d'apprécier lors de ton stage sur la voie ferrée, au nord du pays. Chabin Rouillé l'utilisait parfois pour en faire des traverses.

— Tonnerre de Brest ! marmonnas-tu, comprenant en un éclair ce qui s'était passé. Lepelletier-Dumont a fait changer l'échelle des crues ! Il en a mis une autre à sa convenance, le salaud !

Abasourdi par cette découverte, tu regagnas l'usine au petit trot. La nouvelle échelle de l'administrateur indiquait un niveau bleu et un niveau rouge beaucoup plus bas que ceux de l'échelle originale. D'où la bévue de Lucien. Tu t'apprêtais à te rendre à la gendarmerie pour signaler l'anomalie, mesurant bien que tout cela pouvait te coûter ton poste au retour d'Aymard Lepelletier-Dumont, lorsqu'un Abélard confus, le visage dévoré par la souffrance, se présenta à toi, à ton bureau de l'usine.

— Patron... Je suis venu te voir pour... pour te dire que j'ai mis une autre échelle dans la rivière... C'est monsieur Aymard qui m'a donné l'ordre de la planter là. Il disait qu'on gardait trop longtemps les fosses à vinasse et que ça ralentissait le travail.

Le garde du corps de l'administrateur n'aurait pu prévoir que deux de ses propres enfants poseraient des pièges à crabes à l'embouchure de la rivière Salée au moment précis où l'usine serait en train de relâcher ses déchets. Le destin s'était montré impitoyable envers lui. Il avait honte. Il s'en voulait. Il te demandait pardon. Tu ne répondis rien et lui tournas le dos, mais tu fis remettre une échelle des crues graduée conforme aux normes fixées par l'inspecteur Debretagne. L'administrateur revint enchanté de son voyage à Saint-Domingue, ne tarissant pas d'éloges sur la resplendissance des champs de canne et la belleté des femmes. A peine prêta-t-il attention à la nouvelle de la noyade des deux fils de son âme damnée Abélard. Après tout, ces nègres faisaient tellement d'enfants que deux de plus ou de moins, pfff !

Toi-même, ne te sentant aucun talent de justicier, tu n'osas rien dire. Mais, au plus profond de toi, tu savais qu'à Simon le Terrible avait succédé Aymard le Salaud...

4

Lorsque, en janvier, la canne est prête à être coupée et que l'usine, démontée, réparée, graissée puis remontée, brille comme un sou neuf, commence alors l'attente. Les Blancs deviennent fébriles. Les nègres espèrent. Chacun se réfugie d'abord dans sa chacunière, habité par une sourde défiance, puis, au fil des jours, se met, presque avec timidité, à guetter l'adversaire. Je devinais, à la lenteur inhabituelle dont faisait preuve mon père, à l'hésitant de ses propos, qu'il redoutait cette épreuve que représentait l'ouverture de la récolte. Plus question pour lui désormais de m'emmener à dos de cheval à travers les plantations, lui pourtant toujours à sauts et à gambades. Le matin, il traînait un peu les pieds avant de se rendre à l'usine, à cette usine que, pourtant, il aimait de toutes les fibres de son corps, de toute son âme. Il aidait Hector, notre jardinier, à des tâches à mes yeux dérisoires comme sarcler l'herbe-Guinée pour nos bœufs ou nettoyer les écuries. Sa parole aussi se raréfiait et lui, d'ordinaire si tellement péremptoire, s'exprimait à voix presque basse.

La raison de cette étrange métamorphose me devint vite évidente : les travailleurs des champs et les ouvriers de l'usine profitaient de la courte période séparant le Nouvel An de la reprise générale du travail pour demander des augmentations de salaire. Ils savaient que la canne ne pouvait plus attendre et que la laisser sur pied plus longtemps pouvait lui être dommageable. Elle commencerait à flécher ou à flétrir, à se dessécher, chose qui rendrait la coupe plus délicate et surtout diminuerait son rendement en sucre. Les Blancs comptaient les jours de perte, la figure torturée par l'angoisse ou parfois la haine, comme celle qui s'emparait de Simon le Terrible. L'administrateur tombait dans des colères inarrêtables, jurant qu'il ferait appel à la troupe ; qu'outre les gendarmes de Rivière-Salée, monsieur le gouverneur lui avait promis l'aide de l'armée ; qu'il mettrait lui-même la main à la pâte pour mater la rébellion car aucun nègre, aussi syndicaliste-communiste-athée qu'il fût, ne saurait lui faire peur.

Les travailleurs l'observaient, impassibles. Anthénor, le chaudronnier, passait tous les jours à la rue Cases-Nègres pour donner ses consignes :

— Tant que le béké ne s'assoira pas pour discuter, camarades, ne touchez pas à vos coutelas ! Restez près de chez vous à cultiver votre jardin créole ! Cette affaire-là peut durer etcetera de temps et il faut songer à bailler le boire et le manger à votre marmaille. Tantine ne nous fera plus crédit à la boutique de l'habitation.

Alors le nègre conciliabulait avec son voisin, brocantait avec lui des recettes de courage. De nouvelles amours se tissaient à la faveur des chemins creux et des ravines isolées où poussaient des fruits qu'en temps normal on n'avait pas le loisir d'aller cueillir : la pomme-rose au parfum capiteux, la merise qu'il fallait faire rouler entre ses doigts pour en attendrir la pulpe, le cachiman-cœur-de-bœuf que certains affirmaient être le mets préféré du Diable, la prune-Chili qui tapissait le sol au moindre coup de vent et qui avait goût de térébenthine.

Hector nous en rapportait à volonté et mon père, sans lui faire aucun reproche, savait du même coup qu'il fréquentait les grévistes. Habilement, il tentait de soutirer quelques informations au jardinier qui était devenu, par prudence, un expert en réponses évasives et proverbes à double sens. S'il lâchait, les yeux mi-clos : « Maître Aubin, la plus belle se cache sous la baille », mon père savait qu'Anthénor et les siens avaient préparé un coup fourré ou qu'ils disposaient d'une carte secrète dans leur manche. Quand il annonçait, le front barré de plis : « Plus tard, plus triste ! », aucun doute n'était plus permis : les travailleurs étaient déterminés à tenir jusqu'à l'extrême limite et à mourir s'il le fallait pour que le Blanc leur concédât les deux-francs-quatre-sous d'augmentation qu'ils exigeaient.

Mon père se trouvait, en fait, pris dans une sorte d'étau. D'un côté, il y avait l'irascible Simon Duplan de Montaubert, qui, en bon administrateur, ne désirait pas « payer la sueur du nègre plus chère qu'elle ne valait », selon son expression, et de l'autre, la masse des travailleurs nègres qui, lasse de patauger dans la misère, excédée d'avoir toujours à quémander un quignon de pain aux chiens errants, se croisait les bras raide-et-dur. Mon père, selon les années, et cela avec un flair que j'appris à admirer, savait quel camp il devait tenter de faire plier en premier. Lorsque tout allait bien sur le marché métropolitain pour le sucre ou le rhum (ou plus rarement les deux à la fois), il travaillait Simon le Terrible au corps. Chaque matin de cette première moitié de janvier, il enfourchait son cheval dès six heures et demie et se rendait à Château-L'Étang pour convaincre l'administrateur de mollir d'une maille, pour l'inciter habilement à céder devant les revendications des grévistes. Si, au contraire, le contingentement aidant, nos productions se trouvaient en difficulté là-bas, en Europe, il portait tout ses efforts sur les coupeurs de canne, les muletiers, les arrimeurs et en particulier ses chers ouvriers de la distillerie. Une grande complicité, née de la secrète alchimie qu'il fallait mettre en œuvre pour obtenir un rhum de qualité, les unissait à mon père.

En général, la grève ne durait guère au-delà de quatre à cinq jours à Rivière-Salée. Les planteurs et les usiniers des communes environnantes en étaient même venus à nous envier et mon père recevait moult propositions d'embauche, qui à l'usine du Lareinty, qui à celle du François, accompagnées d'offres de salaire mirobolantes. Ma mère y trouvait souvent matière à le quereller. Elle brûlait de quitter cette terre à moustiques, cette rivière qui puait la vinasse la moitié de l'année. Ne plus avoir à supporter les ragots dont étaient si friands les mulâtres du bourg et surtout ne plus en être la cible favorite lui semblait la plus exaltante des perspectives. Mais mon père ne voulait entendre ni couic ni mache :

— Les La Vigerie sont installés ici depuis 1903, ma vieille ! Cela fait plus de trente ans à présent, donc, moi, Aubin, je ne bougerai jamais. Seule la mort va m'arracher à cette terre !

Au salon, les portraits et les photos de nos ancêtres, soigneusement encadrés dans du bois précieux, décoraient les quatre murs. J'avais pourtant entendu un jour Sylvère de Cassagnac, notre précepteur, celui qui devait épouser ma sœur aînée,

Marie-Louise, émettre des doutes sur l'authenticité du plus ancien d'entre eux. Il s'agissait du portrait en pied, plutôt maladroitement peint, d'un homme d'une cinquantaine d'années aux cheveux bruns bouclés et aux favoris fournis, qui arborait une redingote du temps-longtemps. Mon père avait apposé, juste en dessous de lui, une étiquette sur laquelle il avait calligraphié : « Maxime-Édouard-Marie de, La Vigerie, 1817-1863. » En fait, le prétendant de ma sœur nous jalousait parce que sa famille avait moins d'ancienneté dans la colonie que la nôtre, même si elle y avait, final de compte, mieux prospéré. Mais il était, ô inexplicable, le seul à ne s'être jamais formalisé du fait que ma mère, et donc sa future épouse, n'eût pas le sang entièrement blanc. Pourtant, ses parents, ou cette jeunesse dorée, fils et filles de Grands Blancs, qu'il fréquentait par ailleurs, n'avaient probablement pas manqué de le mettre en garde. Sa descendance serait souillée jusqu'à la seizième génération par cette goutte de sang africain qui coulait dans les veines de Marie-Louise. Sylvère de Cassagnac — était-ce là la marque d'un grand amour ? — leur avait tenu tête et avait passé la bague au doigt à sa dulcinée. Des années et des années plus tard, bien qu'ils se fussent démariés depuis longtemps, il continua à entretenir des rapports empreints de tendresse avec Marie-Louise et conserva Moïse dans son étude de notaire, le poussant même à passer des examens de droit pour que mon frère, entré comme simple clerc, pût le seconder à la direction de celle-ci. Enfant, j'avais méjugé Sylvère de Cassagnac. Je n'avais vu en lui qu'un fat, un homme d'En-Ville qui abhorrait la terre et l'usine. Vingt ans après, il fut le seul Blanc à assister à mon mariage avec Laetitia, la sœur d'Antoinise, négresse magnifique dont tout le monde, y compris au sein de sa propre race, décriait la couleur parce qu'elle était d'un noir d'obsidienne. Sur son passage, des gamins la taquinaient en lui lançant des « Sacrée négresse bleue, va ! » dont elle ne faisait aucun cas. Même ma nounou, Da Fanotte, qui à ce moment-là avait allègrement dépassé les cent ans mais qui gardait bon pied bon œil, avait refusé de participer à ce qu'elle considérait comme une insulte à la mémoire de feu Aubin de La Vigerie et une déchéance définitive pour notre famille tout entière. Sylvère de Cassagnac était allé jusqu'à se proposer comme témoin, me prenant à part, deux heures avant que Laetitia et moi ne partions à l'église, pour me dire le fond de sa pensée :

— Si on réfléchit bien, Pierre-Marie, dans ce petit pays qu'est la Martinique, eh ben... eh ben ! il n'y a qu'une seule race. Une seule !

— Que voulez-vous dire ?

— Tous ces békés qui se flattent de honnir les nègres, sais-tu que leurs ancêtres ne disposaient pas de femmes en nombre suffisant ? Ce que toi, tu t'apprêtes à faire officiellement, eh ben ! aux XVIIe et XVIIIe siècles, c'était chose courante, banale. Sauf que les unions entre Blancs et femmes noires étaient contraintes et forcées, ou alors clandestines. Si nous existons encore aujourd'hui, c'est bien parce que, dans le passé, nous avons intégré des *kalazaza* dans nos familles ! Cela signifie qu'il n'y a pas un seul Blanc dans ce pays qui n'ait au moins une teinture de nègre en lui, de même qu'il n'y a pas un seul Noir, sauf peut-être les Congo, qui n'ait pas sa goutte de sang blanc. Conclusion nette, mon cher Pierre-Marie : on est tous ici de la même famille. Ha-ha-ha !

Si donc chaque mois de janvier était porteur de

grèves, dures ou molles, une fois la récolte commencée, il n'était plus question d'en arrêter le ballant. Mangeant leur petite misère en silence, travailleurs des champs et ouvriers d'usine s'esquintaient au travail jusqu'au terme de juin. Une seule fois, par la faute de Simon le Terrible, à cause de sa scélératesse innée, les sacs de sucre ne purent sortir de l'usine de Génipa. Le bougre avait baissé d'autorité les salaires, sans consulter les services du gouverneur comme il en avait l'obligation, et l'irréparable se produisit. Les ouvriers du chemin de fer bloquèrent les rails avec des troncs d'arbres. Les chaudronniers, les mécaniciens, les cuiseurs, les ajusteurs et autres décrocheurs installèrent des piquets de grève à l'entrée principale de l'usine. Cette fois-ci, le talent de négociateur de mon père ne put rien. Pourtant, tout roulait à l'aise comme Blaise sur la falaise jusque-là. Les cabrouets et les wagons chargés de canne sillonnaient les chemins de terre des plantations. L'usine, qui travaillait à feu continu, c'est-à-dire vingt-quatre heures sur vingt-quatre, crachait sa fumée blanchâtre qui insufflait à la nuit une mystérieuse ardeur. Tout semblait frémir de joie. Avril resplendissait. Puis se produisit le coup infâme, « le coup de couteau dans le dos des nègres », comme protestait Anthénor. L'administrateur fut obligé de faire appel à la troupe pour évacuer les sacs de sucre que charroyèrent des Indiens amenés depuis Le Lamentin, sous les huées des nègres. Le travail devait finalement reprendre une semaine plus tard, mais mon père garda une rancune indéracinable envers Simon Duplan de Montaubert parce qu'il avait pris le risque d'arrêter la récolte, et donc la fabrication du sucre et du rhum, en pleine roulaison, au moment où personne, ni Noir ni Blanc, ne regardait ni devant ni derrière, acharné qu'il était à accomplir sa tâche journalière.

Mais ma plus terrible expérience de la grève, je devais la vivre quelques années plus tard, lorsque mon père m'expédia dans le Nord, à l'usine de Sainte-Marie, afin d'acquérir la science du chemin de fer. Cela se passa en février ou en mars 1923, si je me souviens bien. L'administrateur de l'habitation Petit-Pérou avait fait planter une canne à sucre au nom barbare, la 3 000 H 12, dont il s'était complu à vanter les mérites. Elle serait plus longue, plus riche en sucre, plus ceci, plus cela que toutes les variétés qu'on avait utilisées jusque-là. Bref, une canne tout bonnement miraculeuse, quoi ! Le bougre avait simplement oublié de signaler que l'écorce en était dix fois plus épaisse, pire même que celle de la Big Tana, laquelle représentait déjà l'enfer sur terre. Alors le travail s'arrêta blip ! sur les plantations des mornes : Bezaudin, Pérou, Bon Air et bien sûr Morne-des-Esses, là où les nègres sont aussi raides que la racine du cassier. Notre loco, n'ayant plus rien à transporter, demeurait désespérément à l'arrêt à l'entrée de l'usine. Son conducteur, la figure inquiète, discutait à mi-voix avec Chabin Rouillé, tous deux fumant un nombre impressionnant de cigarettes Mélia. Le plus angoissant était ce silence qui semblait emprisonner qui la tonnellerie, qui la forge, qui la sucrerie, qui la rhumerie, qui les champs de canne les plus proches dans lesquels, à la nuit close, des ombres se faufilaient. La grève était en train de marcher sur nous ! Elle descendait des hauteurs, en colonnes serrées, telle une houle, et chacun savait qu'il était vain de s'opposer à son mouvement. A quel moment me happa-t-elle ? Je ne saurais vraiment le dire, plus de quinze ans après. Tout ce que je sais, c'est que je me retrouvai embarqué, avec Chabin Rouillé et les deux autres responsables de la loco, dans une troupe hétéroclite formée de coupeurs de canne et de muletiers ivres de rhum et de rage, de femmes dont le regard brillait d'une détermination farouche, d'enfants en guenilles et même de quelques vieux-corps. Ces derniers nous baillaient force encouragements :

— Papa Lagros est avec nous ! Dans sa mairie, il fait des plaidoiries en faveur de notre cause. Il fait trembler le gouverneur. A l'assaut !

Et pour de bon, forts de l'appui du député-maire socialiste de la ville de Sainte-Marie, nous débauchâmes, sans rencontrer de résistance, toutes les habitations qui se trouvaient sur notre passage. Les nègres abandonnaient leur case, leur jardin, leur petit bétail, leur nouveau-né pour gonfler notre troupe, des flambeaux en bambou s'allumaient par centaines sur la crête des mornes. Notre objectif était la plantation Bassignac où nous avions appris que le travail continuait à rouler comme si de rien n'était.

— Ces bougres-là sont fous ! s'indignait-on. Ne savent-ils pas combien de coups de coutelas il nous faut bailler pour accomplir une tâche ?

Avant cette scélérate de 3 000 H 12, on commençait à quatre heures du matin ; à deux heures-deux heures et demi de l'après-midi, on avait fini sa tâche : vingt-cinq piles de cannes. Désormais, même les plus braves n'y parvenaient pas avant cinq heures du soir et beaucoup s'effondraient avant ça, écrasés de fatigue et de chaleur. Dix mille coups de coutelas par jour, avait calculé Papa Lagros, voici le chiffre incroyable qu'il fallait atteindre pour pouvoir espérer toucher ses deux francs par jour !

— Dix mille coups de coutelas par jour, oui ! répétait-on comme pour s'assurer qu'on n'avait point rêvé.

A ceux qui, hargneux, s'étonnaient de ma présence, Chabin Rouillé expliquait, avec son autorité naturelle, que j'étais sous sa protection. Que j'étais venu du Sud pour apprendre à conduire la locomotive. Que, malgré ma couleur blanche, j'étais un béké-goyave, voire un *kalazaza,* et non pas un espion des Grands Blancs. Je craignis plusieurs fois pour ma vie quand des grévistes peu convaincus voulurent me faire payer la saloperie de leurs maîtres. C'est que, de loin en loin, nous apercevions la gendarmerie, armée jusqu'aux dents, qui protégeait les distilleries et les abords des grandes demeures des patrons. Parfois, ils tiraient en l'air pour nous effrayer lorsqu'ils estimaient que notre troupe s'approchait de trop près. Nous avions appris que le gouverneur avait envoyé des soldats et que ceux-ci, embusqués sur notre route, surveillaient notre avancée.

— S'il faut mourir, eh ben ! nous mourrons, foutre ! De toute façon, couper la 3 000 H 12, c'est déjà avoir un pied dans la tombe, clamaient les meneurs de notre grève marchante pour gonfler notre cœur.

Soudain, à l'habitation La Ressource, les gendarmes ouvrirent le feu sur nous. Sans sommation. Comme en 1901, lors de la grève du François. Puis, les capons se retirèrent sans chercher l'affrontement, nous laissant là, avec nos deux morts et une multitude de blessés. Nous avions plongé dans les halliers et les champs de canne, nous avions couru en tous sens, piétinant la marmaille et les vieux-corps. Nos cris de révolte, nos lamentations, nos pleurers-à-moué emplirent l'air du matin. J'étais abasourdi. Foudroyé par la soudaineté et la brutalité de ces hommes blancs venus d'Europe qui n'avaient pas hésité à tirer sur des gens qu'ils ne connaissaient même pas et dont ils ne comprenaient ni la langue ni les revendications. Chabin Rouillé, sans mot dire, me soutint jusqu'au bourg de Trinité tout proche où l'on se dépêcha d'enterrer les victimes. A cette occasion, j'aperçus pour la première fois cet homme dont toute la Martinique évoquait le nom, Joseph Lagrosillière dit Papa Lagros, tribun socialiste mulâtre au faciès d'empereur romain. Les portraits de mes livres d'histoire me revinrent en mémoire lorsqu'il prononça l'éloge funèbre des victimes : cet homme-là était un César. Aucun doute là-dessus ! Mais cette fois-ci, la colère des grévistes fut la plus forte car dès le lendemain, les plus enragés d'entre eux — Chabin Rouillé n'eut guère à se forcer pour en faire partie — investirent le cimetière de Trinité et déterrèrent les cadavres. Leurs corps avaient déjà commencé à se décomposer, dégageant une odeur insoutenable, et, dans leurs yeux révulsés, nous lûmes toute la détresse du monde. La femme de Flavius Dantes et le fiancé de Laurence Marclay, laquelle était enceinte, se jetèrent sur les corps des deux victimes de la fusillade qu'ils se mirent à étreindre en hurlant et on eut le plus grand mal à les en détacher.

— La mort, c'est déjà affreux à voir, me confia Chabin Rouillé, mais l'après-mort, hon ! c'est tout bonnement horrifiant ! Final de compte, nous les humains, on n'est rien du tout. Rien du tout...

On plaça les cadavres sur des brancards de fortune en bois de goyavier et notre troupe rebroussa chemin, par la route coloniale cette fois-ci, jusqu'à Sainte-Marie, la férocité du soleil accentuant la puanteur qui émanait du cortège. Sur notre passage, les travailleurs se déchapeautaient, silencieux. Les femmes se signaient. On aurait juré que toute colère était retombée. Violant la règle ancestrale qui veut que les contes créoles ne se récitent qu'au mitan des veillées mortuaires, au plus noir de la nuit, un conteur formidable, dont le nom lui aussi étonnant est resté gravé dans ma mémoire, Hurard Belgrade, entreprit d'adoucir nos pas, d'apaiser notre tristesse. Ses dévalées de paroles tantôt obscures, tantôt drôles, le plus souvent enivrantes, fusaient de l'arrière du convoi, insufflant du ballant aux porteurs des corps et à leur pas mystérieusement cadencé, exaltant presque ceux qui marchaient à l'avant. Sa parole nous tint compagnie jusqu'au cimetière de Sainte-Marie, près de dix kilomètres durant, sans qu'un seul d'entre nous ne défaillît sous les coups de boutoir du soleil. Là-bas nous espérait une foule muette, très digne, entièrement vêtue de noir et de blanc. Visages sculptés par le burin de la misère. Mains noueuses, épaules affaissées. Regards éteints.

— La grève est arrivée à son bout, me fit Chabin Rouillé, qui refusa de pénétrer dans le cimetière parce qu'il haïssait l'Église, ses pompes et ses œuvres et que, le jour où il sentirait venir la mort, il avait juré qu'il se jetterait du haut du Pain-de-Sucre à l'endroit exact où, en hivernage, les baleines venaient faire leurs chanters d'amour.

A mon retour à l'usine, l'administrateur me dévisagea comme si j'étais un zombie. Il avait cru que les grévistes s'étaient emparés de moi et m'avaient découpé en petits morceaux à coups de coutelas. Il n'avait su comment avertir mon père de ce cruel événement et avait craint les foudres de ses patrons puisque ces derniers m'avaient placé sous sa responsabilité directe. Il se jeta sur moi pour m'embrasser, se perdit dans des démonstrations alambiquées visant à me prouver combien d'efforts il avait faits pour tenter de me retrouver, pour finir par me glisser sur le ton de la complicité :

— J'ai... j'ai une surprise pour vous, Pierre-Marie. Une bonne surprise !

Le soir même, il me présentait à une certaine Eugénie Sansac de Taverney, riche héritière du domaine de Nouvelle-Cité, qui n'avait qu'un seul et unique désir dans la vie, celui de se marier. La vieille fille (elle cachait mal ses trente-six ans) était plus laide qu'un péché mortel, avec ses joues creuses et ses fesses plates. Une vraie morue séchée, avais-je pensé sur le moment ! Alors pour la première fois, je me surpris à injurier de la plus violente manière un homme plus âgé que moi :

— *Alé koké manman'w !* (Va baiser ta mère !), lui voltigeai-je au visage.

Inutile de préciser que l'administrateur ne revint jamais plus sur le sujet au cours des deux mois et demi de stage qui me restaient à accomplir pour devenir expert en locomotive. Jamais plus !

5

Le jeudi t'est jour d'angoisse. Ce jour-là arrivent de la capitale les fonds qui permettront, le samedi, de payer la trentaine d'ouvriers de l'usine ainsi que les deux cents et plus qui travaillent dans les différentes plantations. Pour donner le change, cette tâche échoit tantôt à l'administrateur, Aymard Lepelletier-Dumont, tantôt à toi, Pierre-Marie de La Vigerie. Le trajet varie lui aussi, mais plus au gré du climat que par crainte d'une éventuelle attaque à main armée. S'il fait beau, *Babazane*, la pétrolette qui relie Petit-Bourg à Fort-de-France, est tout indiquée. Quand la mer est trop démontée, le convoyeur emprunte la grand-route, à cheval, ou plus rarement la voie ferrée jusqu'à la commune du Lamentin d'où il gagne l'En-Ville en taxi-pays. Il se fait toujours accompagner d'un major, une sorte de fier-à-bras qui, pendant la semaine, se contente d'écumer les buvettes ou de courir la gueuse, profitant de l'absence des concubins ou des maris, ces derniers ne rentrant jamais avant quatre heures de l'après-midi. De toute façon, ces bougres-là sont tellement épuisés qu'ils se dépêchent de se rincer à coups de bassine d'eau de pluie puisée dans les fûts chargés de la recueillir à l'en-bas des gouttières, puis s'allongent sur leurs paillasses jusqu'à environ sept heures du soir, avant de converger vers la boutique de Tantine pour s'acheter des cigarettes, boire un coup ou jouer aux dominos, et minuit peut les surprendre là-bas.

Le nègre-major de l'usine de Génipa n'était autre qu'un dénommé Abélard alias Gueule-de-Ratière, alias Tête-en-fer, qui passait pour le demi-frère d'Anthénor, le syndicaliste, quoique se dernier se défendît d'avoir le moindre lien de parenté avec cet ignoble individu. On murmurait que Gueule-de-Ratière avait perdu l'entièreté de ses dents de devant au cours des combats de damier auxquels il participait depuis son retour de Salonique. Le bougre, en effet, avait fait partie du célèbre « Bataillon créole » qu'on avait placé en première ligne contre le Bulgare pendant la guerre de 14-18. Il en était revenu bardé de médailles (dont certaines, chuchotait-on, étaient fausses) et auréolé de gloire. Désormais, le 14 juillet et le 11 novembre, il figurait au premier rang des autorités municipales et des anciens combattants qui déposaient des gerbes au pied du monument aux morts de Rivière-Salée.

— Ce nègre-là avait un poil dans la main avant de partir sur les champs de bataille d'Europe, soliloquait Aubin de La Vigerie. J'ai dû l'embaucher comme muletier sur l'habitation Féral, puis arrimeur à La Jobadière et même décrocheur à l'usine. Partout, Abélard recevait un billet-c'est-plus-la-peine au bout de quelques semaines. Quelle transformation ! La guerre, ça vous forme un homme, décidément !

En fait, sa bonne fortune, Abélard la devait tout autant à Simon le Terrible auquel il servait d'homme de main et de rabatteur de négresses peu farouches. Sa vie durant, le seigneur de Château-L'Étang exerça sans mollir d'une maille son droit de cuissage à travers toute la région, où on lui prêtait pas moins d'une vingtaine de petits mulâtres. Le jour où il trouva subitement la mort, à midi pile, tandis qu'il galopait sur la route de l'habitation Thoraille, il était comme d'habitude suivi comme son ombre par Gueule-de-Ratière. Monsieur Simon allait visiter la plus ancienne de ses maîtresses, une certaine Victorine Déluge qui était couturière de son état et dont la science en matière de remèdes contre l'absence de bandaison était réputée à mille lieues à la ronde. L'administrateur ne cachait pas qu'il devait à ses médications une bonne part de sa verdeur. Les mauvaises langues prétendaient au contraire que la dame Victorine le pressait de faire une sieste avant de s'adonner aux plaisirs vénériens et l'obligeait à boire une décoction de son invention qui faisait dormir le hobereau comme un ange pendant toute l'après-midi. Alors Abélard, le fier-à-bras, en profitait pour la « lapider à coups de pinpin », comme il s'en vantait lorsqu'il était fin saoul, le samedi soir, ayant contraint certains de ses souffre-douleur à lui payer une tournée.

Pierre-Marie redoutait le moment où, devenu distillateur en chef, il devrait faire appel aux services d'Abélard pour convoyer la paye des travailleurs. Il savait que, tôt ou tard, l'échéance se rapprocherait, à moins qu'un miracle ne survînt, miracle qui, dans les fantasmes du jeune homme, pouvait prendre la forme soit d'une incapacité physique soudaine du fier-à-bras, soit de l'installation d'une agence de la Banque de la Martinique à Rivière-Salée même. A la vérité, cette seconde éventualité était bien improbable, à cause de l'étrange circuit qu'empruntait l'argent de la paye. Quasiment un cercle parfait ! Le jeudi, il arrivait à l'économat ; le vendredi ou le samedi matin, on commençait à le partager en fonction des salaires qu'il faudrait verser à chacune des plantations et à l'usine ; le samedi après-midi, on le distribuait aux travailleurs, lesquels s'empressaient d'aller régler leurs dettes à la boutique de Tantine, se réapprovisionnant du même coup en viande salée, morue, pois rouges, huile et boîtes de conserve ; le lundi suivant, ces sommes étaient rapatriées à Fort-de-France par le commandeur Sonson, mari de la boutiquière, afin de régler les maisons de commerce du Bord-de-Mer, où s'approvisionnaient toutes les boutiques d'habitations et autres Débits de la Régie ; le mardi, les négociants déposaient l'argent sur leur compte à la Banque de la Martinique pour payer les traites des prêts que celle-ci leur consentait pour importer la marchandise en gros depuis la France. Un tour complet et l'argent revient d'où il était parti ! songeait Pierre-Marie. Aucune économie possible. Même son père, Aubin, tout Blanc créole qu'il fût, ne parvenait pas à mettre une somme conséquente de côté. Seuls les grands békés, comme Simon Duplan de Montaubert, s'y retrouvaient.

Abélard précipita le moment où Pierre-Marie et lui seraient amenés à causer d'homme à homme. Il n'attendit même pas que maître Aubin prît sa retraite et attaqua le jeune homme quelques jours après son retour du nord du pays.

— *Ou ni an zyé anlè manzè Létisya, man ka wè sa...* (Tu as un œil sur mamzelle Laetitia, je le vois...), osa le fier-à-bras.

Pierre-Marie, qui contrôlait le remplacement de traverses à hauteur du gué de la rivière La Manche, se contenta de sourire. Il n'avait aucune envie d'engager la conversation avec celui qui se proclamait partout le « héros de Salonique » et qui traitait ses adversaires au combat-damier de « Bulgares », adversaires auxquels il réservait le même sort qu'à leurs alter ego de la mer Noire. Il inspirait une sainte terreur aux lutteurs les plus chevronnés, d'autant plus qu'il n'avait aucun respect pour les règles ancestrales de cet art martial créole. Alors que les combattants réglaient leurs pas et leurs coups de pied sur le phrasé des tambours, lui les goguenardait, leur tournant le dos et chantant à une assistance subjuguée l'hymne du bataillon de Salonique :

Camarades, le clairon sonne,
Il faut qu'il ne manque personne.
Voici ton heure, impôt du sang !
En avant pour le régiment.
De Saint-Martin jusqu'en Guyane
Du Morne-Vert à la Savane,
France, tous tes enfants sont là.
On va partir, hardis soldats.
En avant pour la Métropole !

Et, quand l'instant d'affronter son adversaire avait sonné, Abélard se retournait brusquement, le dardait de son regard impitoyable avant de beugler le refrain du chanter patriotique :

Chantons en chœur l'hymne créole !
Les Guyanais, les Antillais,
Sont fiers d'être soldats français !

En général, l'adversaire était suffisamment décontenancé pour recevoir sur le nez ce formidable coup de tête dont Abélard avait le secret et qui était en contradiction totale avec les règles du damier, dans lequel seuls les pieds et les mains sont utilisés. Le vaincu se mettait à pisser du sang et tombait dans une sorte de mal-caduc sous les applaudissements de ceux qui avaient pris le risque insensé de parier contre l'homme de main de Simon le Terrible. C'est qu'à chaque combat, l'adversaire d'Abélard faisait courir le bruit qu'il avait fait l'acquisition d'un protègement spécial, préparé par quelque mentor de Morne-Pitault, endroit où vivait cette catégorie redoutée de sorciers, et qu'il ne ferait qu'une bouchée du fier-à-bras. L'un d'eux s'était même vanté qu'on ramasserait ce dernier à la petite cuiller ; un autre qu'il faudrait déjà lui réserver une messe d'enterrement. Abélard se foutait de toutes ces bravacheries. Dès qu'il était solidement campé sur ses jambes et qu'il avait fini de chanter l'hymne de son bataillon, il clouait le bec du téméraire qui avait osé l'affronter. Évidemment, à force de les assommer à coups de tête les uns après les autres, il finit par perdre toute sa denture de devant, chose dont il ne se formalisait guère car cela lui baillait un air encore plus terrifiant.

— *Epi sé dan dèyè ki ka pèmèt moun manjé !* (Et puis, c'est avec les dents de derrière qu'on mange !), assenait-il aux flatteurs et aux obséquieux qui s'inquiétaient pour sa santé.

Vingt ans durant, Abélard accompagna Simon le Terrible en ville pour en rapporter la paye des travailleurs de Rivière-Salée, l'administrateur ne cédant sa place à Aubin de La Vigerie que lorsqu'il était en voyage en France ou qu'une crise de lymphangite, maladie mystérieuse dont il était le seul à souffrir, le retenait au lit. Quand son jeune cousin, Aymard Lepelletier-Dumont, vint à le remplacer, le bellâtre montra moins d'empressement à accomplir ce périlleux périple. Assez vite, il te confia cette corvée, à ton grand dam, au moins une fois sur trois. Abélard avait pressenti que les choses se passeraient de la sorte et c'est pourquoi il avait pris les devants en te titillant sur ton penchant pour la négresse Laetitia. Cette jeune femme, au port de tête altier, lui avait toujours résisté, comme si elle se savait réservée de toute éternité au fils de maître Aubin.

— T'es plus noire qu'un péché mortel et tu fais l'intéressante ! l'apostrophait le fier-à-bras lorsqu'il la rencontrait sur le chemin de l'usine où elle était couseuse de sacs de sucre.

— *Ay chaché an travay ba kôw !* (Va chercher un boulot !), ripostait Laetitia qui, malgré son air réservé, n'avait ni froid aux yeux ni la langue dans la poche.

Excédé, le malotru avait même tenté de la violenter près de la source où elle se lavait les pieds avant de remettre ses souliers. Il en fut pour ses frais : ni ses états de service de caporal-chef du bataillon créole de Salonique ni son habileté en matière de coups de tête au combat de damier ne purent venir à bout de l'entêtée bougresse. Celle-ci employa une ruse toute simple qui coupa tous ses moyens au suborneur, une ruse dont usaient les amarreuses de canne qui en avaient assez de se faire culbuter dans les champs par les commandeurs mulâtres ou les békés eux-mêmes. Elle feignit de se livrer à ses assauts avant de se redresser brusquement, infligeant un violent coup de genou — qui pouvait passer pour involontaire — aux génitoires d'Abélard. Se penchant aussitôt avec une feinte compassion sur son agresseur qui se tordait de douleur, le souffle coupé, Laetitia multipliait les « Excuse-moi ! » et les « Pauvre bougre ! » tout en jetant des regards circulaires à la recherche du passant qui pourrait l'aider à redresser Abélard et le supporter jusqu'à sa case, aux marges de Château-L'Étang, la demeure seigneuriale de Simon le Terrible.

Abélard ne se le fit pas dire deux fois. Il cessa tout net d'importuner Laetitia, mais continua à lui lancer des imprécations désormais voilées. Quand il apprit que toi, Pierre-Marie de La Vigerie, couvait un petit faible pour elle, il changea même son attitude du tout au tout. Il se fit aimable, lui proposant de porter ses paniers de linge ou lui offrant des cocos fraîchement cueillis. Mais, en son for intérieur, il n'arrivait pas à comprendre comment un La Vigerie pouvait éprouver une telle attirance pour une femme à la peau si noire et surtout plus âgée que lui d'une bonne dizaine d'années. Certes, elle était en formes, costaude, ses lèvres charnues étaient une invite permanente à la débauche, mais enfin, elle avait tout d'une Congo avec son arrière-train proéminent et ses cheveux en grains de poivre.

— *Asiparé, manzè Létisya kontan'w tou...* (A ce qu'il paraît, mamzelle Laetitia t'aime aussi...), continua le fier-à-bras avec un petit sourire complice. *Man pé ranjé bagay-la ba'w si ou lé, patwon.* (Je peux t'arranger l'affaire, si tu veux, patron.)

Tu explosas. Jamais ce soi-disant héros de la Grande Guerre ne t'avait paru aussi odieux :

— Écoute, mon vieux, je ne t'ai rien demandé du tout ! Mes affaires ne regardent que moi et moi seul !

Abélard ne se vexa point. Il savait que son heure viendrait, qu'un beau jour, on demanderait à monsieur Pierre-Marie d'aller chercher la paye des travailleurs à Fort-de-France et qu'il serait obligé de faire appel au meilleur garde du corps de tout le sud de la Martinique. Pourtant, la toute première fois, tu fis ce que ton père, furieux, qualifia de « coup de fou ». Armé du seul pistolet de maître Aubin, dont tu venais d'hériter, tu embarquas à bord de *Babazane* au vu et au su de tous, deux énormes mallettes en main. Le voyage du retour s'effectua sans le moindre problème tant il paraissait invraisemblable que le tout nouveau régisseur du rhum pût trimballer de la sorte l'entièreté de la paye des travailleurs des champs et de l'usine. Rien ne demeurant caché à Rivière-Salée, des âmes charitables, parmi lesquelles Florius, vinrent te supplier de ne pas renouveler un tel stratagème. Tu mettrais ta vie en danger et tes parents n'auraient plus que leurs yeux pour te pleurer. Ces nègres-là plaidaient autant pour ta sécurité que pour leur maigre solde car la seule idée de passer une semaine sans que tintassent au fond de leur poche, même pour un bref moment, les sous qu'ils avaient si durement gagnés, leur était insupportable. C'est pourtant ce qui se produisit en mars de l'année 1938, et toi, Pierre-Marie, tu en vins à porter, à juste titre déclara-t-on, la responsabilité de cette catastrophe.

Tu avais fini par te plier à la règle. Tu convoyais désormais les fonds sous la protection du fier-à-bras Abélard, d'abord en train, puis en taxi-pays. Ce dernier se rengorgeait, croyant tenir sa revanche, mais tu évitais d'amorcer la moindre conversation avec lui. Muré dans un silence buté, les yeux rivés sur le paysage, tu ne répondais que par « *anban* » (oui) ou « *anan* » (non) aux questions du héros de Salonique. Plus curieux que jamais, le fier-à-bras te mettait en garde contre Laetitia en particulier et les négresses en général.

— Ces femmes-là ont de la race, expliquait-il, rien à voir avec vos Blanches fragiles et douillettes !

Elles n'ont besoin ni de caresses ni qu'on leur sucre les oreilles à longueur de temps. Elles te jugent uniquement à ta capacité à les besogner, mon vieux ! Si ton braquemart est trop petit ou si tu flanches en pleine action, t'es foutu ! A la première occasion, elles vous flanquent un coup de couteau dans votre contrat.

Ces divagations lubriques eurent, final de compte, le don de te dérider et, pour ton plus grand malheur, d'endormir ta vigilance. Tu acceptas, ce fameux jour de mars, de goûter à l'un de ces breuvages prétendument aphrodisiaques que portait toujours sur lui le garde du corps, dans une fiole qui, au vu de l'étiquette, avait dû contenir jadis du Mercurochrome.

— A Salonique, j'ai eu affaire à de sacrés coups de canon, crois-moi, patron ! Les Bulgares, c'est des vaillants guerriers, mais ce machin-là, c'est dix mille coups de canon en même temps ! plaidait Abélard sous le regard ahuri des autres passagers du taxi-pays.

Tu ne trempas que la pointe du petit doigt dans la fiole. Pourtant, cela suffit à te faire glisser dans une douce euphorie, puis dans un état second. Tu entendais tout ce qui se disait autour de toi, le grincement des pneus sur la route mal asphaltée, les ouélélés des enfants lorsque le moteur du véhicule mugissait en traversant leur quartier et, bien entendu, le bavardage incessant (et apaisant) du sieur Abélard, mais tu n'y voyais plus rien. Ou plutôt tu étais ailleurs. Le philtre, à base de noyau d'avocat, de noix de cola, de gingembre et de bois-bandé macérant dans du rhum coco-merlo t'avait transporté dans un autre univers où les quatre dimensions n'existaient plus. Des formes arrondies, sortes de créatures galbées et aguichantes, tournoyaient au-dessus de ta tête, devant toi, derrière toi et même sous tes pieds. Elles faisaient mine de se lover contre ta personne, de t'envelopper avec une extrême câlinerie et puis, brusquement, elles se déplaçaient au loin tels des cerfs-volants en rupture de cordage. Une fine poussière jaune ocre nimbait cette atmosphère féerique dont tu n'avais pour rien au monde envie de t'extraire.

A la descente du taxi-pays, dans la commune du Lamentin, au moment où Abélard et toi vous apprêtiez à monter dans le train de cannes qui vous conduirait à Rivière-Salée, trois individus vous entourèrent, et sans exercer de violence ni hausser le ton, réclamèrent les deux mallettes contenant la paye. Le régisseur du rhum et le fier-à-bras, du moins c'est ce qu'il te sembla à toi, Pierre-Marie, s'exécutèrent de bonne grâce, un peu soulagés d'en avoir fini avec leur corvée. Abélard offrit même aux brigands sa fiole d'aphrodisiaque en prime.

Quand tu repris tes esprits, tu te trouvais dans le bureau du capitaine de la gendarmerie de Rivière-Salée, entouré de Lepelletier-Dumont, l'administrateur, de l'ingénieur tourangeau ainsi que des commandeurs Léandor, Sonson, Rosalien et Audibert. Ils étaient dans tous leurs états, le plus excité se trouvant être le successeur de Simon le Terrible. Il faisait les cent pas dans la pièce en tonnant :

— Et dire que je lui faisais entière confiance, sacré tonnerre de Dieu !

Le visage en sueur, déformé par la rage, il te saisit au collet, prêt à te frapper, et cria :

— Qu'est-ce qui s'est passé ? Allez, raconte ! Où est ce chenapan d'Abélard, hein, tu veux me le dire ?

Ton garde du corps, sans doute complice des voleurs du Lamentin, avait pris la poudre d'escampette. Avec les mille deux cents francs qu'ils avaient dérobés, ils vivraient comme des nababs, la solde hebdomadaire du meilleur ouvrier de l'usine de Génipa ne dépassant pas huit francs, et encore, en période de récolte ! Abélard pourrait même mettre à exécution son rêve de revoir Salonique et de s'établir avec la « choubouloute-chérie » grecque qu'il avait séduite pendant la guerre de 14-18.

— Si vous aviez la chance d'admirer ses cheveux, vous tomberiez net par terre, vantardisait-il. C'était de la soie noire, oui !

Il n'évoquait rien d'autre que cette partie du corps de son amante, fasciné par leur longueur et leur couleur de jais. Pour en bailler une petite idée aux nègres qui l'écoutaient bouche bée à la buvette de Tantine, il la comparait, mais en mille fois plus belle, à la chevelure de la femme de Wadi Mansour, le colporteur syrien. Et le monde de s'extasier :

— Waye-waye-waye ! Foutre que tu as dû vivre ton corps avec elle alors !

Cette semaine-là, l'administrateur fut contraint de payer les travailleurs uniquement avec de la monnaie-caïdon. Il n'y eut pas de révolte, seulement une immense amertume, parce que la nouvelle du vol de la paye s'était répandue en cinq sec et qu'on savait qu'il n'y avait rien à faire contre les « la-bourse-ou-la-vie » qui infestaient la région. D'ailleurs, on en voulut davantage à Abélard qu'à toi, Pierre-Marie. Sauf l'administrateur qui décida, pour colmater la perte subie, de ne te verser dorénavant que la moitié de ta paye, cela jusqu'à extinction de ce qu'Aymard Lepelletier-Dumont ne cessa d'appeler « la dette de monsieur de La Vigerie fils ». Longtemps après l'incident, il continuait à pester :

— Rocambolesque ! C'est rocambolesque, tout ça, moi je vous le dis ! On ne voit ça que dans les films !

Pour ta part, tu te juras en ton for intérieur de retrouver un jour Abélard, dusses-tu pour cela pérégriner jusqu'à Salonique.

TEMPS DE L'ASSAGISSEMENT

An tan-tala tout larivyè té ni lafôs chayé dlo yo ora lanmè.
(En ce temps-là, toutes les rivières avaient encore la force de charrier leurs eaux jusqu'à la mer.)

Daniel Boukman, *Pawôl Bwa Sèk.*

1

A la fin de la récolte de l'année 1939, tout le monde ne parlait que de cette nouvelle guerre qui ne tarderait pas à embraser le monde et qui serait plus terrifiante que celle de 14-18. Avant sa mort, mon père m'avait fait venir à son chevet, seul, et, me prenant la main, détachant ses mots sans doute parce qu'il savait qu'il avait commencé à déparler, il m'avait dit :

— Pendant la Grande Guerre, la métropole n'a pas voulu faire appel à la conscription dans ses colonies. Les nègres et les mulâtres ont dû lutter ferme... batailler même avec le gouverneur pour qu'il leur accorde le droit d'aller là-bas payer ce qu'ils appellent l'impôt du sang. Hon !... Il y a eu d'héroïques soldats antillais à Verdun, oui ! Mais très peu de Blancs créoles... Si une nouvelle guerre éclate, promets-moi que tu seras parmi les premiers à te faire enrôler. Promets-le-moi, Pierre-Marie !

Je ne savais quoi répondre car une telle éventualité ne m'avait jamais traversé l'esprit. Ne conservait-on pas dans le civil tous ceux qui occupaient des fonctions indispensables à la bonne marche de la nation ? En tant qu'usinier, il était peu probable qu'on fît appel à mes services. Je venais en outre d'acquérir une parcelle de neuf hectares d'excellente terre du côté de Desmarinières, effaçant du même coup le déshéritement dont mon père avait été victime à cause de son mariage avec une femme dont les veines recelaient quelques gouttes de sang noir. Mon espoir était de me constituer petit à petit une véritable habitation que j'avais déjà décidé de nommer « habitation La Edmée » en souvenir du courage dont avait fait preuve ma mère tout au long de sa vie. Depuis qu'elle était devenue nonagénaire, elle n'y voyait plus, entendait avec difficulté, ingurgitait à peine un peu de bouillie de farine-manioc adoucie avec du sirop de canne à sucre. Elle ne quittait sa chambre que le dimanche pour recevoir le sacrement de la communion des mains de l'abbé Michel, le tout nouveau ministre du culte de l'église de Rivière-Salée. Je me demandais parfois comment elle aurait réagi si elle avait su qu'il s'agissait d'un nègre. Avait-elle imaginé une seule fois dans sa longue vie que des mains noires pussent lui tendre la blanche hostie ou se poser sur son front et ses épaules pour lui bailler ce réconfort, cette douceur, que nous, ses enfants, n'étions plus en mesure de lui offrir ? Marie-Louise, divorcée, avait un temps émis l'idée de venir s'installer à son côté, mais les fastes de l'En-Ville l'en empêchèrent. Antoinise avait appris de la bouche d'Esther, notre blanchisseuse, véritable marchande de ragots, que mon aînée était devenue la maîtresse d'un lieutenant de vaisseau plus jeune qu'elle. L'homme, un Blanc-France, organisait des fêtes échevelées au Fort Saint-Louis et était reçu à souper dans les familles de Grands Blancs de la Route de Didier. Bref, ma sœur était devenue définitivement citadine et, quand il m'arrivait de la rencontrer, elle me taquinait :

— Comment tu fais pour continuer à vivre les pieds dans la boue, Pierre-Marie ? Eh ben ! Eh ben !

Quant à mon frère Renaud, il avait réussi à épouser une riche héritière du Sud et avait renoué avec la famille de mon père, qui avait toujours fait preuve du plus vif dédain à notre endroit à cause de l'impureté de notre sang. Je me demandais souvent, lors des réunions de famille, comment il s'y prenait avec ces gens qui n'oubliaient pas un seul instant, une seule seconde, que Renaud n'était pas un vrai béké. Nous ne nous voyions plus beaucoup. L'habitation qu'il dirigeait, celle de Grand-Case, envoyait ses cannes à l'usine de Trois-Rivières, dans la commune de Sainte-Luce. Mon frère Moïse, quant à lui, était devenu clerc de notaire à Fort-de-France chez notre ex-beau-frère Sylvère de Cassagnac et gagnait assez bien sa vie à en juger par l'automobile dans laquelle il venait parader au nouvel an et à Pâques, malgré les routes défoncées par les intempéries de la région de Rivière-Salée. Il avait vogué de fiancée en fiancée jusqu'au jour où une capistrelle étrangère — on la tenait pour natale de Caracas — à la longuissime chevelure et aux robes extravagantes parvint à lui glisser la bague au doigt. De ma mère, Moïse avait gardé cette habitude stupide qui consistait à se faire tailler les cheveux le plus ras possible, sans doute pour qu'on ne soupçonnât pas à quel point ils étaient frisés. Une seule fois, ma mère s'étant difficilement relevée de son accouchement d'Ismène, il eut la liberté d'arborer une paillasse jaune sur la tête, mais elle entra dans une colère sans nom lorsqu'un muletier lui ramena, à la brune du soir, un Moïse tout penaud de s'être égaré dans la mangrove à la recherche de crabes-mantou dont les pinces énormes et les pattes velues le fascinaient.

— *Mi ti chaben'w lan, Man Oben!* (Voici ton peti chabin, madame Aubin !), fit le muletier.

— Mon fils n'est pas un chabin, monsieur, c'est un petit béké ! s'écria ma mère, malgré l'état de faiblesse dans lequel elle se trouvait encore.

— *Lafèt man té ka fè, Man Oben* (Je plaisantais, madame Aubin), tenta de s'excuser le muletier.

A dater de cet incident, plus un seul poil frisé ne dépassa du crâne de Moïse et, vingt ans plus tard, celui-ci brillait toujours comme un avocat à maturité, selon une expression qu'enfants, nous affectionnions beaucoup et qui le mettait en rage.

Ismène, contre toute attente, était entrée dans les ordres. Elle avait subitement perdu son goût pour les fanfreluches et les bijoux pour se confire en dévotion, insistant pour réciter la prière d'avant le repas du midi et celui du soir. Je n'avais pas noté à quel moment elle s'était laissé emberlificoter par ma mère qui prétendait que toute famille békée qui se respecte se devait d'offrir un de ses membres à la sainte Église catholique, apostolique et romaine. Sans doute avait-elle compris qu'avec ses autres enfants, c'était là peine perdue, le souvenir des farces que nous, les garçons, jouions à l'abbé Tanguy lui trottant encore dans la tête.

N'eût été cette nouvelle guerre qui se profilait à l'horizon, tout se déroulait donc pour le mieux puisque chaque enfant La Vigerie semblait avoir trouvé la voie qui lui convenait le mieux. Pour moi, il n'y avait pas eu l'ombre d'une hésitation : je serais régisseur du rhum à l'usine de Génipa, comme l'avait été mon père avant moi. Continuer, quel qu'en fût le prix, à fabriquer ce qui était, s'agissant de ma personne, une eau-de-vie au sens propre du terme, c'est-à-dire une eau qui m'avait ramené à la vie au jour même de ma naissance, m'était plus qu'un devoir de fidélité : une véritable passion. Lorsque j'appris que mon ancien condisciple José Hassam avait réussi à son brevet supérieur à Fort-de-France et qu'il ne tarderait pas à embrasser la très admirée carrière d'instituteur, je n'éprouvai aucune jalouseté à l'instar de ceux de ma génération. J'étais content pour José, mais pour rien au monde je n'aurais brocanté sa destinée avec la mienne. Je demeurerais attaché à l'usine comme l'arbre à ses racines jusqu'à la fin de mes jours, quand bien même, différent en cela de mon père, je m'efforcerais de redonner ses lettres de noblesse à cette branche bâtarde des La Vigerie que nous étions, grâce à l'acquisition progressive de parcelles de terre.

Il était donc hors de question que je me fisse enrôler pour partir me battre en Europe. L'usine avait besoin de moi et, quelles que fussent les appréhensions qui m'habitaient à l'idée de savoir la France une nouvelle fois occupée par l'Allemand, je ne transigerais pas. Aucun gouverneur, aucun général ne me contraindrait à endosser l'uniforme car je ne me sentais aucunement responsable de ces sempiternels coups de folie qui agitaient le Vieux Monde.

2

Lorsqu'il fallut interner ta mère à l'hôpital psychiatrique de Colson, sur les hauteurs couvertes de forêt vierge de Fort-de-France, tenant à visiter les lieux avant l'arrivée de celle-ci, tu fus agréablement surpris par leur fraîcheur. Un vent discret semblait se faufiler entre les pitons du Carbet, chargé des senteurs des fougères arborescentes et de la tendresse violente des fleurs de balisier. Il vous cernait, vous enveloppait jusqu'à faire tressaillir vos paupières. Une fine humidité humectait alors le coin de vos yeux et soudain, vous vous retrouviez comme désarmés malgré la hideur des bâtiments dont la peinture, cent fois refaite sans doute, était partout écaillée. Quel contraste avec les terres basses à fleur de mangrove de Rivière-Salée, où touffeur et luminosité implacables vous interdisaient tout apitoiement sur soi ! Ici, la brume, les nuages bas, le vert profond des arbres centenaires et surtout le silence, l'impressionnant silence qui vous baillait le sentiment que chaque parole prononcée était son propre écho, tout cela était une invite au calculer-réfléchir sur le sens de votre vie.

Edmée de La Vigerie, qui avait perdu peu à peu la raison entre la Toussaint de 1938 et le début du

Carême de l'année suivante, n'avait voulu emporter, outre une petite valise de vêtements, qu'un seul témoin de sa splendeur passée : la carte d'un menu précieusement conservé par elle dans le tiroir de sa commode, auquel même feu son mari, Aubin, n'avait jamais eu accès, pour la simple raison qu'elle en avait toujours gardé la clef sur elle, attachée à une chaînette en or de Cayenne que sa marraine lui avait offerte à l'orée du siècle.

— C'est mon seul protègement, oui, lâchait-elle, mystérieuse, quand quelqu'un la taquinait sur le piètre aspect de ce bijou qui, en comparaison de ceux qu'arboraient les négresses, semblait avoir été fabriqué à la hâte.

Recouvrant un bref instant sa lucidité, elle t'avait obligé à la ramener dans sa chambre, alors que le tilbury vous attendait pour vous conduire à la pétrolette, au quai d'embarquement de Petit-Bourg. Là, elle s'était mise à hurler :

— *Oti laklé-a ? Oti laklé-a, fout ?* (Où est la clé ? Où est la clé, foutre ?)

Tandis que tu cherchais, désemparé, à satisfaire son ultime désir, ne sachant pas de quelle clé elle voulait bien parler, Edmée de La Vigerie se rua sur sa commode, arracha la chaînette de son cou et ouvrit le mystérieux tiroir. Elle en ôta un petit carton doré qu'elle pressa sur son cœur et se mit à trépigner de joie, enfin apaisée.

— J'ignore où vous m'emmenez, déclara-t-elle, mais cela n'a plus d'importance, maintenant. Charroyez la pauvre vieille *kalazaza* que je suis au diable Vauvert, si vous voulez ! De toute façon, mon cœur est en paix. Vous avez beau malparler de moi avec vos bouches sales, je suis hors de portée de votre haine, je suis inatteignable ! Je sais bien que vous avez empoisonné mon mari parce que vous ne supportiez plus qu'il se soit entendu toute sa vie avec moi. Vous avez glissé, sacrés scélérats que vous êtes, un éclat de bambou dans le punch que vous vous battiez pour lui offrir ! Aubin de La Vigerie fut un grand homme, sachez-le ! Et notre amour aussi fut grand, sans aucune commune mesure avec les étreintes bestiales dans lesquelles vous vous complaisez. Békés malpropres, mulâtres vaniteux, chabins colériques, nègres sans sentiments, coulis mangeurs de chien, Syriens voleurs, Chinois hypocrites, je vous maudis tous jusqu'à la vingtième génération ! Dieu merci, je n'ai jamais fait partie des vôtres. *Kalazaza,* m'insultiez-vous ? eh ben ! oui, foutre, Edmée est une *kalazaza,* une sans race, une presque tout et une presque rien en même temps ! Ha-ha-ha !

Tu t'étais aperçu que ta mère avait perdu la raison au fait qu'elle ne s'exprimait plus qu'en créole, idiome que jadis elle abhorrait, et aussi à son soudain intérêt pour le rhum. Si elle avait toujours respecté la boisson qui faisait vivre sa famille, elle n'y trempait guère ses lèvres, pour la simple raison que ce breuvage était réservé aux hommes. Seules les femmes de mauvaise vie, celles qui passaient leur temps à vendre leur devant au lieu de travailler de leurs dix doigts, seules ces créatures — parmi lesquelles elle avait rangé d'autorité la câpresse de Grand-Bassin, dont elle ne fit pourtant la connaissance qu'à la mort de son mari — avaient droit au décollage le matin de grand-bonne heure ou au folibar lorsque le jour s'apprêtait à céder la place à la noirceur.

Dès que tu partais pour l'usine, ta mère se mettait à houspiller Antoinise pour qu'elle lui portât ce qu'elle appelait son « remontant » et, quand la servante faisait mine de ne point entendre ou prétextait être trop occupée à la cuisine, Edmée de La Vigerie s'appuyait difficultueusement sur son bâton, chaussait ses lunettes et, à tâtons, se dirigeait vers le bar en acajou où étaient rangés avec soin les meilleurs rhums de la Martinique. Tu ne te rendis compte de son manège que le jour où elle te déclara avec l'arrogance des fins connaisseurs :

— Tout le monde prétend que le Nelsson est l'empereur des rhums. Je ne suis pas d'accord ! Ah ! certes, ces mulâtres du Carbet, ils savent y faire. Rien à redire ! Mais à mon avis, le Crassous de Médeuil lui est supérieur.

— Je n'osais pas vous l'avouer, monsieur de La Vigerie, déclara le docteur Molinard, qui venait la consulter chaque mois, mais votre mère est... Comment dire ? Elle est devenue une alcoolique, enfin presque...

Tu t'en voulus de n'avoir pas cherché à éclaircir avec ta mère, pendant que cette dernière avait encore tous ses esprits, le lourd mystère qui pesait sur son origine. D'où provenait cette part de sang noir qui coulait dans ses veines ? Pourquoi Aubin l'avait-il quand même épousée ? Toutes ces interrogations demeureraient à jamais sans réponse. Mais, au fond, te consolais-tu, sans doute valait-il mieux qu'elle sombrât dans la folie car tu ne la croyais pas capable de supporter que la vérité fût proclamée au grand jour et donc qu'elle fût révélée à ses enfants. Seuls Marie-Louise et toi aviez cessé de vous boucher les yeux. Les autres vivraient pour toujours dans l'illusion d'une blancheur sans partage.

— C'est de ta faute ! te prit à partie Esther, la blanchisseuse, au moment où sa maîtresse s'en allait à l'hôpital psychiatrique. C'est toi qui lui as gâté l'esprit, Pierre-Marie, avec ce mariage que tu as fait avec cette négresse noire comme du caca-cochon de Laetitia ! Moi, je retourne chez moi, à La Thoraille, et ne comptez plus sur moi pour m'occuper de votre linge ! Je ne suis plus là, non...

Curieusement, toi, le fier régisseur du rhum, tu n'éprouvas aucun ressentiment envers Esther. Elle ne faisait déjà plus partie de ta vie. L'internement de ta mère ne te bouleversa pas non plus outre mesure, à ton grand étonnement. Un monde venait de finir. De finir là...

Au cours du trajet, profitant d'un instant d'assoupissement de ta mère, tu lui enlevas le carton qu'elle tenait serré entre ses doigts à-quoi-dire un viatique. C'était, à ta grande surprise, le menu du repas donné en l'honneur des distillateurs antillais lors de l'Exposition Coloniale Internationale de Vincennes en 1931 :

Saumon glacé
Poularde bouquetière au rhum
Suprême de foie gras au Montrachet
Salade Marguerite
Fonds d'artichaut au Cliquot
Glace Ariane au rhum
Gaufrettes
Coussins de fruits
Café, rhum

Rêveur, tu plaças le carton dans la poche du corsage d'Edmée de La Vigerie. Un sentiment étrange et douloureux t'envahit : celui de n'avoir pas vraiment connu celle qui fut ta mère. Une mère autoritaire, certes, mais toujours très attentionnée envers toi...

[illegible] avec une [illegible] [illegible] du [illegible]
[illegible] de [illegible] [illegible] chez moi, à La
[illegible] et ne [illegible] plus sur moi pour
[illegible] de [illegible] [illegible] que [illegible] plus là, mais…

Comme [illegible], toi, le [illegible] sur un [illegible]
[illegible] [illegible]. Il n'y a plus
de [illegible] déjà plus [illegible] [illegible]
de [illegible] ne [illegible] c'est pas [illegible]
[illegible] [illegible] monde [illegible]
[illegible] De [illegible] là…

Avant de quitter [illegible] d'un instant [illegible]
[illegible] de la [illegible] [illegible]
qu'elle [illegible] [illegible]
[illegible] [illegible]
[illegible] en l'honneur des [illegible]
lors de l'Exposition Coloniale Internationale de
Vincennes en 1931.

[illegible]
Pour le [illegible]
[illegible]
[illegible]
[illegible]
[illegible]
[illegible]
Cousins de France
[illegible]

Revenir [illegible] dans la [illegible]
[illegible] d'Edmond de La Vigerie. Un sentiment [illegible]
et [illegible] [illegible] pas [illegible]
[illegible] [illegible]. [illegible]
[illegible], [illegible] toujours [illegible]
[illegible]

3

Une sorte de pudeur empêcha longtemps Pierre-Marie de La Vigerie d'ouvrir la bibliothèque de son père, bien que celui-ci la lui eût confiée, sentant la mort approcher. Sans doute avait-il espéré que le vieillard la lui aurait léguée d'une manière plus franche, ne pouvant ignorer sa hâte de parcourir les cahiers d'écolier que le bougre avait noircis, selon Antoinise, depuis la naissance de Moïse. Car si Pierre-Marie brûlait de se plonger dans les merveilles que recelaient ses livres anciens, chroniques de la conquête des Amériques ou Mémoires de planteurs, son premier geste serait, à n'en pas douter, de tenter de savoir enfin qui se cachait vraiment derrière Aubin de La Vigerie et surtout pourquoi il avait préféré braver le déshéritement plutôt que de ne pas épouser sa future mère. Que jamais l'idée d'une séparation ne les eût effleurés après tant d'années de bisbille et de combats-de-gueule représentait à ses yeux une sorte d'énigme que le nouveau régisseur du rhum ne pourrait percer qu'au travers des écrits de son père. Avec sa mère, il était tout bonnement inenvisageable d'aborder une telle question. Elle avait su dresser au fil du temps une barrière invisible, faite de sous-entendus et de froncements de sourcils, entre sa marmaille et elle, y compris Marie-Louise, l'aînée et la plus proche de ses filles.

Parfois, Pierre-Marie avait eu la tentation de s'en ouvrir à sa sœur, qui se montrait moins chichiteuse depuis l'échec de son mariage avec leur précepteur. Elle avait cessé de se prendre pour une grande dame et jetait un regard moins hautain sur le monde. Vivant désormais sa vie à Fort-de-France, une vie libre, presque garçonnière, il lui arrivait de confier à son jeune frère ses multiples tourments amoureux et de lui emprunter de petites sommes qu'elle omettait de lui rembourser, sans doute au nom de quelque désuet droit d'aînesse toujours en vigueur dans la caste des Blancs créoles à laquelle ils avaient pourtant tous les deux, sans concertation aucune, renoncé à faire partie, au contraire de Renaud et de Moïse. Peut-être Marie-Louise en savait-elle beaucoup plus qu'elle n'en laissait paraître, mais, chaque fois que Pierre-Marie tentait de dévier la conversation sur le terrain des secrets de famille, elle fuyait le sujet avec un art consommé. Elle avait simplement suggéré qu'un pacte indestructible unissait leurs parents depuis l'époque où leur père vivait dans la ville de Saint-Pierre, jadis capitale de la Martinique, berceau des La Vigerie. Il avait rencontré leur future mère au cours d'un de ces bals grandioses qu'y donnait le gouverneur, bals où étaient invitées les jeunes filles blanches et quelques rares quarteronnes ou mulâtresses appartenant à la riche bourgeoisie de couleur. A l'orée du siècle, la nuée ardente jaillie des flancs de la montagne Pelée avait détruit ce monde-là en moins de trois minutes. Comment la famille de leur père avait-elle échappé à l'éruption ? Par quel moyen Aubin de La Vigerie était-il allé rejoindre sa dulcinée en la commune de Basse-Pointe, sur l'autre versant du pays ? C'était là des interrogations que Marie-Louise écartait d'un revers de main quand son frère les évoquait devant elle, non par frivolité d'esprit ni par goût, absurde en la circonstance, du secret, mais probablement parce que, tout comme sa mère, elle se refusait à regarder en face certaines vérités, sans doute pour s'épargner d'inutiles souffrances. A quoi bon, en effet, remuer les cendres d'un passé qui bientôt n'existerait même plus dans la mémoire de leurs descendants ? De la négresse-Congo qui avait voulu lui apprendre à lire dans les coquillages, Pierre-Marie avait retenu au moins une chose : si l'on cesse d'évoquer les disparus, si l'on ne ressasse plus le passé à travers les chants ou les contes, celui-ci disparaît à jamais, un peu comme s'il n'avait jamais existé. Cette vérité lui avait longtemps trotté dans la tête et il y voyait la vraie raison qui poussait son père, à son insu probablement, à écrire des cahiers entiers dont il refusait l'accès à quiconque, même à son épouse. Pourtant, il ne les avait pas détruits, ce qu'il aurait fort bien pu faire au moment où il avait senti ses forces faiblir. Il s'était contenté de les sceller sur la dernière étagère de sa bibliothèque, conservant la clef jusqu'à l'ultime instant, jusqu'à l'agonie presque, avant de la remettre à celui qui serait son successeur à l'usine. Pierre-Marie se disait qu'il aurait pu tout aussi bien la confier à Marie-Louise, pour qui le vieil homme éprouvait également une grande considération, mais il ne l'avait pas fait. Il l'avait choisi, lui, Pierre-Marie de La Vigerie, pour être l'héritier de ses pensées les plus secrètes, et ce dernier mesurait à sa juste valeur l'honneur qu'il lui avait fait.

Sa mère ne vit aucune objection à ce que Pierre-

Marie emportât la bibliothèque dans la petite maison qu'il s'était fait construire à deux pas de celle où il avait passé son enfance. Pour elle, ces cahiers ne pouvaient contenir que des billevesées, fruits d'un esprit trop enclin à la morosité. Elle l'accusait souvent de feindre d'être bonhomme et jovial :

— Ton visage rit, disait-elle, mais ton cœur, lui, il se morfond. Comme ça, tu trompes ton monde. On me croit maussade, par contre. On dit que madame Aubin a mauvais caractère, qu'elle se chiffonne pour un rien. Que ceci, que cela. Hon ! S'ils savaient ! A l'intérieur de moi, je suis mille fois plus gaie que n'importe lequel d'entre vous.

Pierre-Marie avait posé les cahiers sur sa table de nuit, reculant l'instant de détacher la cordelette serrée qui les retenait, sourd aux sollicitations de Laetitia qui ne savait pas lire, mais semblait comme fascinée par le contenu de ce paquet qu'elle devait soulever chaque jour lorsqu'elle époussetait leur chambre. Elle était une obsédée de la propreté et pourchassait sans relâche araignées, ravets ou moustiques. Le linge de Pierre-Marie était toujours soigneusement amidonné et repassé avant d'être rangé à la perfection dans l'armoire, où elle avait placé des boules de naphtaline. Très coquette elle-même, elle ne sortait jamais, même pour se rendre au travail, sans avoir coiffé d'un chou ravissant son abondante chevelure crépue qui résistait toujours au défrisage au fer chaud. Ses robes de couleur vive baillaient un éclat encore plus fascinant à ses yeux, plus sensuel aussi à la noirceur moirée de sa peau. Le laiteux des Blanches et des chabines, le café au lait des mulâtresses pas plus que le chocolaté du teint des câpresses n'exerçaient d'attrait sur la personne de Pierre-Marie. Seule la couleur café, le noir pur des authentiques négresses, avait le don de l'émouvoir. Chaque fois qu'il prenait Laetitia entre ses bras, il lui revenait en mémoire les bains de feuilles vertes, dans la grande bassine en zinc, placée en plein soleil, au mitan de la cour de terre battue, qu'Antoinise, la servante, sœur aînée de sa femme, lui avait fait prendre durant toute son enfance. C'était des feuilles de corossolier aux vertus apaisantes. Elle lui frottait énergiquement le corps avec les fleurs jaunes du même arbre, aux pétales étrangement rigides, et il en éprouvait un bien-être à nul autre pareil. Il tapait des bras dans l'eau, l'éclaboussant au visage, et riait des petites crises de colère vite étouffées qui traversaient le regard de la servante. Ses seins pulpeux ballottaient dans son corsage mouillé, le caressant lorsqu'elle le soulevait de la bassine pour l'envelopper dans la serviette de bain. Elle s'amusait à chantonner :

— *Pyè-Mari, sé yich mwen! Pyè-Mari, sé yich mwen!* (Pierre-Marie, c'est mon fils ! Pierre-Marie, c'est mon fils !)

Et sa mère, Edmée de La Vigerie, loin de s'en offusquer, les observait depuis la véranda en se balançant dans une berceuse, un journal illustré d'En-France à la main, l'air indifférent ou impavide. Il ne lui serait jamais venu à l'idée de baigner elle-même les garçons, cette tâche étant tacitement réservée à la servante. A leur adolescence, elle se mit à embaucher des nuées de petites négresses qui étaient prétendument chargées de seconder Antoinise, mais dont la tâche principale — Pierre-Marie en prenait conscience seulement maintenant — consistait à éveiller Renaud, Moïse et lui-même aux joies de la chair, à ce que la marmaille appelait à l'époque « faire mal-élevé ».

Quant à la fameuse câpresse de Grand-Bassin, au sujet de laquelle sa mère n'avait de cesse qu'elle ne chicanât son père, elle ne devint une réalité que le jour de l'enterrement de ce dernier. Jusque-là, elle n'avait été pour eux, la marmaille, qu'une créature impalpable, sortie tout droit sans doute de l'imagination d'Edmée. Les deux garçons-dehors dont la rumeur publique avait colporté la naissance étaient bel et bien vivants. Deux jumeaux (et chabins en plus !), leurs demi-frères donc, qui arboraient indubitablement le faciès carré, énergique de leur père et son cou de taureau. Lorsque la rivale de leur mère et ses rejetons se placèrent sur la file des condoléances, à la sortie du cimetière, recevant, comme s'ils étaient eux aussi des La Vigerie, les propos d'encouragement des békés, de quelques mulâtres du bourg de Rivière-Salée et de la quasi-totalité des travailleurs nègres et indiens des champs et de l'usine, Edmée de La Vigerie ne fit aucun scandale comme l'avait redouté Marie-Louise. Mieux : les deux veuves éplorées tombèrent dans les bras l'une de l'autre, sans toutefois brocanter la moindre parole, et poussèrent enfants légitimes et enfants-dehors de maître Aubin à s'embrasser au vu et au su de tout le monde.

Mais ce rapprochement n'alla pas plus loin. La câpresse de Grand-Bassin n'assista pas à la messe pour le repos de l'âme du père de Pierre-Marie deux semaines plus tard, et les jumeaux cessèrent de fréquenter l'école communale en pleine année scolaire. Il se disait que leur mère, qui était beaucoup plus jeune qu'Edmée, avait déniché un nouvel amant — encore un béké, oui ! ajoutaient les mauvaises langues d'un air entendu — et qu'elle était partie vivre quelque part au centre du pays, vers le Gros-Morne ou le Vert-Pré, on ne savait pas trop.

En fait, la peur qu'avait Pierre-Marie de violer le secret des cahiers d'Aubin de La Vigerie était problablement liée à une espèce de pudeur qu'il avait toujours éprouvée à l'endroit de sa mère. Pudeur née de l'espèce de distance qu'elle avait toujours mise entre le monde et sa personne. Pudeur au nom de laquelle elle ne cajolait jamais ses enfants et parfois, sans raison apparente, les vouvoyait des semaines entières pour ne revenir au « tu » que lorsqu'elle sentait que maître Aubin ne tarderait pas à passer de l'agacement à la colère. Mais lorsqu'elle devint un peu sourde et que sa vue se mit à baisser, quand elle cessa d'interboliser l'existence de son fils parce qu'il s'était mésallié avec une négresse — qui ne savait même pas lire et écrire, en plus ! —, Pierre-Marie se sentit plus libre de s'aventurer dans les pensées secrètes de son père. Le premier cahier, à la couverture violette, le plus gros, lui procura une immense déception. Il ne contenait que des poésies que son père y avait copiées de tête, de celles qu'il aimait réciter lors des baptêmes ou des premières communions. Des extraits de *La Légende des siècles* de Victor Hugo y figuraient en bonne place, à côté de poèmes de Verlaine, de Baudelaire et bien sûr de Lamartine, son préféré. Pris de curiosité, Pierre-Marie compara certains de ces textes avec les originaux qu'il se procura dans une librairie de Fort-de-France et, sans surprise aucune, il découvrit qu'il n'y avait que d'infimes différences entre ces derniers et ceux que la mémoire de son père avait conservés de ses six ans d'école, à la fin du siècle passé. Edmée avait bel et bien raison ! S'il avait vécu dans un autre univers que celui de la canne à sucre et de la distillerie, sans doute serait-il devenu un homme de lettres.

4

Mon père écrivait sans ratures. D'un seul jet. Était-ce là la marque d'un grand esprit ou au contraire celle d'un être habité par une fatuité incommensurable ? Il affectionnait l'encre violette qui, à l'époque, était réservée aux écoliers, la noire étant la marque des gens sérieux, des adultes. Légèrement penché, le tracé de ses lettres n'avait pourtant rien d'enfantin. On y devinait l'homme de trempe, le combattant de tous les jours dans une existence qui s'apparentait trop souvent à un champ de bataille. Surtout au point d'équidistance entre Blancs et nègres où il se trouvait placé.

La première lettre du paquet éclaira d'emblée une partie de l'énigme :

Lettre à l'Aimée

Je ne vous posterai jamais ces quelques mots qui démangent tellement mon esprit qu'il m'est presque impossible de trouver le sommeil. Vous les lirez lorsque je ne serai plus de ce monde, si le destin vous accorde — ce que je souhaite de toutes mes forces — le droit de vivre plus longtemps que moi. Ces mots, ma bouche n'aurait pas pu les prononcer. Je n'aurais pas supporté (ni vous sans doute) d'entendre leurs dures sonorités ou d'autres fois, au contraire, leur insultante légèreté. Couchés, silencieux, définitifs, sur la feuille de papier, ils n'ont plus pouvoir de nous offenser. C'est pourquoi j'ai toujours pensé qu'un grand amour ne devrait s'avouer que par le biais de l'écriture. L'amour vrai instaure une distance entre soi et soi. Je veux dire qu'une moitié de soi s'agrège à l'être aimé tandis que l'autre moitié se tient à bonne distance de cette nouvelle entité. Elle assure une sorte de préservation de chacune des deux personnes. Cette division en deux du soi ne s'appréhende qu'à l'écrit ; quand on parle son amour, on donne l'illusion qu'il est entier.

Je sais que tout cela te paraîtra bien obscur, mais je ne crois pas qu'on puisse exprimer l'Amour en termes simples. C'est que ce sentiment-là nous enténèbre dans le même temps qu'il illumine notre vie. C'est ainsi !

Je suis attentif à toi,

Aubin

Je lus et relus ces mots, dix fois, cent fois. Je n'avais jamais soupçonné que de semblables pensées eussent pu traverser l'esprit de mon père. Ne baillait-il pas l'impression d'être tout entier habité par une seule et unique passion, celle de la distillation du rhum ? Avec ma mère, je ne l'avais pas vu esquisser le moindre geste de tendresse en plus de trente années de vie commune. Pas le moindre baiser, la plus petite caresse. Certes, cela ne signifiait point qu'il était indifférent, puisque la tendresse créole n'est guère démonstrative, elle peut même prendre des allures bourrues, mais Aubin de La Vigerie ne laissait entrevoir aucune complicité. Au contraire, la tension chamailleuse qui régnait entre eux n'échappait pas aux visiteurs avertis et aux nombreux fouailleurs de notre voisinage.

— Tout ça finira mal, assuraient ces derniers, car deux crabes mâles ne peuvent pas vivre dans le même trou.

Ils se trompaient. Malgré leurs fréquentes disputes, mon père ne leva jamais la main sur ma mère et celle-ci ne le menaça jamais de verser de l'huile chaude dans ses oreilles pendant son sommeil à cause de sa liaison avec la câpresse de Grand-Bassin. Cette pratique sauvage, communément utilisée à l'époque par les femmes jalouses, avait en effet le don de ramener au bercail les hommes les plus volages. La deuxième lettre du paquet était d'une brièveté étonnante :

Lettre à l'Élue

Ils m'ont déshérité. A cause de toi, prétendent-ils, j'ai mis à mal l'honneur des La Vigerie. S'ils savaient à quel point je suis heureux d'hériter de ta personne. S'ils savaient, les imbéciles!

Aubin

Celle-là s'adressait indubitablement à ta mère, Edmée, pas à la câpresse de Grand-Bassin, même si, à la lecture des autres lettres, tu dus admettre que la figure de ces deux femmes avait bel et bien fini par se confondre dans l'esprit de ton père. Se pouvait-il qu'il les eût aimées toutes les deux du même amour ? Cette interrogation t'excitait beaucoup. Tu te remémoras les traits de la maîtresse de ton père, rongés par l'affliction, le jour de son enterrement. Qu'elle eût pu vivre dans l'ombre trente années durant, sans jamais chercher noise à ta mère, attitude peu courante chez les femmes placées dans sa position, la grandissait dans ton esprit. Tu t'étais trop laissé influencer par les récriminations de ta mère à son endroit, par les ragots d'Antoinise et d'Esther qui la décrivaient comme une intrigante, une voleuse de mari parce que, sans doute, elles-mêmes n'avaient pas eu l'insigne chance de rencontrer un homme qui leur vouât autant d'amour.

Une des lettres (tu avais cessé désormais de les lire dans l'ordre) exprimait justement de manière troublante toute la force et l'ambiguïté du sentiment qui habitait ton père :

Lettre à l'Élue

Je n'ai jamais pu me passer de toi. Ne tiens pas compte de mes mots de tous les jours ! Ils sont impuissants à décrire l'espèce d'exaltation secrète qui s'empare de moi dès que je quitte le travail à l'usine. Mes mains tremblent à la seule pensée qu'elles ne tarderont pas à se poser sur ta chair brune. Sur ta chair blanche. Dans le gris de tes yeux, je sais deviner ton attente. Quand tes cheveux-paille de canne s'appuient sur mon cou et me griffent, je ne peux m'empêcher de sourire. Tu es, dès cet instant-là, toute à moi.

Il n'y a guère que les effluves capiteux de la grappe blanche pour rivaliser avec la senteur puissante et fauve qui émane de toi. La rondeur de tes formes ne te messied point. Elles proclament à quel point tu es en santé. J'ai toujours aimé les êtres dont chaque geste est un appel vers le Grand Dehors, une invite à en respirer la plénitude.

Tu es ma terre à moi.

Aubin

D'autres fois, ton père savait se montrer féroce :

Lettre à l'Aimée

Marie-Louise va donc épouser ce grand escogriffe de Sylvère de Cassagnac. Quel malheur ! L'homme ne m'inspire qu'une confiance relative car il me revient de partout le bruit de ses frasques. Je ne suis pas dupe. Sylvère est quelqu'un à s'enjuponner à la première rencontre et à se déjuponner aussitôt qu'on lui présente une nouvelle créature. Monsieur a toutes les attitudes du baliverneur. Pauvre Marie-Louise ! Heureusement qu'elle a du caractère ! Je ne crains rien pour elle : personne ne lui marchera jamais sur les pieds.

Sache-le, je n'ai jamais regretté que mon premier rejeton soit une fille ! Jamais !

Aubin

Au bout d'une dizaine de lettres, je dus me rendre à l'évidence : mon père ne parlait jamais de moi. Mon nom ne figurait pas parmi tous ceux qu'il évoquait, soit qu'ils fussent de la famille comme Marie-Louise, Renaud ou Moïse, soit au contraire des étrangers comme l'ingénieur tourangeau ou Firmin Léandor. Mais de Pierre-Marie, son dernier enfant, aucune trace ! Pas la plus petite allusion. J'en fus d'abord très mortifié et me mis à en vouloir à cet homme qui m'avait façonné à son image. Le fait qu'il ne me nommât point dans ses lettres ne signifiait-il pas justement qu'il me déniait toute individualité et qu'il avait le sentiment d'avoir réussi son œuvre de modelage de ma personne ? Une bouffée de fureur m'envahit même à cette perspective. Je détestais qu'à l'usine, les plus anciens ouvriers me fassent le compliment d'être tout le portrait d'Aubin de La Vigerie. Mais je finis par me rasséréner en songeant qu'il savait que la seule et unique personne qui lirait ses lettres, ce serait moi, Pierre-Marie.

5

Désormais, la guerre est bien là. Certes pas encore aux portes du pays, mais on n'y échappera pas comme en 14. Hitler dispose de sous-marins et d'avions capables de traverser l'Atlantique et de bombarder les possessions américaines de l'Empire français, a déclaré le gouverneur de la Martinique à la radio. Nul n'est plus à l'abri. Ton père avait donc vu juste. Il avait pressenti avant tout le monde qu'une nouvelle fois l'ennemi teuton, comme il disait, jamais définitivement terrassé, viscéralement belliqueux, s'attaquerait à la France.

— Je suis né en 1871, juste après la défaite de Sedan, donc je sais de quoi je parle, rétorquait-il aux sceptiques.

La première idée qui te vint à l'esprit, idée pour le moins éhontée en de semblables circonstances, fut que ce conflit pourrait être bénéfique au commerce du rhum et du sucre. Là-bas, en France, la mobilisation générale avait été annoncée et des dizaines de milliers de jeunes bras qui, en temps normal, travaillaient à faire prospérer l'agriculture et l'industrie, se trouveraient maintenant encasernés et sans doute, dans un proche avenir, jetés sur les champs de bataille. Tu n'osais même pas t'en ouvrir à Aymard Lepelletier-Dumont, l'administrateur, t'imaginant qu'il vouait quand même une certaine affection au drapeau tricolore et à la Mère Patrie. Tel n'était pas le cas. Tu avais bien remarqué qu'il ne partait en vacances qu'en Floride ou à Caracas et qu'il se flattait de parler les langues de ces régions aussi bien qu'un autochtone. Parfois, au détour d'une phrase, il te lançait :

— Vous savez, l'Europe, c'est loin d'ici. Tous ces nègres qui réclament l'assimilation ont-ils réfléchi au fait que nul ne peut violer la géographie ?... La Martinique, elle se trouve en Amérique, que nous le voulions ou non...

Il est vrai qu'il était aussi concessionnaire d'une marque de camions américains et qu'il s'inquiétait de voir le gouvernement s'ingénier à freiner les relations commerciales entre les Antilles et l'Amérique du Nord. Henri Salin du Bercy et lui avaient dû soudoyer bon nombre de députés métropolitains au cours des années écoulées pour qu'aucun texte de loi ne vînt empêcher la vente des mélasses antillaises aux Américains. Ces derniers en étaient très friands et l'utilisaient pour fabriquer une sorte de rhum rougeâtre, inodore et sans saveur, à côté duquel le pire coco-merlo faisait l'effet d'un nectar divin.

— Nous sommes les seuls, avec les Guadeloupéens, à savoir fabriquer le vrai rhum. Tant qu'on gardera cet avantage, on sera tranquilles, t'assurait-il.

Tu n'avais aucune raison de ne pas le croire puisqu'il avait beaucoup voyagé à travers le monde alors que ton univers à toi se limitait à la commune de Rivière-Salée et à Fort-de-France où tu ne te rendais que par obligation. Tu n'avais conservé qu'un vague souvenir de Paris, lorsque tes parents vous y avaient emmenés lors de l'Exposition Coloniale Internationale de Vincennes, en 1931. Aymard Lepelletier-Dumont n'aimait pas cette ville ni les mœurs des habitants de ce qu'il appelait un peu pompeusement « le Vieux Monde ». Aussi, dès que le gouverneur de la Martinique fit afficher une proclamation demandant à la population de se préparer à l'effort de guerre, il vous convoqua tous à l'usine de Génipa, qui Firmin Léandor, le commandeur de la plantation Bel-Évent, qui Bélisaire, celui de Val-d'Or, aussi bien que les contremaîtres de la distillerie, de la sucrerie et du chemin de fer, pour vous tenir un discours dont l'exaltation tenait plus de sa soif de profits rapides que d'un quelconque patriotisme. On tenait enfin notre revanche sur ces imbéciles de betteraviers et sur ces vignerons arrogants du Bordelais qui, à l'entendre, ne portaient pas le rhum antillais dans leur cœur.

— Combien on a fait d'hectolitres l'an dernier ? te demanda-t-il.

— Quatorze mille et quelques...

— Eh ben ! cette année, je veux qu'on monte jusqu'à dix-huit mille, vingt mille, si possible. Léandor, tu crois qu'on peut replanter les jachères de Petit-Poterie ?

— On a pas mal de bœufs là-dessus, patron, et...

— Vendez-moi ça, bon sang ! C'est du gaspillage de terre. Je veux qu'on plante au moins mille hectares cette année. Enfin, façon de parler, messieurs ! Disons... au moins huit cent cinquante. Qu'en dis-tu, Bélisaire ?

— Faudra plus d'ouvriers agricoles, patron.

L'administrateur haussa les épaules. Il les trouverait, ces laboureurs et ces coupeurs de canne manquants, quitte à aller les chercher en barge à Sainte-Lucie. Après tout, cette île était possession anglaise et l'Angleterre ne venait-elle pas de déclarer, conjointement avec la France, la guerre à l'Allemagne ? Il doutait qu'Hitler dispersât ses sous-marins si loin du champ de bataille. Selon lui, l'essentiel des combats se déroulerait en Méditerranée et dans la Manche. L'Atlantique n'en souffrirait pas. Et d'ailleurs, il revenait des États-Unis où l'annonce de la guerre n'avait pas fait trois lignes dans les journaux et où tout un chacun continuait à vaquer tranquillement à ses occupations. Il déployait un talent oratoire que tu ne lui connaissais pas pour convaincre les commandeurs et les motiver face à la tâche colossale qui les attendait. Il te retint après leur départ et soudain, son visage se fit plus soucieux.

— Je... je ne sais pas comment on va faire, Pierre-Marie... On risque de n'avoir plus personne pour replanter la canne cette année. Plus personne de valide, je veux dire.

Ses pressentiments n'étaient pas infondés. On était au début de septembre 1939 et le moment était venu de tracer les sillons sur les propriétés et de mettre en terre de nouvelles cannes. Bien qu'exigeant moins de bras que la récolte, ces différentes tâches reposaient sur les épaules de quelques hommes clés, détenteurs d'une technique éprouvée. On ne pouvait se permettre de confier ce travail au premier venu, sinon la canne pousserait de travers. Or, une agitation sans pareille régnait déjà tant dans les campagnes qu'au bourg de Rivière-Salée. La Martinique entière, te rapportait-on, était prête à prendre les armes et les jeunes gens se battaient pour se faire enrôler. Anthénor, le syndicaliste communiste, à l'instigation du maire, avait placardé la proclamation du gouverneur sur la porte principale de l'usine de Génipa et, chaque matin, à l'embauche, l'air transfiguré, il la lisait à haute voix pour ceux qui n'avaient pas fréquenté l'école. Il ne t'avait même pas demandé l'autorisation de le faire. Si les fortes pluies de septembre la décollaient ou la détérioraient, il s'empressait de remettre une autre proclamation dont le texte, en lettres grasses de cinq centimètres de haut, captait tous les regards dès qu'on approchait de l'usine :

PROCLAMATION DU GOUVERNEUR DE LA RÉPUBLIQUE

MARTINIQUAIS,

POUR RÉPONDRE À LA MENACE ALLEMANDE, LA FRANCE A DÛ MOBILISER TOUTES SES FORCES ET SE PRÉPARE À COMBATTRE DE NOUVEAU, POUR LE DROIT ET LA LIBERTÉ.

DANS LES GRAVES CIRCONSTANCES QUE NOUS ALLONS TRAVERSER, UNE DISCIPLINE ET UNE ABNÉGATION TOTALES S'IMPOSENT À CHACUN DE VOUS. L'UNION DE TOUS LES MARTINIQUAIS EST PLUS QUE JAMAIS NÉCESSAIRE POUR RÉPONDRE AUX SACRIFICES QUE VA NOUS DEMANDER LA MÈRE PATRIE.

JE SUIS SÛR QUE VOUS RÉPONDREZ TOUS À SON APPEL. VOTRE ARDENT PATRIOTISME DE TOUJOURS M'EN EST GARANT.

TOUS DEBOUT POUR LA DÉFENSE ET LA VICTOIRE DE LA PATRIE.

VIVE LA FRANCE !

VIVE LA MARTINIQUE !

FORT-DE-FRANCE, LE 1er SEPTEMBRE 1939

G. SPITZ

Une phrase t'emplissait d'une sourde inquiétude. Une seule : « Je suis sûr que vous répondrez tous à son appel. » Te sentais-tu concerné ? Pourrais-tu abandonner les terres et l'usine de Génipa pour t'en aller guerroyer en Europe ? Que deviendrait Laetitia qui t'avait annoncé qu'elle était enceinte ? Tu n'eus guère le temps de te perdre en conjectures. Des rassemblements patriotiques s'organisèrent, plus ou moins spontanément, au bourg de Rivière-Salée, ponctués de défilés. Les nègres et les mulâtres chantaient *La Marseillaise* à tue-tête. Un soir d'octobre, Anthénor, le syndicaliste, vint te trouver pour t'annoncer qu'il s'engagerait bientôt. La France courait un grand danger et il n'était pas question pour lui de demeurer les bras croisés. Florius, ton vieux camarade de jeu, le badjoleur, le coursailleur de jupons impénitent, disparut lui aussi ainsi que d'autres bras fort utiles à l'usine. L'année suivante, on murmura qu'ils avaient enjambé nuitamment le canal séparant la Martinique de l'île anglaise de Sainte-Lucie afin d'aller rejoindre les premiers résistants français, bien qu'un tel acte de sédition eût été interdit par le tout nouveau gouverneur, l'amiral Robert. La milice qu'il avait formée au lendemain de son arrivée patrouillait le long des côtes, faisant feu sans sommation sur ceux que la radio appelait les « traîtres à la Nation ». Prononcer en public le nom du général de Gaulle devint même un délit, passible d'emprisonnement immédiat. Toute cette agitation t'inquiétait fort et enrageait l'administrateur Aymard Lepelletier-Dumont :

— Si l'amiral Robert a été nommé ici, c'est qu'il a l'entière confiance du maréchal Pétain, s'enflammait-il. Je ne comprends pas pourquoi tous ces nègres ne songent qu'à fuir la Martinique. Hon ! Ils sont tellement feignants qu'ils préfèrent porter un fusil à l'épaule que de couper la canne !

Laetitia pleurait souvent la nuit, ne parvenant plus à trouver le sommeil. Son ventre, qui s'arrondissait à vue d'œil, te comblait d'un orgueil qui t'étonnait toi-même. Deux de ses frères avaient rejoint la dissidence et elle te pressait de leur emboîter le pas.

— Ce n'est pas que je ne t'aime pas, Pierre-Marie, te chuchotait-elle entre deux hoquets. Ce n'est pas ça, non ! Mais notre mère la France a besoin de tous ses fils. La patrie est en danger !

Qu'une négresse aussi noire pût aimer autant un pays qu'elle ne verrait jamais te troublait au plus haut point. Tu lui caressais le ventre, te demandant quel prénom tu baillerais à ton enfant, s'il s'agissait, comme tu l'espérais, d'un fils. Aubin, sans doute. Par fidélité à ton père. A un homme qui avait osé braver la caste des grands békés, subir un déshéritement total pour épouser une femme qu'il savait ne pas être tout à fait blanche. Tu n'avais, au fond, fait que poursuivre la voie qu'il avait tracée, sous le crachat des siens et la défiance des gens de couleur, sans jamais se dédire une seule fois. Sans trousser le nez sur les cheveux trop frisés de ton frère Moïse ni sur la croupière trop matée de ta sœur Ismène. Et, bien que n'ayant presque rien à séparer, il avait tenu à coucher sur son testament les deux fils-dehors qu'il avait eus de la câpresse de Grand-Bassin.

Si cette nouvelle guerre n'avait pas éclaté, là-bas, en Europe, sans doute n'aurais-tu jamais prononcé à voix haute ces mots qui te trottaient dans la tête depuis le décès d'Aubin de La Vigerie, mots qui étaient enfouis au plus profond de toi dès l'époque où tu avais entendu pour la première fois ce mot étrange de « *kalazaza* ». Mots qui firent sursauter d'étonnement et de plaisir mêlés ta chère Laetitia :

— Un mulâtre, voici ce que je suis, oui !

Habitation l'Union (Vauclin)
(avril 1995-août 1997)

TABLE DES MATIÈRES